D1297186

Michel Folco

UN LOUP EST UN LOUP

ROMAN

Éditions du Seuil

TEXTE INTÉGRAL

ISBN 978-2-7578-0266-3
(ISBN 2-02-029145-2, 1re publication poche,
ISBN 2-02-025286-4, 1re publication)

Première partie

Chapitre premier

Forêt de Saint-Leu, mars 1763.

Truffe à l'évent, oreilles aux écoutes, la louve cherchait pitance depuis le crépuscule, gênée par son ventre trop lourd qui pendait à frotter terre. Elle n'aurait pas dû sortir, mais cela faisait quatre jours maintenant que son compagnon n'avait pas réapparu à la lovière.

Elle entendit au-dessus d'elle une martre poursuivre un écureuil dans les ramures d'un charme. Plus loin, une portée de mulots décela son approche et disparut dans un trou. Toute cette nourriture à la fois proche et inaccessible attisa sa fringale. Son dernier carnage remontait à la veille et s'était limité à une vieille hulotte tombée d'un arbre et trop malade pour y remonter : or, il n'y avait presque rien à manger dans une chouette faite aux trois quarts de plumes.

La louve approcha d'un grand chêne au tronc balafré de frayures. Elle flaira les voies laissées par les cervidés et les jugea trop anciennes pour justifier une poursuite que son état lui interdisait de toute façon.

Elle s'éloignait dans l'herbe froide lorsqu'elle aperçut un hérisson tentant de se réfugier sous une cépée, entravé dans sa fuite par un lapereau à demi dévoré qu'il ne voulait pas abandonner. Elle bondit. L'animal lâcha sa proie pour se transformer en une pelote de cinq mille épines. La louve dévora ce qui restait du lapereau, avalant jusqu'à la queue touffue.

S'aidant de sa patte antérieure avec délicatesse, elle fit rouler la créature épineuse jusqu'à la rivière qu'on entendait couler non loin. Indifférente à la demi-lune qui s'y reflétait, elle la poussa dans l'eau et la maintint immergée.

La tête du hérisson en quête d'air apparut. La louve la happa et la broya sous ses mâchelières. Tirant alors l'animal hors de l'eau, elle le projeta en l'air d'un mouvement brusque, recommençant trois fois avant qu'il retombât sur le dos, le ventre offert.

Sortant d'hibernation le hérisson se révéla peu gras. En revanche, son estomac contenait l'autre moitié du lapereau.

L'appétit à peine entamé, la louve but longuement. Une salamandre qui chassait la limace passa imprudemment à proximité. Elle s'en empara et l'avala sans plaisir (l'amphibien avait un goût de caillou), mais elle avait si faim qu'elle aurait mangé une grenouille, pourtant en bas de liste dans ses préférences alimentaires, *ex aequo* avec les lombrics. Elle but à nouveau et reprit sa quête de viande fraîche.

Arrivée bientôt aux abords d'une clairière, elle approcha d'un chablis de hêtres rongés par les mousses et les capricornes. Sa truffe capta le fumet très salivant d'une charogne. L'odeur serpentait entre les buissons et les taillis comme l'eût fait celle d'une bête blessée. Elle la suivit jusqu'à la dépouille d'un chien pendue à la première branche d'un frêne. S'immobilisant à distance, elle flaira avec application les alentours, émue d'accrocher de faibles particules olfactives de son compagnon, qui révélaient qu'il était venu ici quelques jours plus tôt.

Suspendu par le cou, le chien était vieux et sa langue gonflée sortait de sa gueule aux crocs usés. La louve en fit le tour complet à pas circonspects avant de se décider à approcher, la truffe frémissante, l'estomac presque affolé par la proximité de toute cette chair délicieusement faisandée.

Les mâchoires du traquenard se refermèrent brutalement sur son pied droit, broyant radius et cubitus en deçà de l'articulation du coude.

– Apporte, commanda sèchement l'homme.

Le bâtard aux yeux tristes s'approcha à contrecœur et laissa son maître lui ôter de la gueule la patte velue qu'il s'apprêtait à dévorer.

L'homme reconnut l'antérieur dextre d'une grande-louve de quatre ans au moins. Sans doute la femelle du vieux-loup piégé quelques jours plus tôt au même endroit. Il rangea la patte dans la gibecière de toile contenant déjà deux bouquins étranglés. Les griffes de loup avaient pour réputation de dérouter sans pitié les cors aux pieds et les ongles incarnés ; aussi se vendaient-elles deux sols l'unité, le prix d'une demi-livre de pain blanc.

Il examina le traquenard enchaîné au tronc du frêne avec une moue déçue à la vue des nombreux éclats d'ivoire sur les mâchoires : la malebête s'était d'abord meulé les crocs sur le fer du piège, puis, comprenant qu'elle ne parviendrait pas à s'en dégager, elle s'était rongé la patte.

Le limier suivit facilement sa voie qui était chaude.

La bête s'était traînée dans un épais taillis de châtaigniers à une demi-lieue de là : elle avait mis bas six loupiots qui la tétaient lorsque le chien et l'homme la débusquèrent.

La louve se redressa sur trois pattes et fit bravement face. L'un des loupiots resta suspendu un instant à son allaite avant de lâcher prise et de tomber sur l'herbe en couinant.

Visant le thorax où il savait trouver le cœur l'homme plongea son épieu qui s'enfonça jusqu'aux oreilles.

– Crève maudite !

La louve s'abattit sur le flanc en poussant un jappement rauque qui se perdit dans la mort. L'homme tourna le fer dans la plaie.

– Derrière ! intima-t-il au chien avant que celui-ci ne s'en prît aux appétissants louveteaux.

Le chevalier Virgile-Amédée les utilisait pour dresser ses chiens au loup et les payait deux livres pièce. Encore les fallait-il vifs.

L'homme les fourra dans sa gibecière.

Deux manquaient.

Il regarda le limier qui détourna la tête en signe d'innocence.

– Mordiou, j'sais bien qu'y en avait plus.

Nouveau-nés, aveugles, sourds, ils ne pouvaient être loin. Il les découvrit en soulevant la louve morte, écrasés dessous par son poids.

L'homme dégaina son couteau de chasse et extrait les

yeux des orbites de la malebête. Il les mangea tels quels afin d'acquérir leur excellente vision nocturne.

Il suspendit la louve par les pattes arrière à une branche, il l'éventra et la vida de ses entrailles qu'il offrit au chien en curée chaude.

Il la déshabilla de sa peau (pour la fourrure), leva les trois pattes restantes (pour leurs ongles), détacha la tête (pour les dents) et conclut en tranchant la langue qu'il jeta en dessert à son chien.

L'examen des mâchoires fut décevant. Sur les quarante-deux dents, cinq seulement étaient intactes, les autres s'étaient moulues sur le métal du piège.

L'homme revint près du frêne, arma à nouveau le traquenard et le replaça sous celui qui avait été son fidèle limier onze ans durant : quand l'âge et les rhumatismes en avaient fait une bouche inutile, l'homme l'avait abattu et utilisé une dernière fois comme appât.

Le relevé des autres collets ajouta deux nouveaux lièvres étranglés. Le sac jeté sur l'épaule, son chien repu marchant respectueusement derrière lui, l'homme retourna vers le sentier où il avait laissé son mulet.

La matinée était avancée quand il franchit sans s'arrêter l'octroi de la porte des Croisades de Racleterre, comme l'y autorisait son baudrier de garde-chasse aux armes des Armogaste.

A peine s'engageait-il dans la populeuse rue Jéhan-du-Haut qu'il devina qu'un événement exceptionnel venait de se produire.

Chapitre 2

Saboterie Tricotin, Racleterre-en-Rouergue.

Plongé dans une nuit tiède et opaque où rien n'était bon, où rien n'était mauvais, où tout était pareil, Charlemagne flottait benoîtement la tête en bas. Il ignorait la faim comme la soif, et, n'ayant rien à voir, ses yeux ne s'étaient jamais ouverts. Il n'éprouvait aucun besoin, pas même celui de respirer ; il percevait toutefois les battements du cœur d'Apolline et distinguait sans équivoque les siens de ceux des autres.

Un tel état végétatif de bonheur accompli ne l'ayant point prédisposé à la méfiance, la surprise fut totale quand les parois qui le contenaient se refermèrent sur lui en le compressant de toute part. Quelque chose d'extraordinaire et de fort désagréable se tramait.

Tout proche, au chaud sous sa lourde couverture en sauvagine, Clovis cauchemardait à nouveau. Il rêvait cette fois qu'il s'était endormi la bouche ouverte sous un arbre et qu'un gros rat noir en avait profité pour s'introduire à l'intérieur. Il le sentait glisser dans son pharynx en gigotant.

Un cri pointu perça bien heureusement son sommeil. Il ouvrit les yeux sur l'obscurité de la chambre.

– Vite, Clovis, va quérir la mère Bienvenu, gémit Apolline d'une voix mourante.

Il hésita. Il manquait trois bonnes semaines et ce n'était pas la première fausse alerte. Et puis il gelait dehors, et la sage-femme logeait loin.

– Tu es certaine ?

– Pour sûr que je le suis !

A son ton sec, il comprit qu'il l'avait hérissonnée. Il se glissa hors du lit et tâtonna dans l'obscurité pour retrouver ses chausses et ses bas, l'esprit encore remué par son cauchemar. Qui donc gouvernait ses rêves ? C'était la première fois qu'ils lui faisaient avaler un rat. D'habitude, il gobait des grenouilles, des mouches, parfois des anguilles, souvent des araignées. Le but avoué de ces bêtes était d'atteindre son estomac et de pondre dedans.

Clovis battit le briquet et alluma la mèche de la lampe à huile. La vue de sa femme étreignant son ventre exagérément distendu lui serra la gorge. La douleur et l'inquiétude déformaient son visage crotté par la variole.

Il se hâta d'enfiler sa veste et d'entrer dans ses sabots.

– Veux-tu que je ranime le feu ? Il fait si frisquet.

– Petit-Jacquot le fera. Presse-toi pour l'amour du ciel et préviens ma bonne mère au passage.

– Hardi, ma mie, j'y cours.

Il décrocha sa pesante houppelande en peau de mouton.

Couché dans l'échoppe, sous l'escalier menant aux combles, le jeune apprenti dormait comme une bûche sur sa paillasse en dépouille de maïs. Clovis l'éveilla sans ménagement.

– Va vite faire du feu pour la maîtresse, et après cours à la maréchalerie prévenir les miens que c'est la délivrance.

Il aurait aimé avertir les Camboulives, ses grands-parents tanneurs, mais ils vivaient à l'extérieur des murailles, en amont du Dourdou, et les trois portes du bourg étaient forcloses jusqu'au lever du jour.

Déjà, il sortait de l'échoppe, oubliant son tricorne et sa lanterne. Quand il s'en aperçut, il était trop avancé dans la rue des Afitos pour faire demi-tour.

Éclairée par une demi-lune, la rue non pavée était recouverte d'une épaisse couche de cagadou, une mixture composée de paille, de feuilles, d'immondices végétaux, de résidus organiques expulsés des cuisines, de crottins de plusieurs espèces animales, de déjections de pot de chambre, le tout pétri gracieusement par les roues des voitures et le piétinement des passants en une fange nauséabonde qui faisait la fortune de Baptiste Floutard, le maître gadouyeur-vidangeur de Racleterre.

Clovis arriva au pas de course place de l'Arbalète, dépassa la Poste aux chevaux Durif et contourna la fontaine Sainte-Cécile. Il s'arrêta devant la porte ferrée des entrepôts Floutard et cogna dessus jusqu'à ce que son beau-père apparaisse en chemise et bonnet de nuit sur le balcon, un bougeoir à la main. Ils ne s'aimaient plus et se battaient froid. Clovis n'était pas le gendre docile que Floutard s'était imaginé.

– Apolline a les douleurs et réclame sa mère. Moi, je cours chez l'engendreuse.

Sans attendre de réponse, Clovis détala vers la rue des Deux-Places, l'artère commerçante qui reliait la place de l'Arbalète à la place Royale. Ses sabots ferrés résonnèrent sur les pavés de la grande rue bordée de belles maisons à encorbellements. Il dépassa celle des Lamberton et fit les cornes du mauvais sort vers les fenêtres du maître juré de la corporation des Bons Sabotiers, lui souhaitant d'attraper les oreillons avant Pâques.

Il apercevait le clocher de l'église Saint-Benoît quand un grand sergent à pertuisane et trois archers surgirent de sous le porche de monsieur l'exacteur Bompaing où ils se protégeaient du froid. L'un d'eux dévoila un falot à huile.

– Halte au guet ! commanda le sergent avec un gros accent berrichon.

Les archers entourèrent Clovis sans conviction. L'un d'eux braqua sa pique, les autres la gardèrent sur l'épaule. Le sergent était le seul à porter une livrée complète aux couleurs communales (vert sombre à rabat rouge), ses hommes ne portaient que le tricorne, le baudrier et la pique.

– Que fais-tu sans loupiote à une heure pareille ? Tu n'as pourtant point les allures d'un demeurant-partout, dit-il en regardant l'anneau d'argent qui pendait à l'oreille droite du jeune sabotier.

– Je n'en suis point un, monsieur le sergent. Ma femme est en travail d'enfant et je m'en vais chercher la mère Bienvenu.

Il désigna la masse sombre de l'ancien séminaire des

Vigilants du Saint-Prépuce derrière lequel filait la venelle du Suif où logeait la sage-femme.

– Je vous supplie de me laisser m'y rendre sans retard.

Sa respiration rendue haletante par sa course soufflait des nuages blancs.

– Pas avant d'avoir acquitté ton amende pour défaut de lumière passé complies.

Afin de dissuader les éventuels friponneurs noctambulaires, la Maison avait décrété qu'une amende de cinq livres sanctionnerait quiconque circulerait sans une lanterne le signalant de loin. Rémunérés selon le montant des amendes infligées, les gens du guet étaient tenus pour intraitables. Ils se composaient en majorité de mercenaires étrangers au Rouergue, la plupart d'anciens militaires qui n'avaient aucun état d'âme à exercer une si impopulaire fonction.

– Macarel de caramba ! C'est que je n'ai point pareille somme sur moi, et le temps me fait défaut pour m'en retourner vous la quérir.

L'archer portant le falot vint l'examiner sous le nez.

– Je le remets, monsieur mon sergent. C'est le Tricotin sabotier de la rue des Afitos, et c'est vrai que sa femme elle est grosse. Même qu'elle est très très grosse.

Clovis reconnut sous le tricorne l'air déluré de Bizotte, le fils d'un briquetier de petite réputation dont la famille trop nombreuse avait dû s'éparpiller pour survivre.

Le sergent berrichon releva sa pertuisane.

– Je te laisse partir puisque tu es reconnu, mais au matin il te faudra venir à la Maison payer ton amende, sinon gare à tes portes.

Clovis le remercia d'un bref geste de la main et reprit sa course. Il traversa la place Royale et se signa à l'intention de la statue de saint Benoît nichée dans le clocher. Il l'implora de faire en sorte qu'Apolline n'ait point de mauvais labeur.

Que la jeune femme soit d'une stature gaillarde n'expliquait en rien l'énormité de son ventre. Dès le troisième mois, elle ne pouvait se déplacer qu'en le soutenant avec une large serviette nouée sur sa nuque.

Il longea le pilori du XVIe siècle aux armes des Armogaste

(une tête de loup fichée sur un épieu timbré du cri *Tuons-les tous*), laissa le séminaire désaffecté des Vigilants à main gauche et s'engouffra dans l'étroite venelle du Suif. La maison occupée par l'engendreuse s'élevait entre deux ateliers de chandeliers-cireurs. Le blason de pierre ornant son fronton signalait qu'elle était la propriété du bourg.

– Holà ! Mère Bienvenu ! C'est maître Tricotin, le sabotier des Afitos. Ma mie va enfanter et vous réclame d'urgence !

Sa voix forte résonna dans l'étroit passage. Comme rien ne bougeait, il ébranla le battant de son poing fermé.

– Faites Seigneur qu'elle soit céans. Faites qu'elle ne soit pas délivrant ailleurs.

Unique sage-femme de Racleterre, Alphonsine Bienvenu était une espèce rare et recherchée. Même Roumégoux, même Bellerocaille n'en possédaient pas et on en dénombrait à peine six dans l'entière province. Pour la conserver, la Maison lui baillait cent livres annuelles et lui offrait le logis.

Clovis redoubla son vacarme.

– Mère Bienvenu ! Mère Bienvenu !

– Dieu-Jésus ! J'entends ! J'entends ! Cessez ce fracas, rognonna une voix épaisse.

Au même instant, une fenêtre s'ouvrit dans la façade de la maison opposée. Une main prolongée d'un vase de nuit apparut et projeta le contenu sur le crâne non chapeauté du sabotier qui en fut instantanément recouvert et dégoulinant.

– AH ! CAROGNE ! s'écria-t-il au contact de l'infect déluge qui s'infiltrait froidement entre col et peau.

Il cherchait une riposte quand l'huis de la sage-femme s'ouvrit sur une matrone au visage rond et aplati qui sentait la suette et l'eau-de-vie. Ses narines souillées de taches brunes indiquaient qu'elle aimait priser son pétun. Ses yeux pochés de sommeil se dilatèrent devant le spectacle offert par Clovis aux longs cheveux s'égouttant en cercles jaunes sur la peau de mouton. Elle l'invita à entrer et lui offrit un chiffon pour s'essuyer.

– Qui vous a ainsi compissé ?

Il se sécha sans lui répondre ; puis il la houspilla parce qu'elle regroupait trop lentement à son goût les ustensiles de sa pratique.

– Pressez-vous, la mère, pressez-vous.
La vue du tire-tête aux crochets métalliques qui avait la réputation de défacier quand on l'utilisait lui tira une grimace.
– Souhaitons que vous n'en ayez point l'usage.
L'engendreuse le foudroya du regard. Ce jeune godichon ignorait donc qu'évoquer le malheur l'attirait aussi sûrement que la mouche attire l'aragne ? Elle conjura ce mauvais sort en baisant sa médaille de sainte Anne, la mère de Marie, patronne de toutes les mères. Elle reprit ses préparatifs et emplit d'eau bénite le clystère servant à ondoyer *in utero* les enfants mort-nés.
– Je suis prête, finit-elle par marmonner en suspendant à son cou la paire de ciseaux coupeurs de cordons ombilicaux.
– Où est votre lanterne ?
– Je l'ai oubliée.
– Vous êtes chanceux de ne point avoir croisé le guet.
Clovis haussa les épaules en sortant. Le froid coupant comme une lame neuve glaça sa tête humide et le fit éternuer.
Ramassant un caillou de la taille d'une pomme, il le précipita contre la fenêtre d'où avait jailli l'abominable cascade. La vitre vola en éclats. Il y eut un cri étouffé. Un chien aboya.
La sage-femme qui refermait ses verrous hocha la tête avec désapprobation.
– Vous n'auriez pas dû. Ce sont les appartements du sieur Crandalle. Il est sournois comme une truie malade. De plus il est…
– Hâtons-nous, la mère, on n'a que trop lambiné, la coupa impatiemment Clovis.
Prime carillonnait au beffroi lorsqu'ils arrivèrent rue des Afitos. L'échoppe se signalait de loin par une enseigne représentant un sabot d'une demi-toise peint en vert laitue. On lisait dessus :

AU BEAU SABOT TRICOTIN
ICI, ON CHAUSSE DE BOIS.

De la lumière filtrait sous la porte. Clovis entra. Il vit son père Louis-Charlemagne et son frère aîné Caribert debout près de l'établi qui fumaient leur bouffarde devant un flacon de casse-poitrine et deux godets.

Clovis embrassa son père qui le repoussa énergiquement.

– Jésus de macarel ! Tu emboucanes la pisse !

La mère Bienvenu entra à son tour dans l'échoppe bien tenue où chaque outil avait sa place et s'y trouvait. Une centaine de livres à couverture bleue, soigneusement rangés sur une double étagère partant d'un mur à l'autre, attestait qu'ici on savait lire.

Tout en louchant sur le flacon d'eau-de-vie de contrebande, elle salua la compagnie. Le père Tricotin et ses fils partageaient la même grande taille (cinq pieds, quatre pouces), le même front bombé, les mêmes joues hautes, le même menton volontaire (en galoche). Seul, Clovis avait hérité du regard légèrement fendu de Jeanne, sa mère, qui lui donnait, quand il plissait les yeux, un air de guetteur de taupes.

Il se débarrassa de sa houppelande et allait pour expliquer ce qui lui était arrivé quand des vagissements retentirent en provenance de la chambre. La mère Bienvenu eut une mimique de dépit.

– Il semblerait que vous m'ayez réveillée pour des figues, dit-elle en louchant plus que jamais sur le flacon.

Un cri déchirant les pétrifia tous. L'engendreuse fut la première à réagir en entrant dans la chambre. Ils la suivirent.

Clovis vit sa mère Jeanne qui nettoyait un enfançon tout fripé, tout maigriot, pas plus haut qu'un carafon. Adèle Floutard, la mère d'Apolline, était à son chevet et lui murmurait des propos apaisants. Immaculée, dans la ruelle, entrait un polochon dans une taie. Il la salua d'un mouvement du menton mais évita de croiser son regard.

Clovis subissait son désir pour sa belle-sœur comme on endure le gel au printemps, la grêle en août, la chute des cheveux passé la quarantaine. Il attendait que ça passe, mais « ça » passait d'autant moins que depuis huit mois l'état d'Apolline le contraignait à une abstinence chaque nuit plus contraignante.

– Oh ! Mon Clovis, je n'en peux plus tant la douleur m'étreint, s'écria Apolline en l'apercevant.

– Hardi, ma mie, hardi ! lui lança-t-il gauchement.

– Vous voilà enfin ! bougonna Adèle à l'engendreuse. Hâtez-vous, il en vient un autre !

Sans se presser pour autant, la mère Bienvenu sortit de son sac un portrait à l'huile de sainte Anne qu'elle déposa au pied du lit, elle alluma deux cierges à dix sols devant et récita à mi-voix une prière connue d'elle seule. C'était la troisième fois en vingt ans de pratique qu'elle rencontrait le cas de jumeaux. La première fois, Dieu en avait fait des anges le lendemain de leur apparition, la deuxième fois, Il avait attendu une semaine.

Elle sortit un morceau de beurre rance enveloppé dans un chiffon gris.

La suite étant une affaire strictement féminine, les hommes furent chassés de la chambre. Avant d'obéir, Clovis interrogea sa mère du regard. Jeanne venait de baigner l'enfant dans de l'eau tiède et le lavait maintenant avec du vin rouge.

– Rassure-toi, tu l'as ton cap d'oustal, c'est bien un couillu.

Elle tourna l'enfant pour le lui montrer. Elle ajouta en plissant les narines :

– C'est toi qui empestes le pissou comme ça ?

Clovis ouvrit son coffre à vêtements et prit de quoi se changer. Avant de sortir, il vit la mère Bienvenu qui s'enduisait les mains jusqu'aux coudes de beurre.

De retour dans l'échoppe, il se versa un godet de casse-poitrine et le leva en direction du berceau qu'il avait taillé le mois dernier dans un fût de chêne. Il allait devoir en façonner un second.

– A la fière santé des jumeaux Tricotin !

L'alcool presque pur embrasa son estomac vide. Il fit tinter le verre contre son anneau d'oreille.

– Moi au moins, quand je sème, ça pousse.

C'est en voyant les joues de Caribert s'entuliper qu'il réalisa sa bévue.

– Fais excuse, frérot. Tu penses bien que c'est point par malice que je trompette ainsi.

Il étreignit son frère qui se laissa faire malgré l'odeur.

Marié depuis quatre ans avec Immaculée Trognon, la fille d'un compagnon tanneur de la tannerie Camboulives, Caribert n'avait toujours pas de descendance. Ce qui était mal vu dans un pays où la stérilité était assimilée à la sécheresse du sol.

– Allons manger, proposa leur père en guise de diversion.

Ils se rendirent dans l'étroite cuisine touchant l'échoppe. De la cochonnaille, des tresses d'ail, des bottes d'oignons tombaient du plafond noirci par la suie. Une lucarne et une porte basse donnaient sur une cour intérieure percée d'un puits à sec depuis un siècle.

Petit-Jacquot avait allumé le feu et cuisait des châtaignes dans une poêle percée.

Louis-Charlemagne prit un tourto dans la panetière, Caribert ouvrit le garde-manger creusé dans le mur et trouva du fromage de chèvre, un bocal de cèpes au vinaigre et à l'huile, une terrine de pâté de lièvre de braconne, ainsi qu'un demi-cuissot fumé de sanglier de même origine.

Clovis changea de vêtements puis sortit dans la cour se rincer les cheveux à l'eau tiède pour repousser la tenace odeur pissatoire.

Caribert tira un pichet de vin de Routaboul du tonnelet suspendu au mur, son père déplia la lame de son couteau et débita des tranches de pain. Clovis sécha ses cheveux avec le pan de sa chemise puis fit signe à son apprenti de les rejoindre avec les châtaignes. Bientôt ils mastiquaient avec un bel entrain.

On était fier chez les Tricotin de pouvoir remonter le nom sur cinq générations.

Les origines du premier de la descendance demeuraient cependant inconnues. On savait à peine qu'il était apparu un jour de marché au hameau La Valette et qu'il était resté. On savait qu'il taillait et vendait des bâtons (on disait des tricotes) et qu'il baragouinait un patois inconnu accompagné de grands gestes l'aidant à se faire comprendre.

Il existait trois traces de cet ancêtre. La première figurait sur le registre paroissial de l'église de La Valette et signalait son mariage.

> Au dit an 1604, par moi soussigné curé de La Valette, j'ai donné la bénédiction nuptiale à Lou Tricoten issu d'un autre lieu, et à Magdeleine Jolyette de la paroisse de Louvoignac-sur-Dourdou, dans mon église de La Valette dans la châtellenie de Racleterre,
>
> Tourrel, curé.

La deuxième trace de Lou Tricoten (le vendeur de tricotes, en patois) figurait sur le compoix de 1627 de la châtellenie. Il y était imposé comme laboureur-métayer du chevalier Armogaste mais il fabriquait toujours des tricotes puisque chaque modèle de sa production était mentionné et imposé. Il proposait trois gabarits. Le modèle *Freluquet* idéal pour mater les valets indociles ou arrogants, les servantes souillons et les maîtres queux maladroits. Le modèle *En forme* était recommandé pour éloigner les loups, les chiens sauvages, les mauvais payeurs et les créanciers trop pressants. Le modèle *Mahousse*, en vieux chêne noueux dur comme granit, presque une arme de guerre, servait à punir les adultères et à satisfaire les vengeances d'ordre privé.

La dernière trace figurait dans le registre paroissial des décès de l'an 1653.

> Ce 10 mars de l'an de Grâce 1653, j'ai donné les derniers sacrements à Lou Tricautin de La Valette, âgé environ de soixante-dix ans et au-delà. A été inhumé en présence de Magdeleine son épouse et de leur fils Clodion.
>
> Tourrel, curé.

Childéric Tricotin, fils du Clodion susnommé, quitta La Valette pour aller prospérer comme maréchal-ferrant à Racleterre qui n'en abritait qu'un seul à l'époque. Quand, deux générations plus tard, Louis-Charlemagne succéda à son père Mérovée, le bourg comptait six maréchaleries regroupées rue des Frappes-Devant.

Désormais cinquantenaire, Louis-Charlemagne terminait son existence l'âme moyennement en paix et plutôt satisfait de ses fils.

Caribert, l'aîné, était un habile compagnon et serait un bon maître de maréchalerie le moment venu. Quant à Clovis, son cadet, il s'était élevé dans la hiérarchie locale en devenant maître sabotier (un préjugé tenace considérait plus noble de chausser de bois ses concitoyens que de chausser de fer des quadrupèdes).

Clovis avait quatorze ans révolus quand il avait émis le souhait de devenir autre chose que l'apprenti à vie de son frère aîné. Il s'était présenté dans le grand atelier de maître Aristide Lamberton, un gros homme à la double bedaine et au triple menton qui cachait sous un sourire affable une âme dure et bornée.

– Un contrat d'apprenti, rien que ça ! N'es-tu point déjà teneur de sabot chez ton maréchal de père ?

– Si fait, monsieur le maître, mais le métier du fer ne me convient point, je lui préfère celui du bois.

– Je n'ai besoin de personne.

Clovis voulut plaider sa cause, mais autant essayer ferrer une oie. Lamberton ne voulut rien entendre. La tournée des maîtres sabotiers des autres quartiers se révéla tout aussi décevante. Il était revenu à la maréchalerie l'âme meurtrie et l'oreille basse.

Juste avant que ne sonnent les vêpres, un petit homme aux jambes arquées et à la chevelure brune et frisée comme celle d'un Italien s'était présenté à la maréchalerie.

– Je m'appelle Culat et je suis compagnon chez Lamberton. J'étais là quand le maître t'a éconduit. Si tu veux toujours devenir sabotier, je peux te bailler une recommandation auprès de mon ancien maître de Millau.

Louis-Charlemagne signa le billet d'émancipation sans lequel un enfant mineur ne pouvait voyager hors de la châtellenie et Clovis partit pour Millau, à vingt-cinq lieues de là.

Le maestro Miguel Antonio Arranda le débourra en quinze mois, le temps réglementaire pour ce métier (il était de cinq ans pour les architectes, trois pour les maréchaux-forgerons, deux pour les cordonniers, un seul pour les procureurs et les tanneurs). Le Catalan lui enseigna le séchage, le taillage, le creusage, le parage, le polissage. Il lui apprit à évaluer au coup d'œil la juste taille d'un pied et à tenir compte des oignons et des durillons.

Clovis resta trois ans second compagnon et deux ans premier compagnon avant de revenir à Racleterre. On s'accorda à le trouver changé, et on ne sut que penser de ses « Caramba ! » ni de l'anneau d'argent qui pendait désormais au lobe de son oreille droite.

Dépourvu des finances pour affermer un local, le jeune sabotier emprunta un mulet de douze ans à son grand-père le tanneur Camboulives et une carriole du même âge à son père maréchal. Il badigeonna les ridelles en bleu ciel et suspendit dessus ses outils par taille décroissante. Il peignit sur chaque côté de la bâche en épaisses lettres noires SABOTERIE ITINÉRANTE TRICOTIN et dessina dessous une paire d'énormes sabots qu'il coloria en vermillon pour qu'ils se voient de loin.

Il entreprit la tournée des villages, des hameaux, des fermes isolées, des burons au fond de leurs combes oubliées de tous, n'hésitant pas à franchir les frontières de la châtellenie et à pousser jusqu'à Roumégoux à l'est, jusqu'à Bellerocaille et Rodez à l'ouest, jusqu'à Réquista au sud, jusqu'aux contreforts de l'Aubrac au nord. Il proposait trois sortes de feuillus : du bouleau, du hêtre et de l'aulne, des essences à la fois tendres et résistantes qu'il braconnait à grands risques dans les bois et les forêts longeant son chemin.

– Je vous les fais à quinze sols la paire, cinq en moins que chez Lamberton, caramba ! En plus je donne le contrefort, en plus je décore si on le veut et, encore en plus, je vous épargne le voyage jusqu'au bourg.

Les mesures des pieds prises, il lui fallait trois quarts d'heure par sabot.

Clovis visitait aussi les foires et les marchés où il faisait de nombreuses rencontres. Certaines l'amenèrent à contrebander des allumettes du Quercy et du sel du Poitou qu'il revendit avec un joli bénéfice rondement réinvesti dans l'achat d'un mulet plus jeune et d'une carriole plus grande et plus robuste.

C'est dans l'un des bordeaux ambulants qui sillonnaient le pays à la bonne saison en charrettes bâchées que le sabotier fit la connaissance de Baptiste Floutard, le maître vidangeur-gadouyeur de la place de l'Arbalète, un goûteur de ribaudes lui aussi.

Quelques mois plus tard, Clovis épousait sa fille unique, la très peu convoitée Apolline, épousant du même coup une dot de trois cents livres et un droit de coupe dans le bois Bonnefons récemment acquis par Floutard. Ce dernier avait généreusement ajouté au contrat la jouissance sans rente d'une maisonnette avec cour rue des Afitos dans le quartier de l'Arbalète. Le lendemain, Racleterre comptait une saboterie de plus.

Et ce matin du 31 mars 1763, jour de la Saint-Benjamin, Clovis était père d'un enfant mâle, peut-être de deux.

Chapitre 3

– Puisque l'homme a deux génitoires, il est normal que de temps à autre celles-ci agissent de concert et fassent coup double, fanfaronnait Clovis la bouche pleine, quand un hurlement l'interrompit.

D'autres suivirent. La deuxième naissance se déroulait mal.

L'appétit coupé, il quitta la cuisine et alla entrebâiller la porte de la chambre : le spectacle l'éberlua.

La mère Bienvenu avait retroussé sa robe jusqu'aux hanches et chevauchait à cru le ventre également dénudé d'Apolline, gigotant dessus comme si elle eût été au trot. Jeanne et Immaculée la maintenaient tandis qu'Adèle, penchée entre ses cuisses, présentait un écu de cinq livres à la tête à demi engagée du poupard, promettant de les lui bailler dès qu'il se déciderait à tomber au monde.

Clovis referma le battant sans bruit et s'en revint dans la cuisine. Son père et son frère l'interrogèrent du regard. Il leur répondit d'une mimique incertaine.

Il vidait son gobelet de vin quand d'autres cris perçants le firent avaler de travers. Il toussa. Caribert lui tapota le dos.

Des pas approchèrent. Clovis reconnut ceux de sa mère. Elle souriait.

– C'est un autre garçon. Tu n'oublieras pas d'acheter un cierge d'une livre à sainte Anne, elle le mérite.

Radieux, il promit tout ce qu'on lui demanda.

Des jumeaux ! Voilà qui allait faire grand carillon dans le voisinage. Il se donna une claque sur la cuisse en riant nerveusement.

La voix forte de la mère Bienvenu traversa les cloisons.

– Marie-Saintes-Entrailles, en v'là un autre !

Jeanne retourna en courant dans la chambre, suivi des Tricotin et de Petit-Jacquot.

– Ranimez le feu, refaites chauffer de l'eau et allumez deux cierges de plus sinon je ne réponds plus de rien, lança l'engendreuse d'une voix tendue.

– J'ai besoin d'eau, et le broc est vide.

Clovis sortit dans la rue où se levait un jour incertain et courut jusqu'à la fontaine de la place de l'Arbalète. Les premières servantes qui bravaient la froidure pour s'approvisionner avant la cohue matinale s'étonnèrent en le reconnaissant. Jamais les hommes ne venaient à la fontaine.

– Je suis père de trois enfants à la fois, leur lança-t-il avec un sourire niais.

– Trois ! Boudiou, boudiou !

De mémoire de Racleterroise, on n'avait souvenir d'un tel haut fait. Elles lui remplirent son seau tout en le pressant de questions sur l'état de la maman, sur le poids des moutards, sur la couleur de leurs yeux…

Des joyeux abois venant de la place Royale annoncèrent que les meutes du château étaient en route pour leurs ébats quotidiens près de la rivière. Bientôt, quelque huit dizaines de chiens débouchèrent à bonne allure de la rue des Deux-Places encadrés des valets de chenil et du très antipathique premier piqueur Quentin Onrazac brandissant son grand fouet. Chaque bête était tonsurée au flanc du A majuscule des Armogaste.

Son seau plein, Clovis rentra à grandes enjambées. Il vit sa mère qui le guettait sur le pas de l'échoppe. Elle ne souriait plus.

– Le troisième venait à peine de sortir qu'un quatrième s'est présenté par les pieds. La mère Bienvenu veut qu'on aille chercher le père Gisclard.

– L'exorciste ! Macarel de caramba, ma mère, comme elle y va !

Il entra dans la chambre et crut défaillir de chagrin à la vue d'Apolline, dos arqué, yeux écarquillés vers le plafond et qui ouvrait et fermait la bouche comme un poisson pêché. L'engendreuse avait la main droite enfoncée jusqu'au poignet dans son conet et, l'air inspiré, s'efforçait d'inciter l'enfant à se présenter tête première. Chaque mouvement faisait hurler Apolline qui griffait le drap avec un bruit terrible pour les dents d'autrui.

La situation était si extraordinaire que personne ne songea cette fois à l'expulser.

Clovis jugea le spectacle particulièrement répugnant. Il entendait mieux désormais les raisons motivant les femmes à vouloir rester entre elles pour ce genre d'événement. Il eut une pensée pour son grand-père Mérovée qui serinait : « Dès qu'on soulève la roue du paon, on ne trouve guère d'autre spectacle que le trou de son croupion. »

– C'est une garce, et elle revient de loin ! s'écria la mère Bienvenu.

La nouvelle fit le tour de Racleterre à la vitesse du lait qui bout. Des jumeaux auraient été regardés comme un fait digne d'intérêt, des triplés comme un événement exceptionnel, mais des quadruplés ! On en restait aphone. Aucune mémoire, même les plus antiques, n'avait gardé la remembrance d'un tel précédent.

En dépit de l'heure matinale et du froid pointu, l'échoppe s'emplit de voisins, de voisines, d'amis, de curieux, venus admirer les étonnants quadruplés exposés sur la table.

Et chacun de pousser des « Ahi », des « Aoï », des « Doux Jésus » et des « Ébé, ébé, ébé » devant une telle fricassée de marmots.

On coulait des regards mi-admiratifs, mi-perplexes vers le géniteur. On cherchait chez lui un signe expliquant une telle prouesse. On n'en trouvait point. Bientôt, la presse fut telle qu'il fallut prier l'assistance d'évacuer les lieux.

Louis-Charlemagne et Caribert se postèrent à l'entrée et filtrèrent les visites, laissant passer les familiers, éloignant les curieux et les fâcheux.

Bien qu'ébaudi par la tournure des événements, Clovis conservait une parcelle d'esprit lucide qui lui faisait dresser mentalement la liste des dépenses à venir, les multipliant par quatre.

L'arrivée du consul Dussac fit sensation. Il commença à pateliner le couple pour son extraordinaire fertilité qui, assura-t-il, faisait grand honneur au bourg et à la châtellenie.

Prospère négociant en grains, maître Jacques Dussac était un homme pragmatique. Élu pour deux ans, le consul avait pour charge d'assurer le ravitaillement normal du bourg, de garantir sa paix et sa sécurité et de veiller aux bonnes mœurs. Il devait faire réparer les murailles chaque fois qu'il y avait lieu, il devait faire éteindre les incendies, percer de nouveaux puits, édifier de nouvelles fontaines, assurer le pavage, l'éclairage et le nettoiement des rues. Le consul organisait les foires, les fêtes populaires et les banquets qui s'ensuivaient. Enfin, il avait la responsabilité de payer et loger le guet (un lieutenant, quatre sergents, vingt archers), le régent de l'école, la sage-femme, le carillonneur du beffroi, le crieur public et même son cheval. Pour couvrir ces dépenses, le consul et son assemblée de dix quarteniers étaient autorisés à lever des impôts comme à augmenter ceux existants.

– En accord avec notre assemblée, nous vous exemptons de corvées de route durant quatre ans, et, en accord avec monsieur le chevalier, nous vous exemptons de tape-grenouille pour une même écoulée de temps.

Clovis remercia avec chaleur. Il le pouvait : deux fois par an, le tambour réunissait une partie de la population mâle pour la corvée royale de route. Il fallait tout laisser en plan et partir trois, quatre, parfois cinq jours réparer telle ou telle portion de grand-route ou de grand chemin. Quant au tape-grenouille, c'était un antique droit féodal qui contraignait la population à se relayer les nuits d'été autour des douves du château pour silencer les myriades de grenouilles qui incommodaient par leurs chants primitifs le sommeil du seigneur et de sa mesnie.

Le consul s'intéressa aux poupards couchés dans deux tiroirs tirés du bahut. Étroitement emmaillotés jusqu'au cou, ils gigotaient, semblables à de grosses larves à tête humaine.

– Il faut les avoir sous les yeux pour y croire, répéta-t-il en prenant l'assistance à témoin. Comment allez-vous les prénommer ?

– C'est que ne pouvant prédire une telle ribambelle, je n'ai que le nom de l'aîné, qui est Clodomir.

Soudain, Clovis blêmit affreusement. Son regard courut d'un enfant à l'autre sans savoir sur lequel se poser. Cherchant la mère Bienvenu, il l'aperçut dans l'échoppe, un godet d'eau-de-vie à la main, conférant doctement devant un aréopage de commères.

– Lequel est l'aîné ? lui demanda-t-il d'une voix serrée.

Le visage mafflu de l'engendreuse se décolora. Sa bouche épaisse s'entrouvrit sans que le moindre son en sortît. Dans le feu de l'action, elle avait oublié de distinguer les enfants selon leur ordre d'arrivée. Elle baissa la tête. Un silence consterné s'abattit dans la chambre, gagna l'échoppe, puis la rue.

– L'aîné, c'est lui, déclara Jeanne en touchant du doigt le troisième à partir de la gauche. Je le sais parce que c'est le seul que j'ai emmailloté, et c'était le tout premier. Les trois autres, c'est Adèle.

– Comment pouvez-vous être aussi catégorique ? demanda le consul.

– Chez nous, on épingle la pointe du troisième lange, tandis qu'Adèle préfère la laisser flotter.

L'épouse du maître gadouyeur-vidangeur confirma.

L'enfant désigné fut extrait du tiroir. Jeanne le démaillota, libéra son poignet droit et noua autour un fil de laine rouge.

La pratique successorale rouergate étant fondée sur le droit d'aînesse, c'est lui qui tétera le premier et aussi longtemps qu'il le désirera. C'est lui qu'on langera en priorité et c'est lui qui sera le premier partout. Il héritera de l'échoppe, et son fils aîné en héritera à son tour, car telle était la coutume depuis toujours, et tant pis pour les cadets.

L'aîné identifié, la fille étant la quatrième, il restait à découvrir l'ordre des deux autres.

Le consul prit sur lui de désigner qui, devant la loi, serait le deuxième, qui serait le troisième.

– Le Seigneur qui sait tout me pardonnera si je m'équivoque.

Touchant le plus proche du bout des doigts, il le décréta cadet. On noua deux fils rouges à son poignet.

– Il s'appellera Pépin, dit son père.

Le consul toucha le dernier qui fut aussitôt prénommé

Dagobert. Clovis crut voir de la déception dans le regard de son père.

Un homme à l'air effaré fit irruption dans l'échoppe. C'était un tonnelier de la rue Pinardière. Il réclama la mère Bienvenu pour sa femme qui allait mettre bas et qui la mandait d'urgence.

Avant de le suivre, l'engendreuse réunit les placentas et les cordons ombilicaux dans un chiffon mouillé qu'elle fourra dans son sac. Pareils aux vêtements des condamnés qui sont la propriété du maître exécuteur, les dépouilles des nouveau-nés appartenaient de droit à la sage-femme. Elle confectionnait avec des phylactères de fertilité. Compte tenu des circonstances, ceux-ci auraient leur prix quadruplé.

Chapitre 4

Emballé dans une élégante robe de chambre couleur feuille morte, Baptiste Floutard recevait les rapports de ses gadouyeurs et de ses vidangeurs. Chaque matin à la pointe du jour, ceux-ci visitaient les rues des dix quartiers et évaluaient le mûrissement du cagadou.

– A part la Jéhan-du-Haut et la Jéhan-du-Bas qui seront mûres dans trois jours, y manque une pleine semaine au quartier des Croisades, dit le chef d'équipe à l'accent rocailleux de l'Aubrac.

– C'est pire chez moi, mon oncle, c'est même à croire qui font exprès de point marcher dessus. Y posent des pierres plates partout. Sans compter ce froid qui ralentit le mûrissement, dit Duganel, le chef d'équipe des quartiers nord, originaire de Brameloup-en-Aubrac, le berceau des Floutard depuis cinq siècles.

Le maître gadouyeur-vidangeur considéra attentivement le plan de Racleterre qu'il avait fait peindre à l'huile et à grands frais. Le tracé clair et précis des rues, des ruelles, des venelles, des pantarelles et des culs-de-sac lui permettait d'organiser au mieux l'itinéraire quotidien du ramassage du cagadou et celui des vidanges.

Coloriées en vert, les voies louées recouvraient les trois quarts du bourg ; la contemplation de leurs réseaux procurait un agréable sentiment de puissance à celui qui, trois décennies plus tôt, était un petit pâtre sans avenir, benjamin de surcroît d'une famille nombreuse de modestes éleveurs des monts Aubrac.

– Où est Filobard ?

Ses gens lui répondirent par des mimiques signifiant qu'ils l'ignoraient. Le chef des quartiers du centre aurait dû être là depuis longtemps.

Baptiste se tourna vers son chef vidangeur et le convia à parler. L'homme et son équipe, tous naturels de Pradès d'Aubrac, un hameau voisin de Brameloup, circulaient dans le bourg en agitant une clochette et en relevant les adresses de ceux qui désiraient faire appel à leurs services.

– J'ai commande pour cinquante-quatre barils d'aisance et six fosses à vider.

Baptiste grimaça. Pour une population de trois mille et quelque estomacs, c'était peu. Surtout en période hivernale où les gens mangeaient plus. Il rêvait souvent de stimuler la production en déversant du purgatif pour mulet dans tous les puits et fontaines du bourg. Seule la peur d'être pris l'empêchait de passer à l'acte.

Debout autour de lui, le chapeau à la main et la mine bien soumise, ses gens respectaient sa réflexion. Il donna ses directives en commençant par le chef vidangeur, lui aussi originaire de Brameloup.

– Tu embouteilleras la Jéhan-du-Haut à la hauteur de la rue Bouton.

Tous comprirent que le quartier des Croisades allait mûrir plus vite que ne l'avait prédit son responsable.

Une cavalcade dans l'escalier annonça l'arrivée tardive de Filobard. Baptiste l'ignora et poursuivit l'exposé de son plan.

– Tu barreras la rue avec un tombereau plein, comme ça personne n'aura cœur de t'aider à le dégager.

En créant ici et là des embarras de circulation, le maître vidangeur-gadouyeur divertissait judicieusement le trafic vers des rues peu fréquentées, moins piétinées, accélérant ainsi leur mûrissement.

Hors d'haleine, Filobard surgit dans la grande salle aux murs boisés. Tous le regardèrent avec commisération. Le retardataire ouvrit des yeux ronds en les dévisageant à son tour, s'arrêtant sur le visage fermé de son employeur. Comme les autres, il était né cadet dans un hameau de l'Aubrac et avait accepté avec gratitude de servir le maître gadouyeur.

– Ah ça, bah, monsieur Floutard ! Ne me dites point que vous ne savez rien ?

– Et que suis-je supposé savoir ?

– Mais… Ah ça, bah, vot' fille ! Un miracle unique ! Que dis-je, un quadruple !

Floutard remua sur sa chaise, l'air de plus en plus grimaud.

– Ma fille vient de pondre son marmouset ? C'est ça que tu veux m'enseigner ? Si c'est ton excuse pour arriver si tard au rapport, sache que je te pénalise de trois sols.

Peu impressionné, Filobard regarda son maître avec un plaisir évident.

– C'est que c'est point un, mais quatre qu'elle a pondus votre Apolline ! Et en une seule ventrée, s'il vous plaît ! Ah ça, bah ! je les ai vus comme je vous vois sur votre chaise. Et je les ai comptés et recomptés.

Il agita ses doigts devant lui.

– La rue des Afitos est pleine et ça bouchonne jusqu'à la place du Château. Pensez donc, tout le monde veut les œiller. Ça fait monter l'imagination à l'esprit une telle réussite !

– Maudit âne rouge ! Tu es ivre.

– Que non pas, monsieur Floutard, et que je sois saperlipopété à l'instant si je déparle. D'ailleurs, jugez par vous-même.

Filobard ouvrit la fenêtre donnant sur la place de l'Arbalète. Un air glacial s'engouffra, accompagné d'une rumeur de jour de marché.

– Ferme, il gèle, dit Floutard en cachant mal sa surprise.

Il donna ses ultimes directives à ses chefs d'équipe. Ceux-ci se recoiffèrent et s'en furent à leurs besognes respectives. La pénalité de Filobard fut levée.

Floutard se rendit dans sa chambre pour s'habiller. Conscient que sa double qualité de gadouyeur-vidangeur évoquait fatalement des mauvaises odeurs, il se montrait soucieux de sa vêture et du choix de ses parfums : il aimait ces derniers capiteux à faire éternuer les fleurs.

Il passa un habit de coupe anglaise ventre-de-biche et se chaussa de bottes à l'écuyère couleur ivoire, véritable défi aux taches. Il conclut en coiffant ses cheveux grisonnants d'une perruque à marteaux qu'il poudra trop par peur de ne pas en mettre assez et de passer pour pingre. Il ressentait d'autant plus aigrement d'être morgué pour la façon dont il gagnait ses louis qu'il était l'un des plus importants contribuables de la châtellenie, pour ne pas dire le plus important (il payait cent vingt livres de capitation). N'était-ce point sur du fumier que poussaient les fleurs les plus belles ?

– Rue des Afitos, lança-t-il en se laissant tomber sur la banquette capitonnée de sa chaise.

A l'instar de la châtelaine, de l'abbé du Bartonnet et du juge Puigouzon, Baptiste Floutard circulait en chaise à porteurs. Certes, les déplacements étaient moins rapides que ceux en attelage et les porteurs fatiguaient plus vite que leurs homologues chevalins, en revanche, la chaise était plus maniable et se faufilait là où une voiture achoppait. Le maître gadouyeur-vidangeur était ainsi en mesure de visiter n'importe quelle pantarelle, aussi étroite fût-elle, sans jamais poser le pied dans son cagadou.

– C'est comme si on y était, not' bon monsieur, chanta Arsène, le porteur frontal en crachant dans ses larges paumes calleuses, imité par Véron, le porteur dorsal.

Tous deux étaient natifs de Brameloup. Floutard les avait formés à porter en marchant d'un pas égal, à craindre les cahots tout en cherchant de l'œil les endroits agréables au pied et surtout à ne pas secouer leur passager comme salade en panier.

– Hop ! lança Arsène à Véron en saisissant les bâtons.

La chaise quitta le sol harmonieusement.

Au cri de « Gare devant » elle déboucha sur la place de l'Arbalète. Un haquet de maraîcher attelé à un gros chien lui barra le passage. Arsène poussa un double cri aigu qui avertit Véron qu'un obstacle le contraignait à modifier sa route. Ils avaient ainsi toute une gamme d'interjections pouvant signifier : « Gare, je tourne à dextre », « Gare, j'accélère à fond », « Gare, j'en peux plus, j' demande la pause », ou, plus nuancé, « Œille-moi la jolie baiselette sur ta dextre ».

Comme l'avait allégué Filobard, la rue des Afitos grouillait de monde. A une telle cadence, le ramassage du cagadou s'y ferait deux jours en avance.

Floutard s'étonna de voir la voiture rouge et verte de la

Maison garée devant l'échoppe de son gendre. Il se fraya un chemin parmi les épaisseurs de curieux ramassés autour de la porte et salua brièvement Louis-Charlemagne et Caribert. Les deux hommes lui répondirent avec tiédeur en s'écartant pour le laisser entrer.

Dans la chambre, il s'étonna derechef que le consul soit emperruqué et revêtu de sa robe et de sa toque d'apparat mi-partie rouge et verte.

– Bigrelou-bigreli, que d'honneur, maugréa-t-il en le saluant plus courtement encore que les Tricotin.

Dussac s'opposait à son projet d'affermage des anciennes douves pour en faire des potagers. Leurs fonds limoneux asséchés auraient pourtant fait des merveilles. Floutard soupçonnait le consul de trouver son idée bonne au point de vouloir se l'approprier.

Pour être consul, il fallait être élu par une assemblée de dix quarteniers, eux-mêmes élus par leurs chefs de feu respectifs. Était chef de feu toute personne domiciliée dans le bourg et payant une capitation minimale annuelle de cinq livres. Baptiste Floutard s'était présenté deux fois à l'élection de quartenier du quartier de l'Arbalète et avait échoué deux fois.

Floutard n'approcha pas du lit où reposait sa fille et se contenta de lui faire un signe de tête. Il lui tenait encore rigueur de ne pas être un fils ; comme il ne lui pardonnait pas la variole qui avait troué ses joues dans sa petite enfance et doublé le montant de sa dot.

Il alla contempler les quadruplés dans leurs tiroirs et les jaugea bien freluquets d'apparence. Il coula un mauvais regard vers Adèle, son épouse, qui l'avait dépité à vie en ne retombant plus jamais grosse.

– Tu me vends lequel ? demanda-t-il à son gendre sur un ton mi-amusé mi-sérieux.

– Si je vous en vends un, beau-papa, ce sera la garce évidemment, répliqua Clovis sur le même ton.

Il donna une chiquenaude à son anneau d'argent qui tinta.

Durant un instant, Baptiste Floutard le détesta.

Chapitre 5

La rue des Afitos ne désemplissait plus. Tout ce que les dix quartiers dénombraient de ventre-sec et de foutre-mort assiégeait les autours de l'échoppe, exigeant sur tous les tons que leur soit livré le philtre, la recette, ou même l'imprécation, responsable d'une aussi éclatante fertilité. Clovis vint en personne leur déclarer qu'aucune préméditation ne présidait à l'événement, et que seul Dieu en avait décidé ainsi.

– Je n'ai donc rien à vous offrir, braves gens, et je vous serais gré de libérer mon pas de porte.

Rien n'y fit, personne ne voulut en démordre.

– Taintain la riflette, sabotier ! Dis plutôt ton prix !

Clovis haussa les épaules et retourna auprès d'Apolline.

Des bruits d'attelage, le hennissement d'un cheval et des exclamations de surprise le ramenèrent sur le seuil. Deux voitures aux couleurs et aux armes des Armogaste s'immobilisèrent au milieu de la rue, embarrassant la circulation déjà ralentie par l'affluence.

Le sabotier s'étonna de reconnaître la châtelaine Jacinthe d'Entrevallée-la-Verte, en grand panier et joliment coiffée. Elle tenait dans ses bras anguleux un gros chat angora baptisé Monsieur Hubert, le chat le plus décrié de Racleterre depuis qu'une rumeur affirmait que son collier coûtait le prix de trois vaches et de leurs veaux. Pour l'instant, ses longs poils le dissimulaient et interdisaient toute vérification.

Avec de l'embarras dans le maintien, Clovis se porta à la rencontre de la châtelaine et lui désigna les pierres plates qui, tel un gué, surnageaient dans la couche de cagadou jusqu'à l'échoppe. Derrière descendit Blaise Onrazac, le fils du premier piqueur des Armogaste, un gamin de douze ans qu'elle aimait déguiser en page : il avait le gouvernement de sa robe à paniers et veillait qu'elle ne traînât à terre et ne s'y salît. Clovis l'avait surpris l'été dernier en lisière du bois Floutard, alors qu'il liait un pinson et une mésange ensemble par une ficelle. Le gamin les avait relâchés et avait suivi avec intérêt leur envol. Ne pouvant s'accorder, la mésange avait attaqué et tué le pinson. L'oiseau vaincu avait tout naturellement emporté le vainqueur dans sa chute.

Les suspensions en cuir de la voiture crissèrent à nouveau quand le père Gisclard, le chapelain des Armogaste, sortit à son tour. Il portait une modeste soutane de cadis râpé, mal reprisée, tachée sur le devant. Malgré le froid, ses pieds étaient nus dans des sandales à lanières. Le chapelain faisait aussi fonction d'exorciste auprès de l'officialité.

Sa présence déplut à Clovis qui s'en dissimula en le priant d'entrer.

L'autre voiture déversa l'habituelle petite cour de la dame, composée de trois adolescents perruqués, finement vêtus et portant l'épée. Alix de Bompaing, le fils de l'exacteur royal et seigneurial, accompagné d'un couple de chiots enrubannés et aboyeurs, Jacques-Antoine de Puigouzon, fardé comme une courtisane et déclaré honte vivante par son juge et procureur de père, et Armand Hugonec de Pégayrol, fils cadet du vieil Alcide de Pégayrol, réputé si pingre qu'en faisant son testament le vieillard s'était tout légué.

Tous trois appartenaient aux quinze familles nobles de la châtellenie et semblaient consacrer leur existence à exhiber leur oisiveté. Ils étaient suivis de la chambrière de dame Jacinthe, Élodie Clochette, vêtue d'un caraco ajusté et largement décolleté : on la disait d'un caractère plus sournois qu'une vesse.

Il fallut ouvrir les deux battants de la porte pour que la robe à paniers de dame Jacinthe puisse passer. Elle entra dans l'échoppe du sabotier en regardant autour d'elle avec curiosité. Louis-Charlemagne et Caribert la saluèrent en ôtant leur tricorne. Elle s'étonna de la bibliothèque bleue sur les étagères.

– J'ignorais que les sabotiers vendaient aussi des livres.

– Sauf votre respect, madame, je ne les vends point, je les lis.

– Comme c'est amusant.

Quand elle voulut entrer dans la chambre, sa robe trop large la contraignit cette fois à forcer son passage. Plusieurs cerceaux rompirent avec un bruit sec. Les femmes présentes la saluèrent d'une révérence tandis qu'Apolline, toujours alitée, lui sourit faiblement en guise de bienvenue.

Bien que contrariée par les dégâts occasionnés à sa robe (les cerceaux en fanon de baleine étaient coûteux à remplacer), dame Jacinthe fut tout sourire pour lui souhaiter de promptes relevailles et pour la féliciter de sa fantasmagorique fécondité. Puis elle en vint au but réel de sa visite qui était de faire anatomiser la conformité des quadruplés par le père Gisclard.

A cet instant, sa « cour » fit irruption dans la chambre en poursuivant une conversation amorcée durant le trajet (l'homme n'ayant à sa disposition que deux bourses, il ne pouvait concevoir trois enfants, encore moins quatre. Il y avait donc forcément un amant sous roche dans ces multiples naissances). La vue des poupons que Jeanne et Adèle démaillotaient à nouveau les silença.

Clovis crut entendre la chambrière justifier sa méchante réputation en soufflant à son voisin : « Rendez-vous compte, monsieur Armand, quatre petits en une seule ventrée, comme une lice de chenil. »

Les chiens reniflaient partout en agitant leur queue dans les airs. L'un d'eux voulut monter sur le lit, mais Clovis l'en dissuada d'une claque sur l'arrière-train qui lui tira un jappement de douleur. Il ignora le propriétaire qui le foudroyait du regard.

Quand les enfants furent nus, le père Gisclard s'approcha et, contre toute attente, se montra habile à les manipuler : aucun ne protesta. Il les trouva peu épais certes, mais compte tenu de leur nombre et de l'exiguïté de leur logis, le fait n'était point surprenant.

– Ils sont fort honnêtement constitués, et il ne leur manque que de se faire de la graisse.

Il termina son examen par la preuve par l'eau bénite. Chacun dans la chambre retint son souffle quand il versa quelques gouttes sur chaque front. Comme aucun trou ne se creusait, ni aucune fumée verte ne s'en échappait, il les décréta conformes et aptes à recevoir le saint sacrement du baptême. La cour applaudit. Les chiots aboyèrent, Monsieur Hubert s'agita dans les bras de sa maîtresse.

Le père Gisclard fit signe qu'on pouvait remmailloter les enfants. Les deux belles-mères s'y activèrent. Chaque maillot ne comptant pas moins de vingt et une pièces différentes (quatre-vingt-quatre pour les quadruplés), cela prit du temps.

La fonction première du maillot était d'empêcher que le corps aux os si mollets du nouveau-né ne se torde ni se déforme. Pour ce faire, on l'enfermait dans un écheveau de langes et de bandes de toile que l'on tendait et serrait comme on l'eût fait pour un récidiviste de l'évasion. Autre aspect du maillot, il interdisait à l'enfançon de prendre l'habitude de se déplacer à quatre pattes comme une bête.

– Ça fera quatre livres, mon fils, déclara le père Gisclard.

Clovis protesta en grimaçant.

– Fi donc, monsieur le chapelain ! Voilà qui est fort épicé pour un modeste maître sabotier déjà accablé par les circonstances et qui n'a rien demandé.

La physionomie du religieux s'assombrit. Les mauvais payeurs avaient le don de susciter chez lui des pensées indignes du serviteur accompli de Dieu qu'il se voulait. Il allait se déclarer prêt à en rabattre d'une demi-livre, quand Apolline poussa à nouveau un grand cri.

Toutes les têtes se tournèrent vers elle. Clovis fut embarrassé de la voir oublier toute modestie en retroussant haut sa chemise et en gémissant d'une voix blanche :

– Mère, mère, œillez vite et dites-moi que c'est seulement l'arrière-faix du dernier.

Adèle se penchait vers les larges cuisses blanches de sa fille, quand la tête d'un cinquième Tricotin se présenta à l'existence.

Contrairement aux précédents qui s'étaient fait plus ou moins prier, le retardataire jaillit hors de sa mère à la vitesse d'un noyau de cerise pressé entre deux doigts.

En l'absence de la mère Bienvenu, c'est Jeanne qui trancha son cordon ombilical et qui ôta avec l'index les mucosités encombrant sa bouche et ses narines.

Le placenta suivit juste après.

Enfin vidée, Apolline ferma les yeux et s'endormit sur-le-champ.

Chapitre 6

Charlemagne était fort mécontent.

Rien de ce qu'il touchait, rien de ce qui le touchait, rien de ce qu'il entendait, rien de ce qu'il voyait (mal) ou de ce qu'il reniflait, n'avait de nom et encore moins de sens.

Il était tombé – à son corps défendant – dans un univers inconnu, entièrement fait de premières fois successives et contradictoires, souvent douloureuses, parfois terrifiantes ; telle cette extravagante expulsion durant laquelle sa tête, bloquée par les os pelviens, avait dû se compresser, se déformer, et même s'allonger horriblement pour s'ouvrir un chemin. Les yeux toujours clos, le visage chiffonné par la dureté de l'épreuve, il avait dû respirer (une sensation inédite), et recommencer de suite après sous peine d'étouffement (une autre sensation inédite). L'air, en pénétrant dans ses poumons fraîchement débarrassés de leur liquide amniotique, l'avait comme brûlé : il avait alors poussé un grand cri de protestation, le premier d'une longue série.

Le cri perça portes et cloisons et atteignit la rue.

– En voilà un autre !

Le brouillamini devint indescriptible. Un escalier surgi du ciel et des anges chantant des cantiques et jouant du luth en le descendant auraient bien moins éberlué l'assistance.

L'enfant brailla à nouveau. Jeanne le lava à l'eau puis au vin tiède, et comme il n'y avait plus de maillot disponible, elle l'enveloppa dans la nappe.

Pour le père Gisclard, il ne faisait plus de doute qu'une pareille fécondité excédait de loin les limites de la nature.

Si Dieu avait voulu que cette femme portât cinq poupards, Il lui aurait donné cinq mamelles.

Il eut beau le tourner, le retourner, le renifler, il ne décela aucune bosse, aucune corne, aucun sabot, aucune écaille, pas le moindre remugle de soufre. Non seulement le bambin était normal, mais il était le plus gros des quatre.

– C'est à croire qu'il attendait votre venue pour apparaître, ma noble dame, broda Alix de Bompaing en saluant le dernier-né de son tricorne galonné, imité par les autres jeunes gens.

Émue par le spectacle, dame Jacinthe rosit de plaisir. L'image lui seyait à l'esprit.

– Quel va être son prénom ? s'enquit-elle auprès de Clovis que cette ultime naissance plongeait dans un état de sidération avancée.

Croisant le regard de son père, il dit :

– Il s'appelle Charlemagne.

La châtelaine effleura du bout des doigts le front de Charlemagne et dégoisa d'une voix théâtrale :

– De toi, Charlemagne, je serai la marraine.

Clovis la vit dégrafer le collier de Monsieur Hubert et l'agrafer au cou de l'enfant.

– Désormais ce collier suffira à le distinguer, déclara-t-elle dans un silence de communion solennelle en ôtant les cinq fils rouges que Jeanne venait de nouer au poignet de l'enfançon.

Conforme à la rumeur, le collier était en vermeil serti de pierres précieuses et de perles nacrées d'une taille à renverser la cervelle.

Le visage de dame Jacinthe, que l'âge commençait à outrager, se ferma comme si elle regrettait déjà son geste, ce qui était le cas. Chaque fois qu'il lui arrivait de se montrer bonne et généreuse, elle le regrettait l'instant d'après. Ne pouvant se dédire sans embarras, elle en voulait au bénéficiaire, qu'elle rendait responsable de sa fâcheuse situation, et recherchait par la suite toute occasion de lui nuire.

Jacinthe d'Entrevallée-la-Verte avait neuf ans lorsque ses parents la conduisirent au couvent Sainte-Cécile d'Albi, et seize quand ils l'en retirèrent pour la marier au chevalier Virgile-Amédée Armogaste, seigneur de Racleterre, et d'Autres Lieux, de quatorze ans son aîné.

Les sœurs du couvent lui avaient enseigné à danser, à chanter, à pianoter sur un clavecin, à broder sans se piquer, à lire dans la vie des saints, à faire la révérence, à commander à un laquais, à un valet, à un domestique et à un cuisinier. Aussi, sa connaissance des hommes se limitait à pouvoir distinguer un pourpoint d'un haut-de-chausses, fallait-il encore qu'il fasse jour.

L'aspect barbon décati de son futur époux jeta la jeune fille dans les abattements. Le jour de ses noces, quand il fallut se laisser approcher, elle éclata en sanglots. La nuit fut bien pire. Ce que proposait le chevalier paraissait tellement contre nature qu'elle s'enfuit. On dut la pourchasser à travers le château, de pièces en couloirs, de couloirs en escaliers, pour finalement l'acculer aux abois dans la tour du ponant et la ramener pantelante dans la chambre.

Deux valets de chien la maintinrent écartelée sur le lit pendant que le chevalier l'« aligna ».

Une lune plus tard Jacinthe était grosse.

Loin de l'amollir, les premiers mouvements de l'enfant qui poussait dans ses entrailles la révulsèrent. S'assurant qu'elle était seule, elle grimpa sur la table et sauta à pieds joints sur le carrelage en criant :

– Va-t'en, vieille chose !

En vain.

Plus tard, elle rampa sur des cailloux pointus pour lui rendre l'existence misérable, elle se malaxa l'hypogastre avec un rouleau à pâtisserie pour l'inciter à lâcher prise, elle s'immergea des heures dans le Dourdou dans l'espoir de le noyer de froid, rien n'y fit. Son ventre grossit et la « vieille chose » à l'intérieur se fit chaque jour plus remueuse.

A court d'idées personnelles, Jacinthe visita une commère du quartier du Loupiac qui lui vendit cher un philtre composé, d'après elle, d'urine de poules dans laquelle avait été noyé un lézard attrapé la nuit. Jacinthe en avala un bol plein. A part un goût désastreux qui fut suivi d'aigreurs stomacales, le philtre n'eut aucun effet sur le petit tenace.

Jacinthe s'en fut alors chez Lacroque, une ancienne recluse devenue maîtresse sorcière qui vivait dans une cabane construite autour d'un châtaignier plusieurs fois centenaire, en amont du Dourdou. Elle était secondée d'un âne rouquin, d'un bouc, de deux chèvres et de quelques crapauds, grands dévoreurs de mouches et de moustiques.

Lacroque rognonna longuement avant de concéder à lui vendre trois racines d'herbe-aux-amants ainsi que la recette pour les accommoder en bouillon.

– Avalez-le avant de vous coucher de préférence. Et s'il remue encore deux jours et deux nuits après, revenez.

Jacinthe prit le bouillon d'herbe-aux-amants le soir même. Le temps de réciter un *Deo Gratias* et un *Ave Maria* et elle se précipitait sur sa chaise percée où elle demeurait la nuit entière, victime de terribles coliques contorsionnantes.

La jeune femme retourna chez Lacroque qui constata de sa propre main que l'enfant était toujours vivace.

– Fort bien, il l'aura voulu, revenez dans une semaine.

– Une semaine, c'est long.

– C'est le temps qu'il me faut pour accommoder de la poudre-de-matrice.

Comme il existait de la mort-aux-rats, il existait de la mort-aux-enfants préparée à partir de farine d'ergot de seigle humectée d'eau ayant servi à laver un mort, le tout mêlé à de la purée de puces afin d'atténuer la saveur rébarbative. Le délai d'une semaine exigé par Lacroque était justifié par le temps nécessaire pour réunir une telle quantité de ces insectes très sauteurs.

Après deux jours et deux nuits de douleurs pilonnantes et d'inexplicables hallucinations (on eût dit que des hérissons se querellaient à l'intérieur de son ventre), la « vieille chose » se décrocha de l'utérus et tomba avec son délivre.

Sitôt la jeune femme rétablie, le chevalier Virgile-Amédée l'engrossait derechef.

Jacinthe cette fois se résigna et accoucha l'été suivant d'un beau poupard de six livres que son père prénomma Anselme.

Quand la châtelaine apparut sur le pas de l'échoppe Tricotin, une femme lança d'une voix émue :
– Vive notre Seigneuresse !
Le cri fut repris. Des chapeaux s'agitèrent.
Qu'une noble dame, la châtelaine de surcroît, s'offrît pour marraine d'un fils de sabotier avait touché droit au cœur.
Toujours contrarié de ne pas avoir été payé pour sa prestation, le père Gisclard s'enquit perfidement :
– Quelle est ta paroisse, mon fils ?
– Saint-Benoît, répondit Clovis sur la défensive.
– Lorsque le vicaire de monsieur l'abbé inscrira les naissances sur son registre, n'oublie pas de préciser que c'est désormais lui l'aîné.
Il montra Charlemagne qui, en attendant mieux, tétait le petit doigt de Jeanne.
– L'aîné c'est lui, puisqu'il est apparu le premier, dit Clovis en désignant Clodomir en retrait sur la table.
Le père Gisclard mima la surprise.
– A Millau et à Rodez où on se flatte de posséder quelques lumières, l'aîné est toujours le dernier sorti.
– Possible ! Mais ce n'est point ici notre coutume, répliqua Clovis qui devinait où le chapelain voulait l'entraîner.
Le cocher en livrée gris et jaune vint lui rappeler que dame Jacinthe frôlait l'impatience en l'attendant. Tel l'empoisonneur qui se faufile après avoir déversé son funeste venin, le chapelain s'en alla en lâchant :
– A Millau comme à Rodez, à part les sourds et les avares, tout le monde sait que le dernier sorti est toujours le premier conçu.
Dans la chambre, on se dévisageait en silence. C'est Adèle Floutard qui prit l'initiative de dégrafer le collier pour l'examiner de près. Tous l'entourèrent.
– Voilà un collier qui vaut cinq cents livres au moins, dit Caribert.
La somme était formidable. Avec cinq cents livres, une famille vivait une année durant. Lui-même, compagnon maréchal, n'en gagnait que trois cents par an, et le régent de l'école, cent cinquante à peine.
Réveillée pour la circonstance, Apolline murmura quelques

mots inintelligibles et se rendormit. On la laissa en paix.

Un brouhaha venant de la rue annonça une nouvelle visite, celle de Mathieu Izarn, l'unique médecin du bourg, considéré comme si exécrable qu'il était comptabilisé parmi les fléaux locaux, entre les poux et la grêle de mai.

Clovis lui fit mince accueil, et ce n'est qu'après de pressantes sollicitations qu'il le laissa contempler les désormais quintuplés. Quand Izarn prétendit les démailloter pour les inspecter scientifiquement, Clovis lui montra la porte en lui faisant les gros yeux. Dans la rue, la foule se dauba et il connut quelques difficultés à retrouver sa monture que des facétieux avaient détachée et qui broutait du cagadou dans une venelle voisine.

Chapitre 7

L'échoppe Tricotin était sens dessus dessous. Bien qu'aucun mot d'ordre n'ait été lancé, les dons affluaient des dix quartiers. Jeanne et Immaculée s'activaient autour d'une quantité grandissante de langes de toute taille qu'elles triaient en piles de camisoles, têtières, béguins, calottes, cornettes. Les épingles s'accumulaient dans un fait-tout et une dizaine de biberons et cornets s'alignaient sur l'établi. Clovis et Petit-Jacquot réceptionnaient les dons comestibles : jambons, boudins, œufs frais, fromages, seaux de noix, sacs de châtaignes, pots de confiture, jarres de miel, etc.

Veillée par Adèle, Apolline dormait profondément, les traits détendus pour la première fois depuis des semaines.

Quand Culat se présenta, il tirait une chèvre par le licol et portait sous le bras un ballot contenant les maillots de ses trois enfants aujourd'hui adultes. Clovis l'embrassa.

La chèvre – une poitevine qui donnait une pinte et demie de lait par jour – fut lâchée dans la cour en attendant qu'on lui construise un enclos. Après un instant d'hésitation, elle alla brouter l'écorce des bûches empilées sous l'auvent.

Clovis présenta à son ami les quintuplés qui se remettaient lentement de leurs émotions. L'aîné occupait le berceau en forme de sabot de sept lieues, les autres étaient rangés dans les deux tiroirs.

Culat se pencha pour mieux admirer le collier : il hocha la tête avec incrédulité.

– Il vaut au moins six cents livres.

Il fallait vendre trois cents paires de sabots du dimanche pour amasser une telle somme.

Caribert les rejoignit pour annoncer d'une voix préoccupée qu'un dragon demandait Clovis.

– Un dragon ? Que veut-il ? Fais-le entrer.

– C'est toi qu'il veut voir, pas les marmots, et il est avec Brasc l'aîné, dit Caribert.

Fermiers généraux des domaines et châteaux des Armogaste depuis quatre générations, les Brasc vivaient noblement et avaient la réputation d'être les bourgeois de la châtellenie les mieux assortis du côté de la fortune. Aucun Brasc ne figurait dans les relations de Clovis.

Il suivit son frère dans la rue et découvrit un dragon en tenue de travail, bonnet de police crânement incliné sur l'oreille, enveloppé dans un manteau de drap vert garni de brandebourgs aux couleurs de son régiment. D'une main, il retenait un alezan par son licol, de l'autre il empêchait le dard de son sabre de traîner dans le cagadou.

Loin du froid dans un chaud *riding coat*, Paul Brasc l'aîné n'avait pas cru bon de démonter. Tout dans son visage médiocre au regard fuyant laissait deviner un esprit difficile et pointu comme une boule. Il cultivait une barbiche effilée qui le gratifiait d'un air faunesque réussi.

Clovis les salua d'un haussement de sourcils interrogateur.

– Êtes-vous le dénommé Clovis Tricotin ? dit le dragon d'une voix brève.

– Je le suis.

Déjà, un attroupement se rassemblait autour d'eux, rendant les chevaux nerveux.

– Je me présente, Joseph-Antoine Mondidier, brigadier à la 2e compagnie du premier escadron du Royal-Languedoc, et voici monsieur Paul Brasc ici présent en qualité de second. Nous sommes mandatés par monsieur René-Auguste Crandalle.

Second ? Mandaté ? Crandalle ? Le cœur du sabotier eut le hoquet. Le nom ne lui était pas étranger, mais il n'évoquait aucun visage. Il se tourna vers son frère qui eut une mimique d'ignorance.

– Monsieur René-Auguste Crandalle a l'honneur de vous demander réparation par l'épée de l'offense avec voie de fait perpétrée nuitamment sur sa personne.

– Moi ? Sauf votre respect, monsieur le dragon, mais vous vous équivoquez jusque-là. (Il montra son coude.) Je ne connais point de monsieur Crandalle.

– Vous le connaissez suffisamment pour l'avoir défacié durant son sommeil, et cela pas plus tard que la nuit dernière.

Clovis allait répliquer quand le brigadier l'en empêcha.

– La législation du Point d'Honneur nous interdit de conférer plus avant avec l'offenseur que vous êtes. Aussi, veuillez choisir au plus vite vos seconds. Faites-leur savoir que nous les attendons rue de la Banque au domicile de monsieur Brasc pour y rédiger en commun les termes du procès-verbal de rencontre. Serviteur, maître Tricotin.

– Dites-moi au moins qui est ce monsieur qui veut m'embrocher.

Le dragon monta en selle sans un mot. Il allait pour s'éloigner quand il se ravisa et dit par-dessus son épaule :

– Monsieur Crandalle est maître d'armes et il tient salle rue des Maoures.

Il s'éloigna vers la place de l'Arbalète, suivi de Brasc l'aîné qui n'avait pas décloué la langue.

Un murmure agité secoua l'assistance. Déjà des commères s'égaillaient, soucieuses d'être les premières à colporter ce nouvel épisode d'une journée particulièrement riche.

Clovis se mit à l'abri de la curiosité générale en rentrant dans l'échoppe, fermant la porte derrière lui.

– Que te reproche ce Crandalle ? Tu dois bien avoir une idée ? demanda Culat.

Clovis narra l'incident de la nuit.

– C'est lui qui m'a délugé sans crier gare. Tout ce que j'ai fait, moi, c'est de lancer une pierre dans sa croisée pour l'en remercier.

Culat secoua la tête avec affliction.

– Si la pierre l'a touché, c'est effectivement une voie de fait, et tu sais comme moi que c'est grave.

– C'est surtout grotesque, s'écria Caribert. Mon petit frère n'a jamais tenu l'épée, et cet homme est un maître d'armes !

L'honneur en province était tout aussi chatouilleux et intraitable qu'à Paris ou Versailles. Moins nombreux certes, les duels n'étaient point des raretés. Le récit des plus célèbres était régulièrement publié dans les livres de colportage aux couvertures bleues que Clovis appréciait tant.

Le dernier en date remontait à l'an passé et avait opposé deux militaires du régiment d'infanterie de la Tour-du-Pin. Le motif était des plus prosaïques : un capitaine désireux de séduire l'épouse de son sergent-major lui avait donné un ordre de service l'éloignant de Racleterre pour une semaine.

Mis en garde dès son retour de son infortune, le bas-officier avait appelé son capitaine qui avait refusé le cartel en le dénonçant comme une outrageante insubordination méritant châtiment.

Le bas-officier contre-attaqua en choisissant le colonel comme arbitre de Point d'Honneur. Quand les faits furent portés à sa connaissance et qu'il eut contrôlé leur exactitude, le colonel décréta le cartel recevable et recommanda le combat. Il justifia sa décision en démontrant qu'il y avait attentat contre l'honneur conjugal, et que cet attentat avait été froidement perpétré par le capitaine en dehors de toute hiérarchie militaire.

Le duel eut lieu à l'extérieur du bourg, dans les douves asséchées et transformées en promenade. Clovis, Caribert et bien d'autres y assistèrent du haut des créneaux. L'affrontement fut long, pénible à voir, et se solda par le trépas du bas-officier, touché au cœur d'un coup de pointe. Clovis qui avait parié sur la rancœur du mari trompé perdit trois sols.

– Qui vas-tu choisir comme témoins ? demanda Culat.

Jeanne l'apostropha durement :

– Mais taisez-vous donc, mauvais compère ! Clovis ne peut pas se battre. Ce serait de l'assassinat.

L'intéressé partageait cet avis, mais comment se dérober sans perdre l'estime de tous ? D'un autre côté, comment affronter un maître d'armes sans se faire occire dans les secondes suivant le « Allez » ?

Des coups violents résonnèrent contre la porte.

– Quoi, encore ? aboya Clovis.

– Ouvrez, maître Tricotin, v'là monsieur l'avocat Pagès-Fortin avec une vache si grosse que ses trayons touchent terre.

Chapitre 8

Les traits congestionnés par l'émotion, le laboureur Cassagne exposait son affaire à Alexandre Pagès-Fortin qui n'entendait qu'un mot sur dix de son patois. Le fils, ému lui aussi, traduisait en serrant et desserrant ses grosses mains calleuses. Natifs du hameau de La Valette, ils possédaient une modeste ferme à deux charrues. Ils étaient fagotés dans leurs meilleurs vêtements de drap et avaient chaussé leurs sabots du dimanche.

Leur affaire de mauvais voisinage et d'empiétement de champs était des plus courantes (avec les héritages litigieux et les contrats de mariage non respectés). Elle durait depuis des années et c'était bien moins l'amour de la chicane qui dominait les Cassagne que la haine de céder à l'adversaire.

Il existait ainsi des actions en justice que les aînés trouvaient dans la succession de leurs pères et léguaient ensuite à leurs héritiers. Ces procès, où chaque pourvoi en cassation se traduisait en années supplémentaires d'onéreuses procédures, étaient baptisés « immortels » dans le jargon de la chicane et constituaient le fonds de commerce des cinq études d'avocats de Racleterre.

– Que dit-il ?

– Y dit que pour passer maintenant avec la charrette y nous faut descendre dans le fossé.

– Pourquoi n'êtes-vous pas intervenus au moment où ils bâtissaient ?

– Parce qu'ils l'ont élevé dans la nuit.

– On n'élève pas un muret sur cent pieds en une nuit !

– Et pourtant, ils l'ont fait. Y étaient au moins trente. Ah ça, ils l'ont bien ourdi leur mauvaiseté.

L'avocat quitta son fauteuil pour aller tisonner lui-même

le feu dans la cheminée. Les deux paysans hochèrent la tête avec approbation devant tant de simplicité.

Fils d'un procureur royal de Millau, Pagès-Fortin se définissait comme un honnête homme frotté aux Lumières. Agé d'une quarantaine d'années, voltairien pratiquant, son ambition déclarée était d'être élu consul. Il précisait qu'il souhaitait cette dignité uniquement pour le bien qu'il pourrait y faire. Ses ennemis, en revanche, lui prêtaient une âme froide et animée par une convoitise doublée d'une tartuferie qu'ils qualifiaient de phénoménale.

L'avocat avait créé une société savante baptisée Académie des Lumières où tous les participants étaient déclarés égaux, quelle que soit leur condition. Il y prenait régulièrement la parole pour dénoncer les innombrables injustices d'une société « dangereusement archaïque ». Il y recommandait la suppression des privilèges de la naissance et l'ouverture des carrières à tous les talents. Il souhaitait aussi que le roi soumette le clergé et la noblesse aux mêmes impôts et aux mêmes tribunaux que le tiers. Des propos qui faisaient fumer les oreilles du chevalier Virgile-Amédée et de bien d'autres.

Dernièrement, il s'était attaqué au monopole de la Petite École payante en louant de ses propres deniers un ancien local rue des Serre-Ceintures qu'il avait aménagé en école gratuite. Baptisée Temple du Savoir, elle était ouverte aux enfants déshérités du bourg et des alentours.

– Quand on est pauvre et sans futur comme vous l'êtes, le savoir vaut une épée, serinait-il régulièrement aux élèves.

Il prônait aussi de ne jamais rien croire sur parole, ni rien accepter pour vrai qu'ils ne puissent démontrer, ce qui mettait en combustion la patience de l'abbé du Bartonnet. L'avocat comptait s'en prendre prochainement au monopole des fours à pain détenu par le chevalier.

Pagès-Fortin ajouta une bûche dans la cheminée puis retourna vers son fauteuil en disant aux plaignants :

– Nous allons d'abord faire constater l'existence illicite de ce muret par l'huissier, et ensuite nous saisirons la justice.

Il prit une clochette de cuivre sur son bureau et la secoua. La porte du cagibi jouxtant l'étude s'ouvrit sur un jeune commis d'écriture aux doigts tachés d'encre.

– Va chez maître Jovial et demande-lui s'il peut se rendre demain à La Valette pour un constat.

Avant d'obéir, le commis dit avec un sourire :

– Au fait, monsieur, savez-vous que des triplés sont nés cette nuit dans une famille de sabotier ? C'est Joliette qui me l'a dit. Elle le tient du père lui-même qui était à la fontaine Sainte-Cécile.

L'avocat souleva ses sourcils en signe d'étonnement modéré.

– Des triplés, tiens tiens.

Le fils du laboureur traduisit à son père qui haussa les épaules avec agacement. Seule son affaire lui importait et il avait hâte d'en finir.

Le commis revint un peu plus tard, la mine réjouie.

– Ce ne sont plus des triplés, mais des quadruplés. Je le tiens de Filobard, le gadouyeur de Floutard. Il les a vus, de ses yeux vus.

Des quadruplés ! Décidément, la Nature avait une capacité infinie à surprendre ses observateurs.

– Ils sont vivants au moins ?

– Le gadouyeur les dit maigriots mais bien vifs. Le consul vient de les visiter : il aurait exempté le père de corvée de route et de tape-grenouille pour quatre ans. Une année par moutard.

Le père Cassagne bougonna quelque chose en patois.

– Que dit-il ?

– Il dit qu'il faut être un peu truie pour faire autant de petits.

La consultation terminée, l'avocat les escorta jusqu'à la porte en leur parlant de son Temple du Savoir et en s'étonnant de ne jamais y voir leurs enfants.

Le père Cassagne eut une grimace dépréciative. L'école lui paraissait d'autant plus inutile que le savoir qu'on y dispensait n'avait généralement aucune application pratique dans leur vie quotidienne. De plus, n'y ayant jamais été, il ne s'en trouvait point stupide pour autant.

– Que dit votre père ?

– Il dit qu'il vous les enverra sitôt que nous aurons gagné notre affaire.

Le visage de l'avocat s'épanouit d'un large sourire confiant.

– Dans ce cas, cela ne saurait tarder, dit-il, persuadé du contraire.

Il monta dans ses appartements du premier étage pour réfléchir à proximité du buste de Voltaire jeune qu'il avait disposé près de la fenêtre afin qu'il soit reconnaissable de la rue. *Osez penser par vous-même* était gravé en lettres d'or sur le piédestal.

Comme chaque fois, l'idée lui vint par surprise. Il la jugea excellente.

Il s'asseyait dans son cabriolet quand le cocher lui apprit que tout le bourg acclamait dame Jacinthe qui venait de se déclarer marraine du cinquième.

– Jésus-Christ en redingote !

C'était précisément ça, son excellente idée : s'offrir comme le parrain de l'un d'eux. La châtelaine lui coupait l'herbe sous les souliers.

– Un cinquième, dis-tu ?

– Oui, y en a cinq maintenant.

Pagès-Fortin retourna s'alambiquer l'esprit près du buste de François-Marie jusqu'à ce qu'une nouvelle et excellente idée voulût bien se faire connaître. Il se fit alors voiturer hors du bourg et négocia cent cinquante livres l'achat d'une laitière de l'Aubrac. Il savait le lait de chèvre plus riche en graisse et plus approprié pour des nourrissons, mais une vache de six cents kilos était un présent plus impressionnant qu'une biquette de trente.

La vache attachée à l'arrière, le cabriolet cahotait lentement sur les pavés de la rue Haute-Neuve quand Pagès-Fortin croisa Brasc l'aîné en compagnie d'un militaire aux traits enflés de suffisance. Il salua froidement le premier et ignora le second qui fit de même.

Il n'aimait guère ce fils Brasc. La vanité qu'il tirait de la fortune familiale l'avait grisé au point de lui faire singer les gestes et les contenances de la noblesse. Ils étaient plusieurs fils de la haute bourgeoisie racleterroise à se perruquer, à se parer tels des reliquaires, à porter l'épée, à jouer aux cartes, à fréquenter les salles d'armes, à développer des susceptibilités de raffiné d'honneur.

La voiture ralentit aux abords de la rue Jéhan-du-Haut et finit par s'immobiliser. L'avocat se pencha par la portière :

– Pourquoi t'arrêtes-tu ?

– C'est un tombereau à vidange qui bouchonne, mon maître. Je vais me dérouter par la rue Traversière.

Personne n'était dupe des finasseries du maître gadouyeur-vidangeur Floutard, et Pagès-Fortin aimait répéter que, le jour où il serait élu consul, il résilierait son contrat d'épandage et nettoierait le bourg de ce très méphitique cagadou. Il ferait paver toutes les rues et mettrait à bas les vieilles murailles afin que Racleterre devienne enfin un bourg digne des Lumières.

Des petits groupes de compères et de commères, la plupart étrangers au quartier, stationnaient devant l'échoppe du sabotier rue des Afitos. La vue de la vache suscita une vive approbation qui le confirma dans la justesse de son choix.

– Jarnidiou ! C'est une Aubrac à six trayons, apprécia un connaisseur.

Pagès-Fortin entra dans la saboterie où régnait une étrange atmosphère de veillée funèbre.

L'échoppe était bien gouvernée et sentait bon les copeaux. La bibliothèque bleue sur les étagères ne l'étonna pas. Il savait les artisans grands amateurs de lecture.

– Par ici, monsieur l'avocat, je vais vous les montrer.

Pagès-Fortin suivit Clovis dans une pièce au plafond bas. Il y faisait chaud. La fumée de l'âtre, mêlée à celle des chandelles, aux relents de sudation, de sang, de vin chaud, de beurre rance et de poudre à perruque rendait l'atmosphère épaisse à respirer. Prétendre ouvrir les fenêtres aurait été considéré comme un acte de malveillance caractérisée.

La vue des cinq nouveau-nés quasiment momifiés dans leur maillot lui tira un chapelet de banalités qu'il déplorait au fur et à mesure qu'il s'entendait les débiter.

– Mais quelle merveille ! Il faut le voir pour le croire…

C'est digne de l'Antique ! Les mots me manquent pour exprimer ma…

Il voulut les différencier mais renonça. Ils étaient aussi semblables que des assiettes d'un même service. Se tournant vers la couche, il vit la mère qui dormait d'une respiration régulière. Comment une telle quantité de têtes, de bras, de jambes avait-elle pu s'accommoder d'un seul ventre ?

Son esprit oscillait entre l'émerveillement et un étrange sentiment de malaise lorsqu'il remarqua le collier du cinquième. Se penchant au-dessus, il s'étonna en reconnaissant un saphir, une émeraude, deux topazes, six perles, trois diamants et un rubis de la grosseur d'un petit pois, le tout serti sur du vermeil doublé de cuir.

Clovis le navra jusqu'à l'os en lui narrant les circonstances du cadeau. La munificence de la châtelaine éclipsait celle de sa vache, fût-elle à six trayons.

– Conte-lui plutôt que tu te cherches deux témoins pour t'assister, l'interrompit Culat, ajoutant à l'intention de l'avocat : Aidez-le, monsieur, car son affaire est bien mauvaise.

Pagès-Fortin se rasséréna. Il aimait qu'on ait besoin de lui et n'oubliait jamais de le rappeler à ceux qu'il avait obligés. Déboutonnant son manteau, il s'assit sur un banc et prit un air grave pour écouter, puis pour dire :

– J'ai entendu parler de ce sieur Crandalle. C'est un ancien officier de fortune qui tient salle d'armes. N'était-il pas imprudent de s'y frotter ?

La remarque agaça Clovis.

– Comment j'aurais pu deviner, moi ? Et puis qu'importe, il n'avait qu'à pas me déluger ainsi.

– Il dira qu'il ne vous a point vu et que ce n'était donc pas dirigé contre vous.

– Alors, il aurait dû semoncer.

Un édit communal exigeait qu'on crie « Gare dessous » avant de déverser quoi que ce soit dans la rue. Une amende de trois livres, assortie de l'obligation de faire décrotter chapeau et vêture de la victime s'il y avait lieu, frappait les contrevenants.

– Il ne l'a point fait ?

– Aucunement. Sinon je me serais garé, pardi ! C'est donc moi l'offensé et point lui, macarel de caramba !

Pagès-Fortin le vit produire un tintement en chiquenaudant son anneau avec son ongle.

– Comment expliquez-vous cette agression ?

– La mère Bienvenu dormait fort et il y avait urgence, aussi j'ai un peu tintamarré l'huis.

– Acceptera-t-elle de témoigner que Crandalle n'a pas semoncé ?

– Je l'ignore.

– Et cette pierre, de quelle grosseur était-elle ?

Le sabotier montra son poing fermé. Pagès-Fortin hocha la tête.

– Eh ! Tout de même.

Il eut une moue ironique en apprenant l'identité des témoins du maître d'armes. Il revit les deux cavaliers croisés tout à l'heure et comprit mieux leur allure altière.

– J'accepte volontiers l'honneur que vous me faites en me choisissant pour témoin, maître Tricotin, mais la juridiction du Point d'Honneur en impose deux par partie, aussi vous en manque-t-il un.

– J'ai fait mander mon père par mon apprenti. Il sera céans sous peu. Il est maître maréchal, rue des Frappes-Devant et il a été quartenier six années durant.

– Cela ne se peut. Vos liens de sang sont censés lui ôter sa liberté d'appréciation et fausser son esprit de justice, esprit qui constitue le principal devoir d'un témoin de qualité.

– A quoi bon chercher des seconds puisque ce duel ne peut pas avoir lieu ! s'indigna Caribert. Mon frère n'a jamais tenu une épée. (Il saisit le bras de son frère et le secoua.) Dis-lui que tu ne veux pas te battre contre ce ferrailleur !

Clovis baissa la tête en se gardant bien de répondre.

– Il a peur d'être tenu pour frileux. Ça vaut pourtant mieux que de se faire assassiner ! s'exclama Jeanne, les traits congestionnés par le chagrin.

Tous, même l'avocat, lui lancèrent un regard désapprobateur. Quand les hommes parlent, les femmes se taisent.

– C'est ma mère, dit Clovis pour l'excuser.

On tenta de faire comme si rien ne s'était passé, mais Caribert insista :

– Mère a raison. Si tu te bats avec ce maître d'armes, c'est pareil à un suicide.

Si son frère était tué, Caribert se sentirait obligé de le venger en appelant Crandalle et en se faisant occire lui aussi.

Clovis n'avait aucun goût à se battre, mais il pressentait confusément que, s'il refusait ce cartel, il n'oserait plus jamais faire tinter son anneau et proférer ses carambas. Ce n'était pas la première fois qu'il découvrait que l'opinion d'autrui était plus importante que la sienne.

Évitant le regard insistant de son frère aîné, il proposa Culat comme deuxième témoin. Flatté, celui-ci accepta. Mais, après quelques questions, l'avocat le récusa pour défaut d'impartialité, additionné à une trop grande méconnaissance du Point d'Honneur et de l'escrime.

Le Point d'Honneur était le degré exact de susceptibilité qui pouvait varier de caractère et d'intensité selon le tempérament et la qualité de l'offensé. L'une des spécificités du Point d'Honneur était qu'il ne pouvait en aucun cas se satisfaire d'une compensation matérielle. Seul le sang.

– Un bon témoin, mes amis, est un témoin de respectabilité indiscutable, qui maîtrise la connaissance des règles du duel, l'expérience des affaires d'honneur, l'habitude des armes, et enfin, qui possède le coup d'œil et le sang-froid nécessaires pour intervenir avec autorité en cas d'irrégularité pendant le combat.

Clovis haussa les épaules. Il ne connaissait personne répondant à une telle description.

– Moi si, dit l'avocat. Il s'agit de maître Laszlo Horvath, le débourreur des écuries du château. C'est un ancien housard fâché avec l'armée, me semble-t-il, et, qui plus est, a été raffiné du Point d'Honneur à Paris. Raffiné ou pointilleux, je ne sais plus.

– Je le connais de loin, dit Culat dépité, il n'entend rien à notre langue.

– Certes, maître Horvath est un grand écornifleur de syntaxe, mais au cas où nous ne pourrions point obtenir le choix de l'arme en qualité d'offensé, il est le seul à ma connaissance capable d'inculquer à notre ami quelques rudiments d'épée.

Il ajouta à l'intention de la mère et du frère, mais aussi de l'intéressé :

– Je vous assure que tous les duels ne sont point fatals, loin s'en faut. De plus, telle que se présente notre affaire, nous avons le droit de refuser l'épée et d'imposer une autre arme plus favorable. Ou même d'arrêter le combat au premier sang. A propos, maître Tricotin, êtes-vous versé en un quelconque art belliqueux ?

Clovis hocha la tête négativement. A part lancer son couteau contre une souche lorsqu'il était enfant ou jeter des pierres sur les chiens errants…

– Savez-vous au moins tirer au fusil ?

Clovis plissa les yeux comme pour voir derrière la question. Il lui arrivait de guerroyer secrètement contre les lapins et les perdrix, mais la possession de fusils était sévèrement réprimandée dans la châtellenie des Armogaste.

– Ça se pourrait, comme ça se pourrait point d'ailleurs.

Pagès-Fortin entreprit de reboutonner son manteau.

– Je vais sans plus tarder m'occuper de notre second témoin. Je me rendrai ensuite en sa compagnie au domicile de Brasc l'aîné pour y négocier le procès-verbal de rencontre. Naturellement, ils refuseront nos conditions, aussi nous choisirons un arbitre d'honneur pour nous départager. Il va sans dire qu'avant d'en arriver là je m'efforcerai de les persuader à convertir ce cartel en simple plainte judiciaire. Ce qui commuerait ce duel en procès, mais…

Au ton de ce mais, Clovis comprit qu'il ne fallait guère entretenir d'espoir sur cette expectative. Avant de quitter la chambre, Pagès-Fortin eut une mimique admirative vers les quintuplés.

– On pourrait croire qu'à l'instant de grâce vous avez eu le hoquet.

Clovis ne sourit ni ne répondit. Ce trait à vocation humoristique lui avait déjà été servi à plusieurs reprises ce matin. Il accompagna l'avocat jusqu'à son cabriolet qui attendait devant l'échoppe. Le cocher ôta le plaid protégeant le cheval du froid et se tint prêt.

Une fois installé sur la banquette, Pagès-Fortin passa la tête par la portière et lança :

– Je vous saurais gré de ne pas vous éloigner et d'attendre mon retour. Je ne saurais être long. Le temps joue en notre défaveur, aussi ne faut-il point en perdre.

– Je vous entends mal.

– La juridiction du Point d'Honneur prescrit qu'une rencontre se doit d'avoir lieu dans les deux jours précédant la remise du cartel.

– Caramba ! s'exclama sans conviction Clovis, trop ému pour songer à faire tinter son anneau.

Il était tout à coup convaincu qu'il ne survivrait pas à ce duel, qu'il ne verrait pas ses enfants grandir, qu'il ne polissonnerait jamais avec Immaculée…

Dans la cour, la chèvre bêla ; la vache lui répondit en meuglant.

Chapitre 9

Depuis près de trois siècles, le beffroi, fierté de la Maison, réglait le sommeil, l'appétit et les activités des Racleterrois. On se levait quand sonnait prime, on croustillait à tierce, on déjeunait à sexte, on dînait à vêpres, on soufflait les chandelles à complies, on friponnait à matines. Aussi, quand retentirent les douze coups de sexte, chacun sut qu'il était l'heure de se sustenter. La rue des Afitos se désengorgea, la circulation reprit.

Chez les Tricotin, la dominance des soins utilitaires multipliés par cinq posait déjà des problèmes d'intendance, insolubles sans une entraide familiale et une organisation des tâches.

Adèle était retournée place de l'Arbalète superviser le repas de son mari. Seule dans la chambre, Immaculée faisait un travail d'aiguille au chevet d'Apolline toujours endormie. De temps en temps, elle s'interrompait pour ajouter une bûche dans la cheminée. Les quintuplés dormaient.

Dans la cuisine, Jeanne Tricotin terminait une requinquante soupe à l'ail, sa mère, Marie Camboulives, faisait revenir des oignons. Dans l'échoppe, les Tricotin et le maître tanneur Félix Camboulives buvaient du casse-poitrine en tenant un conseil de famille. Clovis, une plume à la main, additionnait des chiffres apparemment décourageants.

– D'autant plus qu'Apolline ne pourra plus exploiter ses fourmilières, et ça veut dire dix livres en moins par mois.

Sa femme visitait les nombreuses fourmilières du bois Floutard pour les vider de leurs œufs et les vendre au faisandier du château (les faisans en raffolaient), ainsi qu'aux apothicaires qui les utilisaient dans la composition de leurs aphrodisiaques.

– Si seulement je pouvais me défaire de ce collier. J'aurais de quoi assoldayer une servante à l'année, je pourrais même affermer une maison plus vaste rue des Deux-Places.

– Si tu es encore de ce monde, lui rappela lugubrement Caribert qui avait l'intention d'en appeler au consul pour qu'il prohibe cette rencontre trop inégale.

Il comptait lui démontrer que les duels usurpaient le pouvoir de rendre la justice et donc empiétaient d'autant sur l'autorité.

La porte s'ouvrit sur Petit-Jacquot.

– J'ai trouvé le loubier, mon maître, y vient pour les crocs.

Coiffé d'une toque en livrée de loup, la poitrine barrée d'une bandoulière de garde-chasse aux armes des Armogaste, Achille Javertit apparut derrière l'apprenti. Son front bas creusé de rides et sa bouche tombante aux commissures lui conféraient un air vaguement mélancolique. Il portait sur l'épaule un sac de toile dans lequel remuait quelque chose.

Clovis regarda sa liste des dépenses en soupirant :

– J'avais oublié ces frais-là.

Offrir une dent de loup à sucer à un nouveau-né était la coutume la plus infaillible pour garantir l'excellence de sa future dentition.

Le garde-chasse entra dans l'échoppe nimbé de son habituel relent de bran lupin. Il le récoltait dans la forêt et le revendait aux bergers et aux pâtres qui en frottaient leur bétail pour tromper les malebêtes.

On savait peu de chose sur lui si ce n'était que son père, un bûcheron des Armogaste, avait été pendu pour braconnage par le vieux chevalier Évariste. Il habitait une cahute de sa fabrication près des grottes de la Loubière, à la frontière de la Sauvagerie, le cœur inconnu de la forêt de Saint-Leu. Comme il y vivait seul, on le disait un peu sorcier, un peu meneur de loups, un peu assassin. Il était crédité de la disparition inexpliquée de plusieurs braconniers.

Chaque veille de laisser-courre, il venait à Racleterre faire son rapport de vénerie au chevalier Virgile-Amédée. Il en profitait pour se montrer dans les rues et vendre ses produits à base de bêtes fauves. Avec l'argent, il s'achetait du vin, du tabac, du sel, de la poudre à fusil.

Le garde-chasse déposa son sac à terre et l'entrouvrit pour donner de l'air à quatre louveteaux mal en point. Un seul bougeait faiblement. Petit-Jacquot s'accroupit au-dessus d'eux pour les étudier.

L'homme tira de sa veste grise une bourse de cuir contenant un assortiment de dents de loup qu'il étala sur l'établi en énumérant leur prix d'une voix morne.

– Une livre et demie la canine, dix sols l'incisive, six la mâchelière. J'ai moins cher, mais c'est du renard.

Ses lèvres étaient si minces qu'on ne les voyait que lorsqu'il parlait.

Clovis choisit une belle et longue canine pour l'aîné Clodomir, trois incisives pour les cadets Pépin, Dagobert, Charlemagne, et une mâchelière de louvart pour la garce Clotilde. Le marchandage fut bref. Le garde-chasse accepta d'en rabattre de quelques sols. L'achat payé, il ramassa son sac et s'en alla sans un mot.

Un cavalier monté sur un navarrais gris pommelé trottait à côté du cabriolet de Pagès-Fortin.

L'avocat avait les traits préoccupés. Clovis devina son affaire mal engagée.

– Maître Tricotin, voici maître Laszlo Horvath qui nous honore d'accepter d'être votre second.

Le Hongrois démonta. Gras comme un clou, la quarantaine, serré dans une redingote fendue dans le dos, les jambes arquées aux fortes cuisses moulées dans une culotte jadis bleu céleste, il faisait plus grand qu'il ne l'était. Ses yeux tirés vers les tempes, ses pommettes saillantes et ses longues moustaches en croc rappelaient à Clovis les illustrations des Voyages de Marco Polo (il possédait les six volumes). Il était coiffé d'un bonnet militaire à pointe bordé d'une fourrure en léopard pelée par endroits : ses cadenettes relevées sur les tempes dégageaient une nuque barrée d'une large cicatrice, sans doute la souvenance d'un coup de sabre. Il lui manquait un morceau d'oreille et son nez brisé et aplati lui dessinait un bien étrange profil. Curieusement, il plaisait aux femmes, et tout dans son attitude montrait qu'il le savait.

Clovis le remercia civilement. Le Hongrois se borna à le toiser de haut en bas, puis de bas en haut, avant de lâcher un bref et énigmatique :

– Ça galope !

– Vous êtes-vous entretenu avec les autres ? demanda Clovis à Pagès-Fortin.

– Jusqu'à l'extinction de voix. Mais ces butors sont restés intraitables et maintiennent leur position d'offensé.

– Ne l'aviez-vous point prédit tantôt ?

– Si fait, maître Tricotin, mais j'ignorais alors que votre pierre avait blessé le sieur Crandalle au visage. Comme il était chez Brasc quand nous sommes arrivés, j'ai pu constater *de visu* la gravité de sa blessure. Ce qui, vous en conviendrez, affaiblit notre position. Le plus préoccupant reste que le sieur Crandalle refuse obstinément l'arrêt au premier sang et exige une rencontre « à outrance ».

Clovis baissa les yeux pour cacher son trouble. L'avocat poursuivit :

– Après nous être opposés à de pareilles prétentions, nous avons exigé qu'un arbitre d'honneur nous départage et désigne l'offensé.

– Qui a été choisi ?

– Le chevalier Virgile-Amédée Armogaste a fait l'unanimité. Aussi, mon ami, passez votre manteau car nous allons de ce pas au château.

Emmitouflé jusqu'aux oreilles dans sa houppelande qui puait encore l'urine, Clovis écoutait à demi l'avocat qui tentait de le rassurer sur l'impartialité de l'arbitre d'honneur. Le cabriolet roulait bon train, précédé par Laszlo Horvath qui semblait ne faire qu'un avec sa monture. Clovis l'avait vu tout à l'heure sauter en selle sans toucher aux étriers.

– Le chevalier a servi vingt-cinq ans au Royal-Guyenne. D'après notre ami hongrois, il aurait une centaine d'arbitrages de Point d'Honneur à son actif. Nous ne pourrions souhaiter mieux.

– Je pensais que l'offensé était toujours le premier insulté, or, c'est moi qu'il a compissé d'abord.

– Je vous entends, mon ami, mais notre adversaire se réfère à l'ouvrage de Frontbonne qui professe que, en cas de voie de fait respective, l'offensé est celui qui a reçu la plus grave. Le baron Ocloff, auquel, nous, nous nous référons, dit exactement le contraire. L'un des premiers soins de l'arbitre d'honneur sera donc de choisir un auteur qui servira une fois pour toutes de code.

Le Point d'Honneur était à l'origine d'une importante littérature qui avait pour vocation de définir la valeur de chaque offense afin de permettre la désignation exacte de la personne offensée. Chaque auteur, désireux de se démarquer des précédents, avait apporté ses propres nuances interprétatives.

Le cabriolet brinquebala sur les pavés de la place Royale balayée par une bise qui venait de se lever. Le cocher dépassa l'édifice du pilori et se dirigea vers trois cavaliers postés sous l'un des vieux chênes encadrant l'entrée de l'ancien séminaire des Vigilants.

– Il a été décidé que nous nous présenterions ensemble au château, expliqua l'avocat avec un geste vers les cavaliers.

Clovis reconnut Brasc l'aîné et le dragon Mondidier.

Un pansement enturbannait le crâne et recouvrait l'oreille, l'œil et la joue gauche du troisième cavalier qui ne pouvait être que Crandalle. Il montait une jument limousine qu'il dirigea vers eux.

– S'il vous parle, ne lui répliquez en aucun cas, chuchota vivement l'avocat.

Ce qui n'était pas caché par les bandages montrait un visage long, sec, buriné, une bouche gourmande soulignée d'une épaisse moustache brune. Quoique ses jeunes ans eussent disparu – il devait compter une cinquantaine d'hivers –, ses cheveux étaient encore d'un châtain ardent. Il portait en bandoulière une besace de cuir gonflée et d'allure pesante. Tout dans son maintien rappelait le militaire. Il exsudait l'énergie.

Clovis tenta de soutenir son regard, un œil rond et bleu qui saillait à fleur de tête. Il s'en voulut de le baisser vers l'épée qui pendait à sa hanche et qui allait, sans aucun doute maintenant, le priver de la vie. Le maître d'armes eut un rire sec en faisant faire demi-tour à sa monture.

Au printemps 1735, le notaire Félicien Crandalle de Réquista eut la méfortune de voir son fils aîné tirer le billet noir le condamnant à six ans de milice. Trop démuni de finance pour lui acheter un remplaçant, le tabellion offrit son fils cadet en échange, une pratique courante qui fut entérinée après une inspection médicale de celui-ci.

C'est ainsi que René-Auguste Crandalle et trois autres « tombés-au-sort » furent transférés dans une compagnie de la milice provinciale stationnée à Rodez.

Après un an d'entraînement durant lequel il apprit surtout à jouer au pharaon et au lansquenet, il fut versé d'autorité dans le régiment de Guyenne qui manquait chroniquement d'effectifs.

Sachant lire, écrire et compter, Crandalle fut promu brigadier et survécut à deux duels occasionnés par le jeu, avant de participer à la guerre de Succession d'Autriche qu'il termina maréchal des logis.

Promu adjudant au début de la guerre de Sept Ans, il reçut ses épaulettes de lieutenant en troisième un an avant l'humiliante défaite.

Frustré de ne pas être admis lieutenant en premier, un grade réservé aux nobles à quatre quartiers minimum, Crandalle abandonna l'armée à contrecœur et rentra au pays avec l'intention d'y tenir une salle d'armes, faute d'une meilleure idée. Comme ses supérieurs l'avaient si souvent spécifié dans leurs rapports, Crandalle était plus militaire qu'intelligent.

Ses retrouvailles avec Réquista furent brèves et fort aigres. N'étant pas revenu depuis trente ans, personne ne l'attendait. Ses générateurs logeaient au cimetière, et son frère aîné, peu impressionné par ses épaulettes d'officier, poussa l'outrecuidance jusqu'à prétendre ne point le reconnaître et lui refuser l'hospitalité.

– Qui que tu sois, mauvais drille, passe ton chemin, sinon gare au guet.

Crandalle enfourcha sa monture, força son passage à

l'intérieur de l'étude familiale et entreprit de la dragonner sans poser le pied à terre, défonçant les fenêtres à coups de botte, éventrant les meubles en faisant ruer sa jument, fauchant la vaisselle avec son sabre. Ces actions soulageantes accomplies, il sortit du bourg avant la fermeture des portes et s'enfuit sur le grand chemin de Rodez qu'il atteignit le surlendemain.

La capitale provinciale recelant déjà une bonne trentaine de salles d'armes, Crandalle s'essaya au métier de massip, des mercenaires civils qu'on rencontrait aux portes des bourgs ou dans la cour des Postes-aux-chevaux à la recherche de voyageurs désirant louer une protection armée pour la durée de leur déplacement.

Le hasard voulut qu'il escorte pour la Saint-Éloi un maître orfèvre et sa famille jusqu'à Racleterre. Le bourg l'enchanta à plus d'un titre. D'abord il était dépourvu de salle d'armes, ensuite il comptait de nombreux militaires en garnison, la société idéale pour garantir une fréquentation minimale.

Après en avoir demandé l'autorisation à la Maison et payé les droits afférents, Crandalle loua rue des Maoures un ancien entrepôt à grains tout en longueur. Il l'aménagea, fit gratter le plancher, repeindre les murs et inscrire dessus des phrases telles que *L'honneur est au-dessus des lois*, ou encore, *Le sang lave les outrages, purge les injures, efface les taches de l'honneur*, propres à séduire les futurs ferrailleurs.

Les cavaliers et le cabriolet du maître chicaneur traversèrent la place en direction du château neuf abrité derrière ses murailles d'où dépassait le vieux donjon féodal.

Bien qu'en temps de paix le pont-levis fût abaissé en permanence (sauf la nuit), il aurait été inconvenant de le franchir sans s'annoncer à Martial, le gouverneur des clefs qui logeait au-dessus de la porte où étaient les treuils commandant le pont-levis et la double herse.

Le Hongrois franchit le tablier et se pencha sur sa selle pour sonner la cloche. Aucun des corbeaux freux perchés sur les merlons ne s'envola en croassant.

Martial se montra, le visage solennel. Un clavier circulaire d'une quarantaine de clefs pendait à sa ceinture.

– En voilà t'y pas une heure mal choisie ! Sa seigneurie mangeaille comme tout le monde. Revenez à la mi-relevée ! lança-t-il avant même d'entendre les motifs de leur visite.

– Les affaires d'honneur ne souffrent point de délai. Courez prévenir votre maître et hâtez-vous car on gèle dans ce courant d'air, lui répliqua Pagès-Fortin, pas mécontent de contrarier le repas du châtelain.

L'idée de rencontrer le chevalier Virgile-Amédée n'enchantait guère Clovis, encore moins celle de lui parler. Il se sentait intimidé et détestait ça.

Le cabriolet franchit le pont-levis et s'engouffra sous la voûte d'où tombaient les chaînes luisantes de graisse qui retenaient le tablier.

Le mulet du garde-chasse était attaché devant le grand chenil aux doubles portes décorées de nombreux pieds de loup et de sanglier cloués dessus. Dedans, quelqu'un s'entraînait à sonner le *Bien allé*.

Le cabriolet fit halte près du perron. Martial ouvrit la porte du hall et leur fit signe de le suivre.

C'était la première fois que Clovis pénétrait à l'intérieur du château des Armogaste.

Chapitre 10

Même le roi, qui faisait et défaisait des nobles à volonté, ne pouvait créer un gentilhomme. On naissait gentilhomme, ou on ne l'était pas.

Exaspéré par la quantité invraisemblable de familles échappant aux redevances en se prétendant nobles, le roi Louis le quatorzième fit dresser un catalogue général de la noblesse et ordonna à ses intendants de vérifier les titres de chaque privilégié du royaume.

Quand vint le tour des Armogaste de Racleterre de prouver leur qualité, ceux-ci produisirent avec morgue trois documents qui laissèrent coi d'admiration M. Nicolas Chérin, le généalogiste royal.

Le premier était un parchemin en velin daté de l'an 813 qui déclarait en latin que le chevalier Hugon Armogaste était promu *Luparii Imperium* de la vicairie de Ruténie. Un impressionnant sceau de cire brune représentant l'empereur Carolus Magnus en majesté était inséré dans la peau de veau mort-né.

Le deuxième parchemin, en couenne de mouton épilée à la chaux, attestait en langue d'oc que le *moult leal et moult gentil chevalier et grand louvetier Arthur Armogaste* avait reçu pour mission *d'extirper à jamais de la forêt des Belanos la détestable race lupine qui l'infestait*. Il était daté de l'an 1067 et portait le sceau de cire de son suzerain le banneret Runulf Fendard, seigneur de Roumégoux. Suivait une liste détaillée des privilèges concédés à sa charge de grand louvetier : droit de gîte, droit de percevoir une mesure de grains sur les levées, exemption aux péages, remboursement des dépenses des chevaux, des piqueurs, des valets de limiers et des meutes, droit de prélever une prime de trois deniers sur les habitants pour chaque loup présenté, de six pour une louve, de dix pour une louve pleine, droit de réquisition absolu pour les battues.

Le *moult gentil* chevalier Arthur quitta Roumégoux au printemps. Les Chroniques familiales des Armogaste (le premier volume date du XIe siècle) narraient que son équipage de vénerie se composait d'un quadrige de piqueurs coiffés de tête de loup, d'un traquenardeur, d'une meute de griffons fauves au poil aussi rude et bourru que leur sale caractère, d'un chariot tiré par des roncins transportant les tentes, la literie, les traquenards, les épieux à oreilles, les arcs et les traits de rechange, les ustensiles de cuisine, de pelleterie, de bûcheronnage. Deux valets de chiennerie le guidaient.

Le chevalier Arthur était à cheval, ses gens trottinaient à pied avec les chiens. Ils voyagèrent quatre jours durant sur l'ancienne voie romaine délabrée avant d'atteindre le causse de Racleterre. Ils découvrirent un paysage chagrin peuplé de ronces et recouvert d'un si grand nombre de cailloux qu'on ne voyait plus la terre. Les vents du sud y soufflaient si fort que les arbres avaient leurs branches tendues vers le nord, comme pour s'enfuir.

Ils suivirent la rivière et virent des lopins de terre semés de blé sarrasin, des enclos à gallines, des huttes vides. Leurs occupants avaient apparemment fui à leur approche.

Une demi-lieue plus loin, ils arrivèrent en vue d'une immense forêt primaire adossée à l'abri des vents aux contreforts de l'Aubrac. Son amplitude, la touffeur du sous-bois, la circonférence de certains troncs les ébaudirent.

Les chiens relevèrent très vite de nombreuses voies lupines et le firent savoir en roidissant leurs poils et en tirant violemment sur leur laisse.

Arthur leva la tête vers le ciel, mit ses mains en porte-voix et hurla à la façon des loups.

Les vrais, tout proches, ne résistèrent pas à lui répondre, vite imités par d'autres congénères dispersés aux quatre points cardinaux. Arthur put ainsi dénombrer une quinzaine de clans. La forêt des Belanos portait bien son nom : *belanos*, en gaulois, signifiait *croque-mouton* et désignait les loups en général.

Les Chroniques des Armogaste contaient qu'il tenait cette ruse de son père, qui la tenait lui-même de son père, qui la tenait de son père, qui la tenait de son père, qui la tenait de Hugon, le louvetier impérial de Charlemagne.

– C'en est fini de votre quiétude, leur lança-t-il d'une voix que l'on devinait accoutumée à tenir ses promesses.

Dans un monde chrétien qui prônait l'ordre domestique et se consacrait à l'élevage et à l'agriculture, le loup, ce fléau de la propriété, était l'ennemi à exterminer.

Arthur installa son campement provisoire près de la rivière. Les piqueurs dressèrent les tentes en peau de cerf, les valets bâtirent un enclos de branchages pour les chiens, le traquenardeur s'en alla reconnaître le sous-bois et tendre quelques lacets.

Les jours qui suivirent furent consacrés au dénombrement des serfs occupant les alentours. Ils étaient quarante-huit, dont seize femmes et neuf moutards à la mamelle : ils se disaient vilaïns (serfs affranchis), natifs des monts Lozère et chassés par la cruelle famine qui y sévissait chroniquement. C'était leur troisième hiver sur le causse et ils prétendaient ignorer que leurs terres appartenaient au très haut et très puissant banneret de Roumégoux.

Ce n'était pas la qualité d'un chevalier qui déterminait son titre mais celle de son fief. Se faisait appeler comte qui possédait un comté, baron une baronnie, châtelain une châtellenie, chevalier un cheval, une broigne et une épée. Si Runulf Fendard se glorifiait du titre de banneret, c'était parce qu'il était seigneur de trois châtellenies et qu'il pouvait réunir plus de dix vassaux sous sa bannière. Runulf était lui-même fidèle vassal de messire le comte de Toulouse, Raymond de Rouergue, leur suzerain à tous.

Arthur regroupa les vilains autour de lui et les fit mettre à genoux. Il leur présenta le sceau de cire où apparaissait la silhouette du banneret monté sur son palefroi.

– Voici votre seigneur Runulf Fendard de Roumégoux. Dorénavant, vous lui appartenez de droit.

Il dégaina posément son épée à double tranchant et la brandit dans leur direction.

– Voici son pouvoir exécutif.

Un de leurs chiens eut l'outrecuidance d'aboyer dans

sa direction. Arthur lui trancha l'échine en deux parties inégales.

Après avoir évalué la superficie des terres qu'ils avaient défrichées et semées, il les réunit à nouveau et les éclaira sur les redevances et les devoirs qui leur incombaient. Désignant ensuite les plus robustes d'entre eux, il leur montra l'endroit précis où il voulait que s'élève son camp de louveterie. Il choisit un emplacement dégagé dans la boucle de la rivière.

– Je veux une chaumine de douze pieds de long sur six de haut. Là, vous m'édifierez la cuisine, là un puits, là une grande chiennerie couverte, là une écurie et là un gallinier.

Il peupla ce dernier en prélevant l'exacte moitié de leurs gallines.

Arthur savait que l'éradication des meutes de la forêt allait prendre du temps. Il n'avait pas connaissance d'animal montrant plus de sang-froid qu'un loup chassé. Sitôt débuché, celui-ci filait droit devant lui, dédaignant les ruses, se fiant à ses jarrets et à son endurance de fer. Il se tenait proche des chiens, il réglait le train de la poursuite sans jamais prendre de vitesse au-dessus de ses moyens, il ne s'affolait jamais. C'était précisément pour tout cela que le courre au loup était si passionnant et si pénible.

Le lendemain, le chevalier forçait un jeune-loup de deux ans débusqué alors qu'il terminait de carnager la moitié d'une bréhaigne, une vieille biche qui ne faisait plus de petit.

Alourdi par son estomac trop plein, le loup courut mal et mourut quatre heures plus tard d'une flèche dans la nuque alors qu'il tentait de traverser à la nage une mouille au milieu des arbres. Les piqueurs se jetèrent à l'eau pour ramener son corps à terre. Ils le déshabillèrent de sa fourrure, conservèrent la tête accrochée après et donnèrent les entrailles et les chairs aux chiens qui s'en régalèrent. Ils présentèrent les yeux fichés à la pointe de leur poignard à Arthur qui mordit dedans sans plaisir particulier.

Les vilains huèrent la peau du loup. Ils haïssaient ces très carnassiers quadrupèdes qui leur avaient dévoré tant de chèvres et de poules. L'hiver passé, ils avaient emporté un ânon de six lunes.

Pourtant, Arthur et ses piqueurs ne furent pas dupes de ce premier succès. Si l'animal n'avait pas été gavé de viande, jamais ils n'auraient pu le forcer à travers les enchevêtrements de ronces, de fougères, d'arbres morts, de taillis impénétrables.

Les vilains qui ne travaillaient pas à l'édification du camp furent réquisitionnés au débroussaillage du sous-bois et aux traçages de plusieurs sentiers. L'un mena à la mouille aux eaux vives de carpes et d'anguilles. Un autre conduisit jusqu'aux contreforts de l'Aubrac, percés de nombreuses grottes.

De l'aube au crépuscule, Arthur, son limier et son traquenardeur brossaient la forêt, tendant çà et là leurs redoutables traquenards en maxillaires d'ours. Le ressort était un simple arc de bois mis en tension par des crins torsadés d'étalon (les crins de la queue d'un cheval étaient plus solides que ceux d'une jument qui pissait sur les siens). Chaque partie du piège était soigneusement parfumée à la charogne.

Ils prirent un grand-vieux-loup, âgé de dix ans d'après ses crocs moulus. Ils prirent un loup de trois ans mourant de faim depuis qu'une blessure pourrissait son pied arrière et l'empêchait de chasser. Ils prirent un louvart qui mordit bravement la lame qui l'égorgeait. Leurs dépouilles rejoignirent celle du jeune-loup.

Au début de l'été, Arthur tua une laie et attrapa sept de ses marcassins. Il indiqua aux vilains l'endroit où il voulait voir construire sa porcherie et se montra équitable en leur donnant le plus rachitique de la portée.

Au début du mois des feuilles mortes, le leal et gentil chevalier retourna à la ferté de Roumégoux.

Après s'être prosterné devant son suzerain et lui avoir baisé la main avec moult bruits de succion comme le voulait l'étiquette, il lui présenta dix-sept peaux de loup. Au dos de l'une d'elles, il avait enregistré le recensement des vilains lozérois, la superficie des terres semées, le décompte des boisseaux produits et prélevés. Arthur montra son chariot contenant dix boisseaux de blé noir, l'exacte moitié de leur moisson.

Quand il quitta Roumégoux, il était accompagné d'une

épouse, d'un maître d'œuvre prêté par son seigneur et de cinq familles de serfs libres, originaires des Grandes Causses. Il rayonnait en serrant sur son cœur un parchemin attestant la cession en viager à son bénéfice du causse de Racleterre.

Les Chroniques narraient que, en retrouvant le lugubre paysage caillouteux qui était désormais le sien, l'eau du cœur lui monta aux yeux de bonheur : ici, il planterait ses racines, ici, il fonderait sa lignée.

Rassemblant ses vilains, il exhiba le précieux document comme il avait exhibé précédemment le sceau des Fendard.

– Ce causse est désormais mien, et vous aussi vous êtes miens.

Arthur dégaina son épée et lança des œillades de foudre autour de lui, comme s'il cherchait quelque chose ou quelqu'un à séparer en deux. Aucune objection ne se faisant ouïr, il traça sur le sol les contours de la forêt, il la divisa en quatre cercles et il donna leur signification.

Le premier cercle, la *silva communis*, commençait aux lisières et s'enfonçait de cinquante pas dans le sous-bois. Ils étaient autorisés à s'approvisionner dedans en bois mort, en champignons, en glands pour les marcassins. Gare aux contrevenants qui briseraient du bois vif ou qui s'aventureraient au-delà de ces cinquante pas.

Mentant sans effort, il ajouta d'un ton menaçant :

– J'ai ramené de la tourmentine et j'en ai semé partout à partir du cinquante et unième pas.

Une vive inquiétude se peignit sur les visages. La tourmentine était une herbe mystérieuse qui égarait à jamais ceux qui marchaient dessus. Des polémiques séculaires existaient sur la taille de la plante, sur sa forme, sur sa couleur et même sur son existence.

Le deuxième cercle, la *silva concida*, fournirait les épieux, les piquets pour les plesses, les manches d'outil, les arcs, les flèches, et surtout les madriers de construction de son futur donjon.

Le troisième cercle, la *silva forestis*, où se trouvait la mouille, était décrété territoire de chasse et de pêche, réservé à son usage exclusif. Les contrevenants seraient sévèrement châtiés.

Au plus profond de ce troisième cercle se nichait la Sauvagerie, le cœur de la forêt, le quatrième cercle. De la cime d'un grand hêtre, Arthur l'avait évalué à une centaine d'hectares sans chemins ni sentiers, juste des coulées animales, striés de ravines disparaissant sous les ronciers, barrés de fourrés inextricables, d'arbres géants enchevêtrés de grands ajoncs d'épines, et où personne encore n'avait osé s'aventurer.

En l'absence d'un neck volcanique comme à Bellerocaille, ou d'une colline de schiste comme à Roumégoux, le chevalier Arthur fit élever une motte artificielle de terre et de cailloux sur laquelle il percha son donjon.

Pendant que ses gens travaillaient, il délimita les alentours en manses de cinq hectares et les remit en viager aux serfs libres qui l'avaient suivi.

Après avoir pris longuement la mesure du terrain, le maître d'œuvre proposa un donjon de plan carré, haut de sept toises et large de quatre, divisé en deux étages coiffés d'une terrasse ouverte d'où l'on dominerait le causse à perte de vue. La construction coûta l'existence à cinquante-cinq chênes centenaires, tous coupés dans le deuxième cercle.

De nature soupçonneuse, Arthur s'octroya un vaste espace autour de sa motte qu'il nomma sa grand-cour et l'enferma derrière une plesse de pieux qu'il cerna d'un fossé inondé grâce à un canal creusé jusqu'au Dourdou. Un pont de bois, facile à détruire à la moindre alerte, fut jeté par-dessus.

Posséder un fief était une chose, le conserver en était une autre. Quand le nombre des vassaux à la charge d'un seigneur excédait ses capacités, celui-ci leur offrait des terres qui leur permettaient de s'entretenir eux-mêmes tout en s'acquittant de diverses charges et services. Pour séduire de nouveaux vassaux, il fallait de nouvelles terres à offrir. De ce besoin constant de nouveaux territoires étaient nées les guerres privées, moyen expéditif de s'en procurer.

Les vilains abandonnèrent leurs huttes en bordure de

rivière pour s'installer au pied de la palissade du fortin, sous la protection immédiate de leur seigneur et maître. Durant le percement du canal, Jéhan, l'un des vilains ramenés de Roumégoux, remarqua sous la rebutante épaisseur de pierraille que la terre ressemblait à celle des meilleurs fromentaux des Grandes Causses, une terre calcaire réputée si fertile qu'on disait d'elle fort sérieusement que Dieu avait choisi la même pour façonner messire Adam.

Jéhan s'ouvrit de sa découverte à son seigneur, qui, peu connaisseur, répondit :

– Foi de Dieu, si tu ne débagoules point, bonhomme, je te baillerai une manse de plus.

Le vilain fut exempté de corvées. Il épierra le champ de cailloux, le laboura et le sema de blé.

Au printemps, la vivacité des premières pousses à percer la terre fut telle que chacun admit que Jéhan avait eu raison. La récolte fut étonnante. Le boisseau de grains produisit le double, et le froment qu'il en tira donna un pain blanc et onctueux, à l'odeur si forte qu'elle affolait les narines à une lieue de distance.

Les Chroniques rapportaient que Jéhan le vilain reçut la deuxième manse promise, et que, bien plus tard, une rue du bourg perpétua son nom.

Arthur remplit un coffre plein de terre, le chargea dans le chariot à côté d'un setier de froment et s'en alla les montrer aux serfs d'un fief limitrophe appartenant à un petit vassal du comte Raymond. Il débaucha ainsi onze familles qui fuirent nuitamment et se placèrent sous sa protection. Chacune reçut une manse aux conditions décrites plus haut.

Les activités des mois suivants se concentrèrent sur le désempierrage systématique du causse, modifiant peu à peu son apparence. Les quantités de cailloux retirées furent telles qu'on put borner avec les manses d'empilements pyramidaux, à la grande satisfaction des colonies de lézards et des busards qui mangeaient ces lézards.

Plus tard, Arthur construisit un moulin en aval de la rivière, un four à pain dans sa grand-cour et les décréta d'usages obligatoires et payants.

Les saisons succédèrent aux saisons, les moissons aux semailles.

Le petit fief de Racleterre prospérait autour du donjon à motte de son seigneur, quand, par un frais matin du mois des bourgeons, à l'heure du départ pour la chasse, Azémard Boutefeux, seigneur de la sauveté de Bellerocaille et vassal du comte Raymond, attaqua.

Tout ce qu'il ne put emporter, il le brûla. Pire, il convainquit sans mal les vilains d'Arthur d'abandonner un seigneur incapable d'assurer leur sécurité et de le suivre dans sa sauveté où il leur offrit une manse.

Transporté enchaîné à Bellerocaille, Arthur resta encachoté huit mois avant de retrouver sa liberté en échange d'une rançon épicée réunie par sa famille et son suzerain de Roumégoux.

Revenu sur son causse, il n'eut de cesse de reconstruire son donjon, ce symbole parfait de son état de chevalier fieffé.

Tenant compte de l'outrancière aisance avec laquelle les Boutefeux l'avaient vaincu, il opta cette fois pour un donjon de dix toises qui coûta quatre-vingts chênes et fit percer à l'intérieur de la motte un souterrain secret qui fila jusqu'aux abords du Dourdou.

Il encercla sa motte d'une chemise de pieux aux pointes durcies au feu et profita de la destruction du village pour agrandir son périmètre seigneurial. Il claustra le tout derrière une triple épaisseur de plesses. L'ancien fossé fut comblé et un nouveau, plus large et plus profond, fut percé. On le garantit d'un remblai de pierres au lieu de terre, d'une haie vive et d'une autre double plesse.

Pendant que le chevalier et sa nouvelle meute chassaient, ses nouveaux vilains reconstruisirent leurs chaumières. Les terres des morts furent redistribuées. On laboura, on sema, on moissonna, on recommença à engranger, à troquer les excédents avec Roumégoux, bref, on prospéra de nouveau.

Alors, les Boutefeux de Bellerocaille réapparurent.

Grimés en innocents marchands, ils surprirent totalement

et désentripaillèrent tous ceux qui leur résistèrent. Ils emportèrent ce qui pouvait l'être et ardèrent ce qui ne le pouvait, car telles étaient leurs traditions et qu'ils auraient cru y contrevenir en laissant quelque chose d'intact.

Arthur Armogaste et sa mesnie échappèrent de justesse à un nouveau rançonnage en empruntant le souterrain qui les conduisit près de la rivière d'où il assista le cœur serré au nouveau saccage de son fief.

Une longue période de marasme suivit cette nouvelle dévastation.

Les Armogaste s'installèrent dans une masure à peine plus grande que celles de leurs manants et parurent se résigner à y végéter jusqu'à leur trépas, lorsqu'il fut partout question d'aller bouter les Infidèles de Terre Sainte et de délivrer le tombeau du Christ.

Trop chenu, Arthur ne se croisa point, mais son fils Roland se joignit à Gauthier Fendard de Roumégoux, l'aîné du banneret Runulf, qui s'apprêtait à retrouver l'ost de leur suzerain à tous, Raymond de Saint-Gilles, comte de Toulouse et du Rouergue.

Le jeune Roland Armogaste était à Toulouse depuis peu et visitait l'imposant système défensif de la cité comtale (en prenant des notes), quand il assista à l'entrée de Béranger Boutefeux de Bellerocaille, croisé lui aussi. Il chevauchait en tête de ses friponneurs armés de neuf, encadré par ses boutefeux qui brandissaient leurs torches enflammées et scandaient tous les trente pas des retentissants « Ça arde ! ».

Roland grinça des dents et déglutit difficilement sa bile lorsqu'il reconnut au passage plusieurs de ses chevaux, dont le superbe palefroi monté par Béranger qui appartenait à son père avant que l'exécrable famille ne le leur briconnât.

L'ost de Raymond de Saint-Gilles quitta Toulouse au mois des glands et atteignit Constantinople au printemps.

La citadelle de Nicée fut aisément conquise au cri de « Dieu le veut ». En juillet, par une chaleur qui stupéfia Roland pourtant coutumier des étés caniculaires de son causse, on entreprit sans intendance la traversée de l'inhospitalière et désertique Anatolie.

Plutôt que d'avancer sur une seule ligne, les barons de l'Ost-Nostre-Seigneur (comme se nommait le corps expéditionnaire chrétien) se scindèrent afin de trouver plus de ressources en couvrant un plus vaste territoire.

Bohémond, Courteheuse, Robert de Flandre et Étienne de Blois partirent les premiers, tandis que Raymond Saint-Gilles, Godefroi de Bouillon et Hughes le Maisné les suivirent le lendemain, empruntant la piste des monts.

Ils progressaient depuis deux jours à travers un paysage désolé de rochers ruiniformes brûlants comme feu si on les touchait lorsqu'un croisé cavalant à étripe-cheval les rattrapa. Roland reconnut les couleurs des Normands de Bohémond. L'homme annonça d'une voix altérée que des milliards de chiens d'infidèles avaient profité d'une halte à l'oasis de Dorylée pour les attaquer.

En assaillant Bohémond, le sultan Kildj Arslan, l'ancien maître de Nicée, se croyait en présence de la totalité de l'armée des envahisseurs, aussi prit-il son temps pour exterminer ceux qui lui avaient briconné sa ville, sa femme et ses fils.

Il était proche d'y parvenir à coups de vagues d'archers successives et de rapides charges de cavalerie, lorsque s'éleva à l'horizon un nuage de poussière accompagné d'un grondement qui fit vibrer le sol. Puis très vite, déformés par les brumes de chaleur dansantes, apparurent plusieurs rangs serrés de cavaliers bardés de fer, d'où émergeaient çà et là les bannières de guerre multicolores de Toulouse, du Rhin et du Vermandois. Le grondement sourd devint roulement de tonnerre ininterrompu ponctué de cris de bataille déterminés.

– DEOS LE VELT !

– TOULOUSE ! TOULOUSE !

– ÇA VA ARDER !

– TUONS-LES TOUS !

Composée de Turcs, de Persans, de Pauliciens, de Sarrasins, d'Angulans et d'innombrables Arabes, l'armée du sultan se déroula à une vitesse extraordinaire dans toutes les directions de la rose des vents, abandonnant derrière elle son entière smalah.

Le chevalier Roland eut l'heureuse fortune de pourfendre

un Seldjoukide de haut rang et de s'emparer de droit de sa tente, de son oriflamme, de ses besants d'or, de ses bijoux (un coffre plein), de ses chevaux (une cinquantaine), de ses femmes (quatre, dont deux jouvencelles), de sa marmaille (innombrable), de ses esclaves et d'un troupeau d'étranges créatures bossues, nauséabondes, aux faciès immondes, nommées *chamel*.

Roland ne voulut point pousser sa bonne fortune plus loin et quitta l'Ost-Nostre-Seigneur, vendit son excédent de butin à un prix raisonnable, affréta un vaisseau grec à Nicomédie, et s'en retourna chez lui, l'âme en paix.

En sus de l'or, de l'étendard et du coffre à bijoux, il emportait la tente, les deux jouvencelles, cinq esclaves dont deux femelles, quatre juments et le plus bossu des chamels. Hélas, ce dernier périt durant la traversée. Roland fit bouillir sa dépouille et ramena le squelette avec l'intention de l'exposer dans la grand-salle du futur nouveau castel des Armogaste.

Ce retour, pour le moins triomphateur, correspondit au renouveau du fief. Les besants permirent de renforcer la motte et d'édifier au-dessus un nouveau donjon, de plan rectangulaire cette fois, haut de quinze toises, long de cinq, large de trois, aux murs de sept pieds d'épaisseur, entièrement faits d'énormes moellons de grès. Le fossé et les plesses furent remplacés par une coûteuse chemise de granit large de douze pieds.

Pendant que se reconstruisait un corps de logis comprenant des écuries, un chenil, des magasins, un four à pain, un pressoir et une maréchalerie, le chevalier Roland profita de l'absence de Béranger Boutefeux, toujours guerroyant en Terre Sainte, pour assoldayer une compagnie de routiers Brabançon et la lâcher sur Bellerocaille. Il n'accepta de les en retirer qu'en échange d'une rançon de dix mille gros tournois.

Une partie de cet or servit à secrètement allonger, agrandir et empierrer le souterrain, mais aussi à remplacer l'ancienne enceinte de bois par une muraille crénelée de huit toises d'élévation que le maître architecte jalonna de quatre tours d'angle et d'une porte flanquée de deux tourelles, où il adapta un pont-levis identique à celui remarqué à Toulouse.

De nouvelles douves furent creusées, des tanches, des carpes, des brochets, des anguilles furent lâchés dedans. Personne n'y lâcha de grenouilles, pourtant elles furent bientôt des mille et des cents à vacarmer chaque nuit d'été.

Le village se reforma au pied des murailles protectrices : on se remit à labourer, à semer, à récolter, à engranger, à prospérer. Des colons affluèrent. Roland leur distribua des champs à décaillouter, incitant certains à favoriser l'élevage des vaches et des moutons, grands dispensateurs de lait, de viande, de cuir et de laine. Une petite tannerie se construisit en aval.

Racleterre s'agrandit, augmentant d'autant la fortune de son seigneur qui instaura une taxe permanente sur chacun, en échange de la protection de ses hauts murs flambant neufs.

A la Sainte-Catherine, Roland planta des châtaigniers dans sa grand-cour et, bien plus tard, des familles de corbeaux freux bâtirent leur corbeautière dessus et s'y plurent au point de s'y trouver encore à ce jour d'hui.

Les scabreuses drailles du causse transformant chaque déplacement en une expédition lente, coûteuse et trop souvent dangereuse, le village prit l'habitude de fabriquer sur place tout ce qui lui était nécessaire, transformant certains laboureurs en artisans, desquels émergea peu à peu une nouvelle couche sociale.

Lorsque les seigneurs de Bellerocaille attaquèrent de nouveau, leurs belliqueuses ambitions se brisèrent contre les murailles, d'où on leur projeta sur le heaume toutes sortes de projectiles fort pesants.

Riboulant des yeux, les Boutefeux battirent en retraite, s'éloignant tel un orage, se retournant parfois pour se pilonner les pectoraux en beuglant qu'ils reviendraient et qu'on pouvait y compter.

Le causse de Racleterre connut alors une longue accalmie que les Racleterrois et leur seigneur mirent à profit pour prospérer de plus belle.

Un jour la poudre et les bombardes furent inventées, un autre jour, les prédateurs de Bellerocaille l'apprirent.

Leur siège dura un printemps et un été. Quand ils réussirent enfin à décombrer la porte à force de boulets de pierre et à envahir la grand-cour, leur exaspération était telle qu'ils trucidèrent tout ce qui ne put pas s'enfuir. Puis ils démantelèrent rageusement le donjon, nivelèrent au niveau du sol sa chemise de granit, laminèrent les murailles crénelées et leurs tours d'angle, comblèrent les douves et les deux puits, puis transportèrent les milliers de moellons à Bellerocaille où ils furent réutilisés à la consolidation de leur castel.

Comme la fois précédente, les Armogaste empruntèrent leur souterrain secret et s'enfuirent en emportant leur sceau et sa matrice, leurs terriers, les compoix, les cadastres, leur or, leurs bijoux, l'oriflamme seldjoukide, l'écu aux armes ayant appartenu au chevalier Roland ainsi que le squelette de dromadaire – le crâne seulement – transmuté par les ans en relique familiale contre les maux de dos.

Sommet de l'infortune, la calamiteuse visite des Boutefeux fut suivie par celle de la Grande Peste Noire, celle-là même qui occit plus d'un tiers des habitants du royaume. Le causse se dépeupla, et seules quelques familles, abandonnées par leur seigneur et trop misérables pour s'installer ailleurs, occupèrent les grottes des contreforts du massif de l'Aubrac. Quant aux Armogaste, ils vécurent désormais remparés derrière leur suzerain de Roumégoux. Un Roumégoux devenu un haut lieu de pèlerinage depuis que le banneret Gauthier Fendard avait rapporté de Jérusalem le saint prépuce de Jésus et avait édifié une chapelle autour.

Toujours selon les Chroniques, il fallut attendre cinq générations pour voir les Armogaste réapparaître sur leur causse de Racleterre, où une mauvaise surprise les attendait.

Le chevalier Hubert Armogaste, douzième chef de nom et d'armes de la branche aînée, découvrit un village fortifié de quelque trois cents âmes, construit autour d'une église également fortifiée et outrageusement juchée sur l'ancienne motte, là même où s'élevait jadis le donjon familial. Un vicaire se réclamant du comte-évêque de Rodez la gouvernait.

Accoutumés à se passer de protection et à se diriger eux-mêmes par le biais d'un consul élu, les villageois se rebéquèrent et massacrèrent à coups de fourche et de fléau à blé la petite suite du chevalier. Ce dernier réussit toutefois à s'échapper et à gagner Paris où il fit valoir ses droits auprès du roi, l'arbitre suprême après Dieu. Hélas, Philippe de Valois se débattait lui-même dans des soucis tels qu'ils lui avaient ôté toute envie de s'intéresser à ceux des autres.

Ulcéré jusqu'à l'âme, humilié jusqu'à la fine moelle, le chevalier Hubert se déclara délié de son serment de fidélité et se mit en quête d'un nouveau suzerain. Il opta pour le roi d'Angleterre, prétendant à la couronne de France. Le fait que les Anglais occupassent déjà la Guyenne et une partie du Rouergue facilita sa démarche. Le chevalier Arthur se présenta à Saint-Antonin, occupé de fraîche date par le Prince Noir, et lui offrit sa loyale vassalité en échange des troupes nécessaires à la reconquête de son fief.

Apprenant son retour à la tête d'une troupe d'Anglais aux intentions ouvertement belliqueuses, les villageois et leur vicaire désertèrent prudemment les lieux. Le chevalier Hubert reprit possession de sa motte sans combat.

Comme rien ne pouvait se faire sans les villageois, il décréta une amnistie générale à tous ceux qui se placeraient sous sa juste protection. Ceux qui n'obtempérèrent point virent leurs masures et leurs champs redistribués en viager à de nouveaux colons.

Le chevalier Hubert fit détruire l'église, amplifia la motte et construisit un donjon de plan rectangulaire, haut de quinze toises, épais de sept, qu'il aménagea en quatre étages. Il occupa le deuxième et le troisième et réserva le premier et le quatrième à sa garde d'Anglois aux cheveux roux.

Plus tard, les Anglais édifièrent au centre du village un bel édifice administratif et militaire qu'ils décorèrent de léopards de pierre et où le Prince Noir dormit plusieurs nuits.

L'ordre anglais fut propice à un regain de prospérité. Racleterre compta bientôt quelque huit cents feux et une dizaine d'enfants rouquins. Tout allait donc au mieux jusqu'à ce que la guerre s'achève à la déconfiture des Anglais et de leurs alliés.

Pourchassés par une population subitement révoltée, les Armogaste durent une fois de plus leur salut au souterrain secret qui leur permit de fuir très vite et très loin (en Angleterre).

Les Racleterrois s'empressèrent de prêter hommage à Charles VII le Victorieux qui se montra reconnaissant en leur vendant fort cher une charte d'affranchissement. Tout en les faisant passer sous l'autorité royale, elle leur octroyait le droit de se gouverner et de rendre basse justice. Les terres du chevalier décrété félon furent annexées à la couronne, et son castel décrété bastide royale. Un capitaine exacteur et trente hommes dépendant de l'intendant de Montauban l'occupèrent en permanence.

Rebaptisé Maison communale, agrémenté d'un beffroi de huit toises, le bel édifice administratif et militaire anglais accueillit désormais le consul élu et son assemblée de quarteniers. Une église fut édifiée face au château et dédiée à saint Benoît. Plus tard, l'administration royale morcela les terres des Armogaste et les vendit au plus offrant.

Plusieurs décennies s'écoulèrent et trois rois régnèrent avant que les Armogaste quittent Londres et soient à nouveau en odeur de cour pour oser réclamer, et obtenir, la restitution de leur motte ancestrale.

Le chevalier Walter, seizième du nom, arriva à Racleterre le jour de la Saint-Crépin 1524, accompagné d'une cinquantaine de gens armés, d'une meute de chiens gris de Saint-Louis, d'une théorie de chariots bâchés tirés par des bœufs et d'un troupeau de vaches, de chèvres et de moutons maraudés en chemin.

La petite troupe entra par la porte des Croisades et traversa le bourg sans une œillade pour les Racleterrois qui les regardaient passer dans un silence de mauvais augure.

Sitôt démonté de son cheval, le chevalier Walter grimpa au sommet du donjon et y déploya le pennon triangulaire vert et rouge frappé de la tête de loup et de l'ambitieux *Tuons-les tous*. Comme il n'y avait point de vent, l'étamine resta pendante le long de sa hampe.

Walter ordonna la forge de nouvelles serrures pour chaque porte du castel et expulsa la famille occupant l'ancienne charpenterie pour y installer provisoirement sa meute. On vit réapparaître au mur de la grand-salle l'écu de l'ancêtre Roland, l'étendard seldjoukide et la tête de dromadaire enchâssée dans son reliquaire de vermeil. D'autres souvenirs essentiels reprirent leur fonction : le sceau et sa précieuse matrice, le plan du souterrain secret, ou encore les anciens terriers et compoix attestant les droits d'antan de la famille sur la quasi-totalité du causse.

Le lendemain à l'aube, le chevalier Walter parcourait les alentours, un cadastre vieux de trois siècles ostensiblement déroulé sur l'encolure de sa monture. Il constata que la presque totalité du premier cercle de la forêt de Saint-Leu avait été déboisée puis défrichée afin d'agrandir les champs adjacents. La trace de nombreux faux-fuyants pénétrant le sous-bois signalait une grande circulation jusque dans les deuxième et troisième cercles.

La confrontation avec le consul élu et son assemblée se déroula dans une atmosphère hostile. La réaffirmation de ses droits héréditaires sur la forêt de Saint-Leu ainsi que sur son contenu végétal et animal déplut considérablement. La forêt fournissait au bourg une réserve quasi inépuisable de viande sur pied, de bois de construction, de bois de chauffe : on y menait les cochons à la glandée, on y cueillait les châtaignes, on y récoltait truffes et champignons.

Avant l'ordonnance royale de 1396, les bêtes sauvages n'appartenaient à personne, et le droit de chasse était un droit naturel et distinct du droit de propriété. Après l'ordonnance et sa stricte application, ce droit était devenu inhérent à la possession de fief et rigoureusement réservé au roi, aux princes et aux gentilshommes. Les braconniers pris en flagrant délit étaient pendus sans procès. Les paysans, les éleveurs ou les bergers attaqués par les loups ne pouvaient que les repousser en prenant soin de ne point les occire sous peine de dispendieuses sanctions.

Il va de soi que n'ayant plus ses seigneurs veneurs pour réguler la propagation des malebêtes, et compte tenu de l'arrogance et la cherté de messieurs les lieutenants de louveterie, la Maison communale de Racleterre organisait de grandes huées annuelles. De nombreux louveteaux, parfois quelques louvarts, y étaient détruits. On les exposait au pilori, car il n'existait point de bête carnassière plus fourbe, plus haïe et plus redoutée. Le loup n'était-il pas l'ennemi mortel de l'agneau en la forme de laquelle était figuré notre seigneur Jésus ?

Si les Racleterrois concédèrent la forêt de Saint-Leu, pour laquelle il n'existait aucun document, ils refusèrent de restituer les terres. Le consul opposa à l'ancien cadastre des Armogaste les contrats notariés des propriétés cédées par la couronne durant leur exil londonien.

Commença alors une interminable série de procès dont les épices allaient faire vivre nombre de cabinets de chicaneurs durant plusieurs générations.

Chapitre 11

Château neuf des Armogaste, mars 1763.

Virgile-Amédée Armogaste, vingt-septième du nom, déjeunait entouré de ses vieux limiers allongés à ses pieds, de l'abbé du Bartonnet sur sa droite – surnommé l'abbé Harloup tant était fort son goût pour le courre au loup – et du vicomte Renaud du Poitrail sur sa gauche, capitaine au Royal-Languedoc. Il avait été convié au laisser-courre du lendemain et s'efforçait de s'intéresser aux propos du chevalier.

– Les premières armes de chasse, cela va de soi, sont le bâton et le caillou. Puis le bâton s'améliore en massue, et le caillou, taillé et emmanché, devient hache, sagaie ou harpon. La chasse, monsieur le vicomte, consiste alors à s'approcher de vingt pieds minimum d'une bête farouche, dont la survie, je vous le rappelle, tient à ses facultés de détecter ses ennemis dans un cercle de six cents pieds par l'odorat, cinq cents par la vue, trois cents par l'ouïe.

Au centre de la longue table, assis sur son fauteuil percé à roues, le chevalier Évariste, à l'esprit effaré depuis son désolant accident, mangeait salement avec ses doigts en laissant traîner ses manchettes dans son assiette. Par instants, il soulevait vivement ses mollets sans pieds comme si quelque chose tentait de les lui saisir. Cécile de Montenbasset, sa fille, veuve douairière du vicomte de Montenbasset décédé quelques années plus tôt d'un brutal découragement d'entrailles, lui faisait face et le surveillait. C'était elle qui poussait son fauteuil et qui enmoignonnait chaque jour ses mollets dans des sacs de cuir rembourrés de laine de mérinos.

En bout de table, à l'antipode de son mari, dame Jacinthe picorait d'un air maussade dans un plat de friture de petites lottes (elle ruminait à propos du collier et de son coût exorbitant). A sa main droite mangeait le père Gisclard qui semblait ignorer combien sa présence irritait l'abbé du Bartonnet. Près de la cheminée, pelotonné sur un pouf de velours vert, Monsieur Hubert se chauffait en tournant le dos à l'assemblée. Malgré le tronc d'arbre qui flamboyait, il faisait froid dans la grand-salle, et chaque convive avait les pieds posés sur une chaufferette remplie de braises.

Le chevalier Virgile-Amédée fixa le capitaine du Poitrail de ses yeux ronds presque sans paupières. Ils ne cillaient jamais et le faisaient ressembler à une poule vous observant (lui pensait à un aigle).

– Pour avoir une chance de tuer son gibier, le chasseur doit pénétrer ces trois cercles défensifs. Cela implique des années dédiées à l'entendement des us et coutumes de la gent sauvage.

Le vicomte opina du chef en se servant une large portion de pâté d'anguille aux morilles que lui proposait Francol, le maître d'hôtel. Elles abondaient dans les douves, avec les tanches, les carpes et les perches.

La cloche du pont-levis retentit au loin, annonçant une visite. Personne n'y prit garde.

– Le premier authentique chef-d'œuvre de l'homme n'est-il pas d'avoir su mettre à son service le chien, le cheval et le faucon ? Car vous me l'accorderez, monsieur le vicomte, mais sans le nez du premier, les jambes du deuxième et les ailes du dernier, nous n'aurions jamais pu nous assurer la domination des animaux de la Création.

Le vicomte opina en se servant cette fois une belle tranche de pâté de faisan bardé de lard que lui proposait un Francol au maintien raidi de la nuque aux talons par le sens du devoir. Le pâté était agrémenté d'un petit drôlet de vin de Routaboul qui chantait dans la tête dès qu'on en buvait.

On avait mis l'officier en garde : « La table du château est excellente, mais si vous voulez la déguster, mon cher, amorcez donc la conversation sur la vénerie, puis mangez benoîtement en approuvant du chef par-ci par-là. »

Dans le fond, près de la porte donnant sur l'office et les cuisines, autrement dit en plein courant d'air, déjeunait le docteur feudiste Éloi Larzac face au jeune Gabriel Pillehomme, qui cumulait sa fonction de secrétaire du chevalier avec celle de greffier au tribunal communal. Ils logeaient tous deux au château et, bien que leur rang les autorisât à déjeuner en même temps que les maîtres, ils étaient en butte aux mille misères d'une domesticité qui ressentait d'avoir à servir de si petites gens et s'ingéniait à trouver une infinité de prétextes pour les chagriner.

Le temps que le chevalier ne consacrait pas à ses déduits favoris (le laisser-courre, le chenil et la rédaction de son ouvrage fondamental sur le dressage du chien et du cheval de grande vénerie), il le passait en compagnie d'Éloi Larzac, à réviser les vieux grimoires dans l'espoir d'élaborer de nouvelles impositions ou de remettre en usage des droits féodaux oubliés. Son but avoué était de retrouver la jouissance de tout ce que la Maison désignait comme « biens communaux » et qui avait forcément appartenu aux Armogaste puisque, dès l'an mil, sa lignée possédait la totalité du causse.

La double porte de la grand-salle s'entrouvrit sur Martial, le concierge. Sa mine grave signalait qu'il était conscient de l'inopportunité de son irruption.

– Faites mille excuses, votre seigneurie, mais y sont une demi-douzaine à vouloir être reçus malgré l'heure. Y disent pour sûr que c'est hautement d'importance.

– Qui sont ces fâcheux ?

– Y a monsieur le chicaneur Pagès-Fortin, y a monsieur Brasc l'aîné, y a aussi ce maître d'armes qui tient salle rue des Maoures, et puis y a un dragon, et puis y a aussi votre débourreur. Je ne connais point le dernier mais il est en sabots et il est venu dans le cabriolet de monsieur le chicaneur.

Le nom de l'avocat déplut énormément. Les traits du chevalier s'altérèrent. Il détestait ce suppôt des Lumières et jugeait sévèrement qu'on débitât régulièrement dans son académie des propos à faire tomber cent fois la foudre sur le toit.

Sans aller jusqu'à pleurer l'époque où les seigneurs avaient droit de vie et de mort sur leurs sujets, Virgile-Amédée déplorait ne plus pouvoir écraser un pareil gêneur sans aussitôt encourir d'humiliantes représailles judiciaires. Il était clair dans son esprit que tous ces arrogants bourgeois outrageusement enrichis rêvaient d'instaurer une nouvelle aristocratie où leur or remplacerait les quartiers de noblesse qu'ils ne pouvaient, et ne pourraient jamais, s'offrir.

– Que me veulent-ils qui ne puisse attendre la fin de mon repas ?

– Paraît que c'est rapport à une affaire d'honneur, votre seigneurie.

La physionomie du chevalier se modifia à nouveau.

– Fais-les entrer sans plus attendre.

La dimension des pièces, la hauteur des plafonds, le luxueux mobilier, les rampes de marbre s'élançant vers les étages, les lustres de cuivre chargés de bougies à une livre, les tapisseries sur les murs, la morgue du gouverneur des clefs, tout aigrissait l'estomac de Clovis. Certains avaient tant quand d'autres si peu : sa famille, par exemple, qui vivait entassée dans une maisonnette que ce vestibule aurait contenue plusieurs fois.

Martial les guida le long d'un couloir obscur ornementé de massacres de cerfs, de chevreuils, de daims, jusqu'à une antichambre sans sièges d'où il leur demanda de ne point bouger avant son retour : il disparut par une porte décorée d'une énorme hure de quartanier.

Crandalle et ses témoins se retirèrent près d'une fenêtre donnant sur le grand chenil comme pour comploter à voix basse. Le Hongrois se posta face à l'autre fenêtre et leur tourna le dos. Clovis resta près de l'avocat qui faisait mine de s'intéresser à une huile montrant le chevalier Évariste, trente ans plus jeune, en tenue vert foncé à parements rouges, gilet de drap noir, culotte de velours gris, bottes à chaudron, s'apprêtant à servir à l'épée de vénerie un loup acculé par une meute aboyante. Ce qui devait être l'antérieur droit du loup était fixé au mur sur un panneau en noyer où on pouvait lire :

Grand-vieux-loup attaqué à tierce le 8 novembre 1737
près de la mouille Saint-Leu.
Servi dans les Palanges le 9 novembre à soleil faillant.
Honneurs à Monsieur le chevalier Évariste Armogaste.
Laisser-courre par Sans-Chagrin et Lasylve.

– J'ai ouï dire qu'il avait été un veneur exceptionnel, commenta Pagès-Fortin en désignant le tableau.

Le silence le mettait toujours mal à l'aise. Il ne pouvait s'empêcher de l'interpréter contre lui et cherchait alors quelque chose à dire.

– Ça lui a coûté la raison et les deux pieds, et à nous une journée de travail, dit Clovis qui avait participé aux recherches lorsque Évariste s'était perdu dans la forêt.

Parti un dimanche traquer à la billebaude un loup moutonnier responsable de la mort de plusieurs brebis, le chevalier Évariste avait empaumé sa voie qui courait droit vers la forêt de Saint-Leu et s'était élancé avec fougue à travers la haute futaie.

C'est en évitant une branche basse qu'Évariste perdit son chapeau et que ses longs cheveux s'emmêlèrent aux feuillages de la branche suivante, l'éjectant tel un ressort de sa selle mais pas des étriers qui se tendirent brutalement lorsque le cheval poursuivit sa course. Il aurait été écartelé si ses bottes à chaudron n'avaient eu la bonté de libérer ses pieds. On le retrouva tard dans la matinée du lendemain, sans connaissance, suspendu par la chevelure à une toise du sol, la taille élonguée d'un pan, les chevilles rompues, les pieds et tous les orteils dévorés.

Qu'il ait survécu malgré le sang perdu fut considéré comme un miracle attribuable à saint Hubert, le patron des veneurs, mais qu'il ait perdu l'esprit fut imputé au fait qu'il était parti chasser le jour du Seigneur.

Le nouveau chef de nom et d'armes des Armogaste, Virgile-Amédée, capitaine au Royal-Guyenne au moment des faits, avait organisé en accord avec monsieur l'intendant royal et la Maison, une grande huée vengeresse qui avait réuni près de deux cents personnes, et durant laquelle furent occises quantité de garennes et de perdrix, mais aucune malebête.

– Monsieur le chevalier veut bien vous recevoir, annonça le concierge de retour dans l'antichambre.

Ils le suivirent dans un couloir percé de baies vitrées s'ouvrant sur la basse-cour, les écuries et une partie du donjon aux moellons gris envahis par la misère. Martial poussa une double porte capitonnée et leur fit signe d'entrer.

Clovis découvrit une grande salle mal chauffée malgré une cheminée assez vaste pour rôtir un cheval et son cavalier. Quelques personnes de qualité déjeunaient autour d'une longue table de chêne au plateau fait d'un seul tenant. Des portraits d'ancêtres illustraient les murs et chaque angle de la salle était occupé par une armure complète. Le cri des Armogaste, peint en trompe-l'œil sur l'un des murs, était cerné d'une quantité impressionnante de têtes de loup naturalisées.

Un trio de vieux chiens aboya à leur entrée. L'un d'eux s'approcha et vint renifler de son mufle couturé de cicatrices la houppelande de Clovis. Celui-ci se demanda s'il oserait le saboter au cas où il serait d'humeur mordeuse. L'amour du chevalier pour ses chiens était fameux.

Son devoir d'inspection accompli, le vieux limier retourna se poster près de son maître. Clovis leva la tête et vit la châtelaine qui le dévisageait avec insistance, le front plissé, la bouche tombante.

La présence de dame Jacinthe, comme celle de la veuve douairière, confirmait la rumeur qui voulait que, chez les nobles, les femmes mangent à la table des hommes. Ce n'était certes pas la coutume chez les bourgeois, et c'était impensable chez un artisan ou chez un paysan. Décidément, rien de ce qu'il entrevoyait de la vie du chevalier ne ressemblait à la sienne.

– Tiens donc, voici notre si prolifique et si généreux sabotier, persifla le père Gisclard.

Clovis évita l'attention générale en s'intéressant au vieil Évariste qui continuait à bâfrer, l'œil plus éteint que jamais. On ne le voyait plus dans le bourg depuis sa méfortune, mais on le savait encore vif chaque fois qu'on l'entendait revivre ses courres d'antan en haut de son donjon. Il sonnait le *Bien allé* (les chiens sont sur la bonne voie), le *Débuché* (la bête sort du bois), le *Rembuché* (la bête fuit dans un taillis), le *Relancé* (les chiens l'en font sortir), l'*Hallali sur pied* (la bête est sur ses fins et s'est arrêtée pour faire face), l'*Hallali à terre* (la bête vient d'être servie et est morte) et la *Curée chaude* (on fait jouir les chiens en leur donnant une partie de la bête prise). Il terminait à bout de souffle par la *Rentrée au chenil* et quelquefois le *Bonsoir de la Vénerie*. Quand soufflaient les vents du sud, on l'entendait jusqu'à la rue des Afitos.

Pagès-Fortin égrena d'une voix ampoulée quelques politesses conventionnelles. Le brigadier Mondidier se présenta d'une voix forte. Crandalle fixa intensément le chevalier de son œil valide, comme pour attirer son attention.

Le châtelain les écouta en mordillant sa lèvre inférieure. Il avait posé son couvert et repoussé son fauteuil afin de leur faire face. Ses convives continuaient de manger mais on les devinait attentifs. En retrait près de la porte, Brasc l'aîné et le débourreur hongrois affectaient de se canuler prodigieusement.

Clovis, qui cherchait une contenance, se tint d'abord bien droit les mains dans le dos, puis toujours bien droit mais les bras croisés sur la poitrine.

– Un duel de roture ! s'exclama tout à coup Virgile-Amédée. Vous n'y songez pas, monsieur le chicaneur ? Passe encore pour maître Crandalle qui a été officier de fortune, mais un sabotier !

On appelait officier de fortune celui qui n'ayant ni naissance ni biens était parvenu par les grades à sa charge.

Croyant que le duel ne pourrait avoir lieu, Clovis connut un grand soulagement, nuancé toutefois d'une pointe de regret. Déjà Pagès-Fortin forçait la voix pour protester véhémentement.

– L'honneur n'est point un privilège, monsieur Armogaste, l'honneur est à TOUS, souffrez que je vous le remémore !

Développant le thème avec chaleur, l'avocat prit l'assistance à témoin, s'adressant même aux vieux chiens, lançant des phrases aussi définitives que :

– Si l'honneur est le patrimoine de la conscience, si

c'est LE sentiment qui nous donne l'estime de nous-même, que reste-t-il de ce sentiment lorsqu'on vient de réceptionner sur le chef la valeur de trois pintes d'urine, monsieur Armogaste ? Je vous le demande.

Tout en lui donnant raison, Clovis aurait aimé qu'il se taise. On voit que ce n'est pas lui qui doit se battre, ruminait-il en notant simultanément qu'il était le seul parmi les treize personnes présentes à porter des sabots.

Afin d'étayer sa démonstration, Pagès-Fortin se référa au duel ayant opposé David à Goliath, un duel revendiqué comme fondateur par la plupart des duellomanes du royaume, du modeste Dégaineur au terrible raffiné professionnel du Point d'Honneur. Seuls les pointilleux leur préféraient Abel et Caïn, au grand dam des puristes qui considéraient ce premier affrontement comme un sinistre assassinat motivé par la jalousie et certainement pas un acte d'honneur.

– David n'était point gentilhomme, que je sache ! C'était un simple pâtre, roturier de la tête aux deux pieds.

Le chevalier Virgile-Amédée quitta son fauteuil et fit quelques pas en triturant sa lèvre inférieure. Joignotte, la femme du maître coq, arriva de l'office, porteuse d'un faisan rôti joliment apprêté. Cette vision en fit saliver plus d'un, Clovis en tête qui mangeait chaque jour à la même heure et n'avait jamais raté un repas.

Pendant que Francol découpait le volatile avec deux grands couteaux aux manches d'ivoire, l'abbé du Bartonnet jugea le moment venu de rappeler à chacun que c'était un double crime contre les lois divines que de vouloir tuer et se suicider.

– Se battre en duel, mes enfants, est aussi grave que de se donner au diable ! C'est en outre une grave rébellion au roi et à ses ordonnances.

Le duel n'était-il pas la pire des préparations à une bonne mort, cet instant capital, s'il en existait un, de la vie chrétienne ? Que pouvait-il exister de plus effroyable que d'expirer en ayant l'âme encore toute bandée et tendue à se venger et à trucider. Sans oublier les jurons et les blasphèmes qu'on lâchait dans le feu de l'action et qui vous faisait mourir en reniant Dieu.

Personne ne lui prêtant attention, l'abbé accepta la portion de faisan présentée par le maître d'hôtel et se servit lui-même de la sauce poivrée qui l'accompagnait.

Le père Gisclard prit la relève de l'abbé en s'adressant directement à Clovis :

– Monsieur l'abbé a oublié de te dire, mon fils, que Dieu excommunie les duellistes et si pour ton malheur tu n'en réchappais pas, tu dois savoir que tu ne pourrais recevoir ni les derniers sacrements, ni reposer en terre consacrée. Tu ne veux pas devenir l'un de ces pitoyables martyrs du diable ? Pense à tes enfants.

– C'est parce que je ne vous ai point baillé vos quatre livres que vous me sermonnez moi et pas lui, objecta Clovis en montrant Crandalle du doigt. C'est lui qui veut se battre, c'est lui qui m'appelle.

Il retint de peu le « pas moi » qui suivait.

Le père Gisclard voulut le réfuter mais le chevalier l'interrompit :

– Amortissez votre courroux, monsieur le chapelain, et faites plutôt danser vos mandibules sans cela votre faisan va refroidir. Quant à vous, messieurs les querellants, et vous, messieurs les seconds, veuillez me suivre. Vous aussi Pillehomme, mais terminez d'abord votre mangeaille, puis rejoignez-nous dans mon cabinet, ajouta-t-il en direction du secrétaire qui avait interrompu son repas et suivait le débat avec grand intérêt.

Les protagonistes emboîtèrent le pas du chevalier dans le couloir, dans l'escalier menant à l'étage, enfin dans une belle pièce spacieuse qui prenait son jour par deux fenêtres jumelées d'où l'on apercevait le chemin de ronde crénelé, les toits de lauzes du bourg et un bout du clocher de Saint-Benoît. Le cabinet aux murs lambrissés se terminait par une petite salle ronde renfermant les armes et les collections du chevalier. Les poutres et solives des plafonds étaient hérissées de trophées de chevreuils d'une telle prodigalité qu'elle relevait de la monomanie. Plus un espace n'était disponible.

L'arbre généalogique des seigneurs de Racleterre faisait l'important, accroché au-dessus de la cheminée. Il était peint à l'huile sur un grand panneau de cèdre et dénombrait les vingt-cinq chefs d'armes et de noms qui s'étaient succédé à la tête de la lignée. On devait avoir rendu l'âme pour y figurer, mais la branche du chevalier Évariste et celle de Virgile-Amédée s'y trouvaient déjà peintes, seuls les noms manquaient.

Entre deux bibliothèques grillagées contenant plus de livres que le sabotier n'en avait jamais vu en une seule fois était suspendu un portrait en pied du chevalier Walter, dit l'Anglois, seizième du nom. Botté, vêtu de cuir, épieu à croisilles dans une main, fouet de chenil dans l'autre, couteau et olifant à la bandoulière. Le peintre lui avait donné un regard noir instruisant qu'il n'avait peur de rien ni de personne, pas même de lui. Il était entouré d'une meute où se mêlaient gris de Saint-Louis, grand bleu de Gascogne, fauves de Bretagne. Un lourd bijou de chasse, fait de dents de loup, de griffes d'aigle, de griffes d'ours, de crochets de cerf et de défenses de sanglier, pendait sur sa poitrine. Chaque maillon de la chaîne d'argent qui les retenait avait la forme du A des Armogaste.

Clovis le dévisagea avec une franche curiosité. Il possédait plusieurs livrets consacrés à ses aventures.

Parti chasser en compagnie de son cheval et de son limier préféré le jour de la Saint-Hubert 1545, le chevalier Walter n'était jamais réapparu au château. La battue organisée pour le retrouver avait mené aux abords de la Sauvagerie, le cœur secret de la forêt, là où personne ne se risquait jamais, même pas les braconniers. Son cheval attaché à un arbre et les traces au sol incitèrent à penser qu'il avait abandonné sa monture pour continuer sa quête à pied. Les innombrables tentatives pour expliquer sa disparition donnèrent naissance à des légendes qui mûrirent à la chaleur des veillées et demeuraient toujours vivaces.

Même l'identité de l'animal chassé faisait l'objet de controverses. Certains contes mentionnaient un cerf géant de trente cors, d'autres un monstrueux sanglier, d'autres un ours gigantesque. Une version, très populaire chez les nourrices et les mères-grands, faisait du chevalier disparu l'ancêtre des meneurs de loups : l'histoire décrivait comment le fantôme du chevalier, monté à cru sur l'échine d'une louve de la taille d'un mulet de Rodez, surgissait de la Sauvagerie précédé d'une horde de malebêtes aux yeux rouges qu'il ne découplait que sur les enfants insoumis.

Clovis considérait le crâne d'une étrange bestiole posé sur une commode et qui n'était ni celui d'un cheval, ni celui d'une vache, lorsque le chevalier trôna sur l'un des fauteuils entourant une table de travail aux pieds torsadés. Comme il n'invitait personne à l'imiter, chacun resta debout.

– Avant d'arrêter une décision, je me dois d'ouïr la totalité des faits, dit le chevalier en faisant un signe de la main vers Clovis pour qu'il s'approche. D'abord, que faisais-tu à noctambuler si tard dans la nuit ?

Clovis déglutit. C'était la première fois qu'un Armogaste lui adressait la parole. Il croisa brièvement son regard qui rappelait celui d'une poule qui va pondre.

– J'allais quérir l'engendreuse pour ma mie qui allait donner vie, monsieur le chevalier.

– Narre-moi ce qui est advenu.

Clovis contait le passage où le pot de chambre se vidait sournoisement sur sa tête lorsque Crandalle l'interrompit.

– J'ignorais qu'il était dessous, monsieur le chevalier, je pensais la venelle déserte.

Le maître d'armes avait l'accent du Ségala, patrie des faminos mangeurs de châtaignes.

– Taisez-vous, maître Crandalle, votre tour viendra.

Clovis releva que le chevalier le tutoyait, alors qu'il vouvoyait le maître d'armes. Il poursuivit cependant son récit, et quand il fut question du caillou lancé, le châtelain se tourna vers le blessé pour savoir ce qu'il était advenu du projectile.

Crandalle ouvrit sa besace pour en ramener un monstrueux rocher, gros comme une citrouille, qui mit instantanément le sabotier hors de lui. Son anneau d'argent s'agita au bout de son lobe.

– Bernique ! Ce n'est point mon caillou ! Ce maudit compisseur ment par toutes ses dents, monsieur le chevalier ! Le mien était bien moindre.

Le maître d'armes tressauta comme si quelque acide l'eût atteint au visage.

– Me traiter de menteur ! Ah, faquin ! Ah, fils de rien ! Tu me rendras raison pour ça aussi !

Ce disant, il porta la main à son épée. Le brigadier Mondidier s'interposa avec autorité, tandis que Clovis trépignait dans ses sabots. Porté par sa colère, il aurait voulu combattre sur-le-champ cet énergumène qui venait de trahir sa fourberie en produisant ce rocher mystificateur.

– Monsieur le chevalier, s'il avait vraiment réceptionné une telle montagne sur le visage, croyez-vous qu'il serait aussi dispos et pérorant qu'il l'est présentement ?

– J'allais vous poser la même question, s'exclama Pagès-Fortin qui aurait apprécié qu'on lui offre un siège.

L'argument parut intéresser le chevalier. Il soupesa le projectile et le trouva fort pesant.

– Maître Crandalle, ayez, je vous prie, l'obligeance d'ôter votre bandage, afin que j'évalue l'importance de la voie de fait.

L'homme hésita, mais le regard gallinacéen de l'Armogaste l'incita à obéir. Il finit par dévoiler une pommette tuméfiée à la peau écorchée, ainsi qu'un œil sévèrement poché aux alentours en pleine mutation de couleurs.

Ce que voyait le chevalier aurait pu être provoqué par un coup de poing ou par l'arête d'une porte qu'on n'a pas vue, éventuellement par une pierre, mais certes pas du volume de celle-ci. Une telle pierre aurait défacié sa cible à jamais.

Toujours soutenu par sa colère, Clovis manifesta bruyamment son exaspération :

– Ma femme me donne cinq enfants et au lieu de me réjouir en leur douce compagnie, me voici appelé par un coquin qui veut m'assassiner pour un œil fricassé ! C'est aussi exagéré que si je l'accusais, moi, d'avoir voulu me noyer avec sa pisse.

Crandalle, qui s'évertuait à replacer son bandage sans y parvenir, renonça et le fourra en vrac dans sa besace, l'air mauvais comme un croc-en-jambe.

Après une intense trituration de la lèvre inférieure, le chevalier écouta sa version. Celle-ci fut brève : le maître d'armes disait avoir vidé comme chaque nuit son pot dans la venelle, non pas pour se revancher d'avoir été éveillé par le vacarme, mais parce qu'il était plein.

– Je m'étais bien rendormi, lorsque ma fenêtre a volé en éclats, et ce rocher m'a percuté au visage et m'a assommé pour un temps indéterminé. Ce sont les abois de mon chien qui m'ont fait reprendre conscience.

L'avocat se rapprocha de Clovis et lui glissa dans le pertuis de l'oreille :

– Si vous ne vous connaissez point, comment sait-il qui vous êtes ?

– Je me suis nommé en appelant la mère Bienvenu.

Crandalle conclut sa version par la démonstration que seule une réparation par l'épée pouvait satisfaire son honneur, ô combien meurtri. Pagès-Fortin intervint :

– Maître Crandalle, est-il possible que vous n'ayez jamais vu ni connu de nom maître Tricotin auparavant ?

Le maître d'armes considéra l'avocat comme un chien considère un réverbère.

– Jamais avant ce jour d'hui.

– Joli ! Veuillez forcer maintenant votre affabilité jusqu'à nous dire comment il vous a été connu. Il n'est point inscrit sur la pierre que je sache ?

La question s'adressait à Crandalle mais c'est le chevalier que l'avocat regardait. Le maître d'armes perdit contenance.

– Eh bien, ma foi, ça m'est sorti de l'esprit que diable, mais je peux vous…

Pagès-Fortin ne lui laissa pas le loisir d'élucubrer un tortillage.

– Vous voilà dûment atteint et convaincu par deux fois de mensonge. En truquant grossièrement cette pierre et en niant avoir entendu maître Tricotin se nommer à voix forte. Vous ne pouviez donc ignorer que la venelle n'était point vide et que quelqu'un se trouvait sur la trajectoire de votre averse urinaire. Maître Tricotin est donc bien l'offensé. A ce titre, nous exigeons le choix de l'arme, du lieu, du jour et de l'heure.

– Tout beau, tout beau, monsieur l'avocat, c'est à moi d'en décider, tempéra Virgile-Amédée en se levant pour retirer trois livres dans l'une des bibliothèques et les déposer sur la table. Voici *Le Code du duel* d'Alciade, le *Discours sur le duel* de Rivaut de Florence et *La Science du Point d'Honneur* d'Ocloff du Cap. Je laisse le destin désigner celui qui sera notre ouvrage de référence.

Il tira de son gousset un écu d'argent de cinq livres, le lança dans les airs, le rattrapa au vol, le regarda et le rempocha sans le montrer.

– Ce sera donc le baron Ocloff du Cap.

Bien que le procédé parût un peu louche, personne n'osa protester.

Virgile-Amédée chaussa son nez d'une paire de besicles, ouvrit le gros livre à la reliure patinée par l'usage et entreprit de le feuilleter sans tenir compte des mouvements impatients de Pagès-Fortin qui soupirait en rôdant autour des nombreux fauteuils, sans toutefois oser s'asseoir d'autorité.

Gabriel Pillehomme entra dans le cabinet. Virgile-Amédée leva la tête de son livre pour lui désigner le siège proche de l'avocat.

– Asseyez-vous et tenez-vous prêt.

Pillehomme ouvrit un tiroir dans la table où étaient rangés un nécessaire à écriture et une liasse de feuilles vierges de divers formats. Issu d'une lignée d'huissiers, le jeune secrétaire-greffier était prénommé Gabriel en hommage à l'archange, saint patron de la profession pour avoir pratiqué la première expulsion de l'humanité, celle d'Adam et Ève du Paradis.

– Pour quel genre d'acte, monsieur le chevalier ?

– Pour un procès-verbal de rencontre. Des feuilles à un sol suffiront bien.

Pagès-Fortin adressa à Clovis une mimique triomphale. Le chevalier consentait à être leur arbitre d'honneur.

Virgile-Amédée reprit sa lecture. Son secrétaire forma sa plume avec un canif effilé. Après un moment qui parut infiniment long, le chevalier interrompit sa lecture pour annoncer :

– A l'origine, je trouve un tapage nocturne troublant la sérénité publique. Compte tenu des circonstances motivant ledit tapage, le compissage de maître Crandalle devient une voie de fait grave qui désigne *de facto* la victime comme offensé. Toutefois, celui-ci ayant répondu par une autre voie de fait, supérieure à la précédente, perd l'avantage de sa situation première.

Pagès-Fortin leva la main pour réclamer la parole, disposé à argumenter cette dernière assertion jusqu'à l'obscur si nécessaire. Le chevalier l'ignora.

– Compte tenu qu'il s'est montré perfide et fieffé menteur, nous pénalisons maître Crandalle et redésignons derechef le compère Tricotin comme offensé avec le choix de l'arme à l'exclusion des armes à feu et de jet.

L'avocat resta coi. Il s'apprêtait à demander le fusil de chasse et n'avait pas prévu d'alternative.

Clovis vit qu'on le dévisageait.

– Je dois choisir maintenant ?

La réponse était oui.

Il se dandinait dans ses sabots en signe d'incertitude, quand Laszlo Horvath lui malaxa vigoureusement l'épaule en grognant d'une voix à forte tonalité tudesque.

– Tu prends sabre.

Ignorant l'usage de l'un comme de l'autre, Clovis doutait que le privilège de choisir entre un sabre ou une épée lui soit d'un avantage quelconque. Le mécontentement visible de Crandalle à la suggestion du Hongrois le décida.

– Je choisis le sabre, monsieur le chevalier, même si je n'en ai jamais tenu un avant, crut-il bon d'ajouter pour se faire plaindre.

Il n'osait souligner lui-même combien ce combat était inégal, et il déplorait que le chicaneur n'insistât pas plus longuement sur ce détail capital.

Le secrétaire inscrivit sa réponse.

– Ça galope ! affirma le Hongrois.

Le chevalier suçota sa lèvre inférieure avant de continuer son énoncé.

– La rencontre aura lieu demain, une heure après l'aube, et le champ du combat sera les douves de la porte des Croisades.

Les témoins approuvèrent. Le fond des anciennes douves était à l'abri du soleil, du vent et de la poussière. Le sol était plan, large d'une dizaine de toises, et l'arbitre d'honneur comme les témoins disposeraient d'un espace suffisant pour observer le combat sans le gêner.

– L'officier de santé sera le barbier-chirurgien Perceval, et le combat devra cesser au premier sang.

Crandalle serra les dents et les poings. Clovis l'entendit menacer d'une voix sifflante :

– Le premier sang peut aussi être le dernier.

Clovis donna une pichenette à son anneau qui tinta.

La rédaction du procès-verbal se poursuivit. Rien ne devait être omis. Chaque modalité du combat devait être consignée, afin que, une fois paraphé, chaque article prenne valeur de loi et supprime les contestations de dernière minute, sur le terrain ou après le duel. Le choix et la taille des sabres, la superficie exacte du champ de combat, le temps exact des reprises, la toilette des combattants se négocièrent point par point entre les témoins. Le chevalier tranchait les contestations en cherchant et trouvant les réponses dans l'Ocloff.

Tenaillé par la faim, fatiguant des jambes à rester ainsi debout, Clovis se contraignait à prêter attention en se répétant sans trop y croire qu'il s'agissait de sa vie.

De l'autre côté de la table, Brasc l'aîné faisait mine de suivre, hochant parfois de la perruque pour signifier qu'il comprenait ce qui venait d'être dit. Il mouillait de temps à autre son index de salive et lissait ses sourcils en prenant un air important. Brasc tirait presque chaque jour dans la salle du maître d'armes et rêvait de se battre en duel. Bien qu'il ne se jugeât pas encore prêt, il ne pouvait s'empêcher de faire le rodomont et de vivre dans l'anxiété d'être un jour pris au mot. Le Hongrois s'était approché d'une fenêtre et regardait au-dehors. Crandalle, près de la cheminée éteinte, tamponnait sa joue aux écorchures suintantes avec un mouchoir bleu outremer. Son sabre sous le bras afin qu'il ne raye pas le beau parquet ciré, le dragon Mondidier se tenait aux côtés de Pagès-Fortin et surveillait la composition du texte.

– « Il n'est point licite de lancer son sabre tel un Basque son poignard, pas plus qu'il n'est autorisé de feinter en simulant une chute, de parler, de crier, de jurer durant la rencontre », lisait le chevalier tandis que la plume de cygne de son secrétaire crissait sur le papier à un sol. « Se mettre subitement à genoux, ou s'aplatir une main posée à terre est déloyal. »

Le feuillet comblé, le scribe prit un deuxième qu'il numérota et data.

– « Il est prohibé de parer le sabre avec la main ou le bras. Seul le sabre s'oppose au sabre. »

Clovis eut tout d'un coup la conviction absolue de s'être trompé. Il n'aurait pas dû exaucer le débourreur. Caramba ! Il aurait dû choisir l'épée, moins lourde et assurément plus aisée à manier pour un débutant.

– « Parce qu'il ressemble trop à une vulgaire rixe, le corps à corps est absolument interdit. »

Les seconds approuvèrent.

– « Il ne sera point permis de porter une chemise très ample et très large capable de détromper le jugement de l'adversaire qui frapperait alors dans le vide », reprit la voix autoritaire du chevalier.

Une fois terminé, le procès-verbal de rencontre fut relu à voix haute par Pillehomme ; chaque témoin le signa. Le chevalier contresigna puis s'en retourna l'âme en paix à son déjeuner en leur lançant un sec :

– A demain. Soyez ponctuels.

Le chevalier venait à peine de sortir que Pagès-Fortin se laissa tomber sur le fauteuil encore tiède qu'il venait de quitter et y demeura jusqu'à ce que le secrétaire achève la copie conforme du procès-verbal, chaque partie devant posséder la sienne.

Martial réapparut pour les reconduire jusqu'au perron où les attendaient leurs montures. Crandalle et ses seconds partirent les premiers, sans un signe ni un regard. Pagès-Fortin invita Clovis à le suivre dans son cabriolet. Avant, il montra Laszlo qui se dirigeait vers les écuries.

– Nous allons attendre le retour de maître Horvath qui va vous quérir un sabre afin que vous puissiez commencer votre entraînement au plus tôt. Vous verrez, il a été grand ferrailleur en son temps et connaît moult bottes. Il saura pertinemment vous en enseigner quelques-unes d'ici à demain.

– Pourquoi il m'a fait choisir le sabre ? L'épée aurait été mieux, je crois.

– Détrompez-vous, l'escrime au sabre est plus aisée que celle à l'épée. La science du sabre laisse une plus large part aux moyens purement physiques, ce qui égalise en partie vos chances face à ce bretteur patenté. Il est expérimenté, soit, mais il n'est plus dans sa première jeunesse comme vous avez pu le constater et… ah ! voici notre débourreur qui revient.

L'ancien housard approchait au petit trot, deux sabres dans leurs fourreaux en travers de la selle.

– J'aurais préféré manger avant. J'ai une faim canine, moi.

L'avocat fit le sourd.

– Avez-vous remarqué son mode de sauter à cheval plutôt que d'y monter ? Notre homme est un authentique centaure.

Pagès-Fortin ne cessa de penser à voix haute jusqu'à la rue des Afitos, revivant les meilleurs moments du procès-verbal.

– … j'aurais dû protester sur cette pratique étrange de choisir entre trois livres avec un écu à deux faces seulement… Il y a le listel me direz-vous, mais vous conviendrez que les chances de retomber dessus sont des plus menues.

Clovis se rencogna sur la banquette, tête enfoncée dans les épaules, l'œil vide, la bouche clouée.

Chapitre 12

Il y avait à nouveau affluence de curieux et de curieuses rue des Afitos. Certains, le visage collé contre les volets clos, tentaient d'œiller l'intérieur de l'échoppe. L'arrivée de Laszlo et du cabriolet les divertit.

– Je vous laisse en bonne compagnie, dit Pagès-Fortin à Clovis en désignant le Hongrois qui démontait. Haut les cœurs, maître Tricotin ! A vous revoir sous peu. Et songez à David et à Goliath si le besoin de vous ravigoter se fait sentir.

Clovis se garda de hausser les épaules comme il en avait envie. Il fit signe au Hongrois d'entrer dans l'échoppe mais celui-ci refusa d'abandonner son navarrais dans la rue.

Clovis le guida en silence rue du Lop où se trouvait la porte charretière, embarrassé de ne savoir quoi lui dire.

– Je crois que ça conviendra pour notre leçon, finit-il par marmonner en montrant la cour.

Il en restait peu d'aussi vastes dans le centre du bourg. Avant, chaque maison avait la sienne, mais le manque de place et l'augmentation de la population *intra muros* les faisaient peu à peu disparaître.

La vache et la chèvre les regardèrent tout en continuant de brouter le foin et le son qu'on leur avait procurés.

Laszlo délaça la couverture roulée à l'arrière de sa selle et couvrit son cheval avec. Clovis le vit extraire deux grosses carottes de ses fontes et les lui offrir.

– Justement, monsieur le débourreur, moi aussi j'ai grand-faim et j'aurai certes plus de cœur à manier votre sabre après avoir repris mes forces.

Laszlo eut un curieux sourire qui rida le coin de ses yeux de Hun et dévoila l'absence de plusieurs dents.

– Ça galope ! dit-il en lui malaxant à nouveau l'épaule.
– Tu vas manger, moi attendre ici.

Clovis l'invita à se joindre à lui. L'ancien housard accepta. En cinq ans de séjour à Racleterre, c'était la première fois qu'un Rouergat le conviait à sa table.

La cuisine était déserte et sentait bon l'oignon frit. Clovis suspendit au crochet de la crémaillère la marmite contenant la soupe à l'ail, ranima les braises dessous et proposa au Hongrois de visiter les quintuplés en attendant qu'elle réchauffe.

Laszlo le suivit dans la chambre où Jeanne, Adèle et Immaculée s'affairaient à les alimenter d'eau tiède mélangée à du miel. Déjà servi, l'aîné dormait dans son berceau. Apolline faisait de même, invisible derrière la courtine du lit clos. Chaque moutard portait sa dent de loup suspendue à un lacet de cuir, seul Charlemagne portait la sienne au poignet, son cou étant déjà occupé.

– C'est mon deuxième témoin, et il va me débourrer un peu au sabre après qu'on aura croqué quelque chose, présenta Clovis en évitant de regarder sa belle-sœur aux tétons bondissant sous le corsage.

Laszlo passa les enfants en revue, tenta d'élaborer une savante comparaison entre le poulain qui marchait le jour de sa naissance et ces marmots qui allaient devoir attendre un an, mais personne ne comprit son charabia.

Ils mangèrent dans la cuisine, servis par une Immaculée inhabituellement nerveuse et rougissante, maladroite même jusqu'à se brûler en prenant un plat trop chaud sans chiffon. C'est en surprenant un regard de la jeune femme sur les cuisses musclées du débourreur (trente ans de cheval les avaient transformées en pinces d'acier) que Clovis comprit et oublia un instant son duel.

– Pas trop manger, *bitte*. Bedaine pesante mauvais pour sabrer, avertit Laszlo en le voyant avaler mécaniquement ses cuillerées.

Après le fromage et un dernier verre de vin qui fit claquer de satisfaction la langue du Hongrois, il fut temps pour Clovis de prendre sa première leçon d'escrime.

Malgré le froid, le Hongrois ôta son justaucorps et sa chemise, apparaissant torse nu. D'autres cicatrices se détachaient sur sa peau blanche : il se retourna pour poser ses vêtements sur la margelle du puits et Clovis vit que son dos était strié d'anciennes marques brunes rappelant celles laissées par un chat à neuf queues.

Laszlo l'invita à l'imiter. Il obéit, peu convaincu qu'il soit nécessaire d'attraper aussi un froid de poitrine.

Le Hongrois voulut d'abord évaluer sa force en palpant avec des gestes de maquignon ses muscles du dos, des épaules et des bras. Clovis le laissa faire, décidé à ne protester que s'il prétendait aussi lui inspecter les dents. L'examen des mains et des cals qui s'y trouvaient sembla lui convenir.

– Ça galope, dit-il en dégainant l'un des sabres : la lame glissa hors du fourreau avec un chuintement caractéristique.

Le ciel étant couvert, aucun rayon de soleil ne scintilla dessus.

Laszlo tendit l'arme, pommeau en premier. Clovis l'empoigna. La fusée gainée de peau de requin très rêche tenait bien dans la paume. La lame était large, courbe, la pointe portait des traces de redressements.

Le Hongrois examina sa prise de main et lui demanda de rectifier la position du pouce qu'il tenait droit et non fermé, ce qui affaiblissait sa prise.

Clovis allait pour obéir lorsqu'il aperçut Immaculée qui les observait par la lucarne de la cuisine.

– Et moi, je préfère comme ça, ronchonna-t-il en conservant sa mauvaise position.

Laszlo resta impassible. Il dégaina l'autre sabre et dit :

– En garde.

Clovis se positionna, Laszlo se fendit. Clovis para. Une violente douleur au poignet ouvrit sa main, son sabre tournoya dans l'air avant de retomber devant la chèvre qui recula en poussant un bêlement apeuré.

Le Hongrois n'eut aucune mimique de victoire lorsque Clovis ramassa son sabre et l'empoigna en fermant cette fois son pouce autour de la fusée.

La leçon reprit. Laszlo lui enseigna sommairement comment parer, comment rompre, comment se fendre, comment armer son coup, comment pousser une botte, bref, comment en découdre. Au bout d'un petit quart d'heure, Clovis avait le souffle bref, le bras gourd, le front et la poitrine mouillés de transpiration.

Le débourreur offrit une pause. Ils rentrèrent dans la cuisine pour s'épargner un refroidissement. Immaculée n'y était plus et les quintuplés braillaient en chœur dans l'autre pièce, l'un d'eux plus fort que les quatre autres réunis.

Clovis remplit deux godets de casse-poitrine. Laszlo but le sien cul sec et sans tousser. Clovis bourra sa bouffarde et posa entre eux sa poche à pétun pour qu'il puise dedans si le cœur lui en disait. Le Hongrois retourna son bonnet et y prit sa pipe.

Ce n'est qu'après le troisième verre que Clovis osa le questionner sur la longue cicatrice barrant sa nuque. Laszlo désigna le sabre qu'il lui avait prêté.

– C'est lui qui fait ça.

Malgré son baragouin parfois tortillé, Clovis crut comprendre qu'un cavalier pandour l'avait sabré durant la guerre de Succession d'Autriche. Ce même coup lui avait emporté une portion d'oreille et lui aurait sans doute tranché le col jusqu'à l'os du dos si la lame n'avait été amortie et déviée par ses cadenettes. En dépit de sa blessure, le housard avait pu occire et dépouiller le pandour de son cheval et de ses armes.

Né à Pest durant le printemps 1730, fils d'Ignace Horvath, un maître écuyer, et d'une gardienne d'oies, Laszlo avait dix ans quand son père s'enrôla dans un régiment de housards afin d'échapper à une dette de jeu. Il perçut la prime et déserta dans la nuit, volant sept chevaux d'officiers, abandonnant son épouse, emportant son fils en qualité d'ordonnance.

Réfugié à Strasbourg, le maître écuyer croisa le comte Ladislas d'Esterhazy, un magnat magyar qui vivait en France et venait d'obtenir du roi l'autorisation de lever un régiment de cavalerie légère. Ignace entra comme écuyer au Housard-Esterhazy, puis comme débourreur après avoir démontré ses capacités à « casser » un cheval rétif.

C'est lui qui introduisit la méthode consistant à accoutumer les chevaux au vacarme des batailles en déchargeant des salves de mousquet pendant qu'on les nourrissait. Il reçut pour ça une prime de dix livres qui s'ajouta à une promotion au grade de maréchal des logis.

Laszlo avait quatorze ans quand il entra dans Paris pour la première fois, en compagnie de son père chargé d'acheter de la remonte au marché aux chevaux qui se tenait derrière l'hôtel de Vendôme. Pour leur malheur, l'endroit était aussi l'un des hauts lieux fréquentés par les pointilleux et les raffinés, des professionnels du duel qui vivaient des paris sur leurs combats.

Son père commit la maladresse d'effleurer l'un d'eux de sa cape sans s'excuser promptement. Aussitôt appelé, il était occis en moins d'une demi-heure (le temps nécessaire à la foule des amateurs d'établir une cote et de parier) d'une feinte au cœur suivie d'une attaque en octave qu'il ne sut parer. Ignace Horvath expira dans les bras de son fils, couché parmi les innombrables crottins rejetés par les chevaux du dernier marché.

Laszlo fit joliment enterrer son père dans un cimetière parisien et s'acquitta du mémoire de frais en puisant dans la bourse destinée à l'achat des chevaux de remonte. Il ne retourna pas à Strasbourg et demeura dans la capitale. Il débuta comme goujat dans une salle d'armes du Faubourg, avant de devenir raffiné et de le rester ; au début, parce que c'était la meilleure façon de retrouver le trucideur de son père et de le venger, ensuite parce que le mode de vie le séduisait.

Laszlo prit pour coutume de boire après chaque combat, puis un matin il but avant et conserva cette nouvelle habitude. Ce qui devait arriver arriva. Ivre d'absinthe, il accusa un pointilleux breton de l'avoir regardé de travers et l'appela, choisissant comme champ de combat le parapet du pont Neuf.

L'originalité du lieu et son étroitesse suscitèrent un record d'enjeux. Non seulement Laszlo reçut le fer de son adversaire à travers le corps, mais il chuta du mauvais côté du parapet et se serait noyé sans des passeurs qui précisément passaient. Ces passeurs le repêchèrent, le dépouillèrent et l'abandonnèrent charitablement dans son habit de naissance devant l'Hôtel-Dieu.

Laszlo se rétablit de sa méchante avanie, et, quand il put à nouveau monter à cheval, il se rendit auprès du comte Ladislas de Bercheny, un autre magnat magyar qui possédait également son régiment de housards, et s'enrôla comme simple cavalier.

Doué avec les chevaux comme l'était son père, il élabora au fil des ans une technique basée sur le postulat contraire à celui de l'époque qui voulait qu'un cheval, semblable à une machine vivante, soit totalement dénué de sensibilité et d'affectivité. Il démontra qu'on obtenait plus d'un animal qui vous aimait que d'un animal qui vous craignait. Entre-temps, il apprit à lire et à écrire, en allemand car telle était la langue qui avait cours dans les régiments housards. Il put ainsi être nommé brigadier, puis maréchal des logis comme son défunt géniteur.

Après vingt et quelques années d'un rude et fidèle service, Laszlo s'était brouillé avec l'armée pour un grade de maréchal des logis en premier promis mais non tenu.

Il quitta son régiment et, après quelques moments bien amers surmontés en polissonnant au *Point d'Honneur*, l'hôtel près des Tuileries qu'affectionnaient les raffinés (les pointilleux logeaient en face, à l'auberge des *Trois Cartels*), Laszlo forma le vague projet de s'enrôler en Espagne. Il prit un matin la direction du sud, et le hasard fit passer son chemin par Racleterre où il apprit que le seigneur local cherchait un débourreur pour ses chevaux de grande vénerie.

Le sabotier et l'ancien raffiné fumaient paisiblement quand l'étroite cuisine s'emplit de gens armés et bruyants. Clovis reconnut le lieutenant Rondon accompagné de quatre hommes du guet et d'un huissier à perruque. Il ne vit point le crocheteur qui ne pouvait entrer faute de place. Il crut avec grand soulagement qu'on venait l'interdire de duel. Il se força à rester assis et prit à tout hasard un air fâché.

L'officier du guet, qui était aussi le gendre du consul

Dussac, s'assura d'abord de son identité, puis déclara que, pour n'être point venu acquitter dans les temps son amende de cinq livres pour défaut de lanterne de nuit, celle-ci venait d'être doublée et devait être payée séance tenante.

– Faute de quoi, notre maître crocheteur aura autorité pour démonter et emporter toutes vos portes à la Maison.

Clovis eut beau évoquer les circonstances particulières de son oubli, autant essayer de faire pousser de la musique, le lieutenant resta intraitable. Il voulut l'amadouer en lui montrant les quintuplés. L'officier les observa avec intérêt, surtout celui porteur du collier, puis il réitéra son injonction à payer. Clovis paya. Le guet, l'huissier et le crocheteur se retirèrent.

Apolline se réveilla tard dans la soirée. Elle avala un bol de bouillon de poule et se rendormit immédiatement après. Clovis interdit qu'on l'instruisît du duel.

Chapitre 13

Premier jour du mois d'avril 1763.

Il faisait encore obscur quand Laszlo Horvath se présenta rue des Afitos. Clovis n'avait pas fermé l'œil. L'aurait-il fait qu'il aurait été éveillé par les clameurs des cinq mâche-dru que rien ne semblait rassasier. Il s'était rasé, il avait tiré sa queue en arrière, il portait ses plus beaux vêtements qui le serraient un peu.

– Jolis habits, *natürlisch*, mais on va pas à messe.

Le Hongrois fouilla lui-même dans le coffre à vêtements et sélectionna des vieilles chausses aux coutures relâchées et une ample chemise tout aussi antique et reprisée cent fois.

Pour les pieds, Clovis possédait une paire de souliers à boucle de cuivre pour les occasions civiles ou religieuses, une paire de bottes éculées pour les déplacements en forêt, et, bien sûr, autant de sabots qu'il désirait. Laszlo choisit les bottes. Clovis eut une mimique navrée.

– On va me prendre pour un gueux.

L'impassibilité du Hongrois lui remémora la leçon d'hier : il revit son sabre lui échapper et voler dans les airs. Il se changea, mais tenta d'atténuer son aspect haillonneux en se coiffant d'un tricorne en feutre noir à galon doré acheté à Rodez.

Louis-Charlemagne et Caribert arrivèrent de la rue des Frappes-Devant montés sur la carriole. Culat les accompagnait.

Le beffroi annonça l'ouverture des portes du bourg en sonnant les six coups de prime. Clovis refusa d'éveiller Apolline.

– A quoi bon gâcher son repos ? Il sera toujours assez tôt.

Il embrassa les quintuplés, en commençant par l'aîné. Mécontents d'être réveillés, ceux-ci braillèrent à l'unisson, ce qui parut amuser le Hongrois.

Clovis étreignit sa mère Jeanne et sa belle-mère Adèle, qui s'étaient relayées toute la nuit auprès des enfants, et embarrassa Petit-Jacquot en lui flattant gentiment la tête. Il monta sur la carriole et s'assit entre son père et son frère. Culat passa derrière. Laszlo sauta sur son cheval et leur ouvrit le passage jusqu'aux fossés.

Il n'y eut qu'une seule halte, rue du Purgatoire, où Clovis entra seul dans la chapelle des Pénitents gris afin d'expliquer à Dieu qu'il n'était point responsable de ce duel (Tu le sais bien puisque Tu sais tout !) et qu'à ce titre il implorait son intervention divine.

Le sergent de faction à la porte des Croisades interrompit le contrôle d'un groupe de maraîchers pour suivre la carriole du regard. Depuis hier, la nouvelle du duel avait eu le temps de faire plusieurs fois le tour du bourg.

Ils franchirent l'ancien pont-levis qu'on ne relevait plus depuis vingt ans. Laszlo s'engagea sur le sentier caillouteux courant en pente douce vers les anciennes douves. L'aurore commençait à rosir les murailles.

Le lieu convenu pour la rencontre était désert.

– Je suis le premier, dit Clovis avec bravache.

Caribert haussa les épaules. Toutes ses tentatives auprès du consul pour faire interdire le duel ayant échoué, il avait décidé, sitôt son petit frère enferré, d'assassiner son assassin sans préavis et avec l'aide du frappe-devant qu'il avait glissé plus tôt sous le siège de la carriole.

Le brigadier Mondidier, porteur de quatre sabres, et Brasc l'aîné, qui avait changé de perruque mais point d'habit, arrivèrent ensemble. Puis le cabriolet de Pagès-Fortin précéda de peu celui du chevalier Virgile-Amédée accompagné du barbier-chirurgien Achille Perceval et de Gabriel Pillehomme porteur d'une écritoire de voyage.

L'aube se déployait lentement. Il ne manquait plus que Crandalle.

Contractés, le front plissé de perplexité, ses seconds

tendaient constamment le cou vers la porte des Croisades, désespérant de le voir apparaître.

Si Clovis n'osait trop croire à une défection, il la souhaitait ardemment, et son espoir grandissait avec le soleil levant. Non loin, Laszlo passait le sabre à la pierre à huile. Près de lui, son cheval mangeait une grosse carotte orange.

Clovis se demandait où le Hongrois trouvait des carottes en cette saison quand des voix lui firent lever la tête. Les premiers spectateurs apparaissaient entre les merlons de la muraille. Le vent avait chassé les nuages plombés de la veille et le ciel était bleu candide.

L'avis des querellants n'étant pas requis pour la délimitation du champ du combat, le chevalier réunit les seconds et leur lut le passage dans l'Ocloff concernant la superficie idéale. Puis il compta les pas à voix haute et borna le terrain avec les cabriolets disposés par le travers afin qu'ils forment un champ clos. S'il était utile que chaque adversaire ait dans son dos un espace suffisant pour rompre largement, il ne fallait pas non plus qu'il puisse le faire indéfiniment pour éterniser la rencontre, comme cela se produisait lors des duels entre néophytes ou entre frileux.

Un bon duel, selon le baron Ocloff, devait être bref et mortel. C'était aussi l'avis du chevalier.

Clovis s'interdit de trop scruter la porte des Croisades d'où n'apparaissait toujours pas Crandalle (Dieu m'exauce. Il ne viendra pas et le combat n'aura pas lieu).

Le tirage au sort des places ne pouvant se faire sans les deux combattants, il fallut patienter.

Là-haut sur le chemin de ronde, les créneaux se remplissaient. Soucieux de mieux voir, des passionnés sortirent du bourg et s'attroupèrent le long du fossé, un œil sur les duellistes, l'autre sur les alentours, prêts à détaler au moindre signe du guet.

Les premiers rayons de soleil rasaient l'herbe quand la voix du chevalier retentit, s'adressant aux seconds du maître d'armes.

– Messieurs, attendu qu'il est d'une suprême inconvenance à se faire espérer au champ d'honneur, si dans cinq minutes le sieur Crandalle n'est point là, son quart d'heure de grâce sera écoulé et un procès-verbal de carence sera dressé.

Clovis croisa les bras pour cacher les battements désordonnés de son cœur, visibles sous la chemise. Il fallait dix *Pater Noster* pour faire cinq minutes (deux par minute). Il baissa le front, ferma les yeux et commença à compter.

– Notre Père qui est Là-Haut, que ton nom soit sanctifié, que ton règne arrive…

Il récitait un septième *Pater*, quand il entendit le chevalier déclarer d'une voix froide :

– Le sursis étant écoulé, je déclare caduque la rencontre, et cela au plus grand déshonneur du sieur Crandalle qui a failli à son rendez-vous.

Clovis trouva difficile de masquer son intense soulagement (Grand merci, mon Dieu, je vous le revaudrai dès que possible).

Le brigadier Mondidier sollicita une prolongation qui lui fut refusée. Alors il plaida pour un report du compte rendu de carence.

– Il ne peut s'agir que d'un obstacle de force majeure. Attendez pour vous décider de connaître les motifs de son retard, monsieur le chevalier.

– Le voilà ! s'exclama Brasc l'aîné en tendant le bras en direction d'un cavalier qui caracolait vers les douves.

C'était effectivement Crandalle, le chapeau de travers, furieux comme dix ouragans.

Tout ce qui était sanguin chez Clovis se réfugia dans ses bottes. Il sentit ses pieds enfler jusqu'aux chevilles.

– Messieurs, j'implore votre mansuétude, lança le maître d'armes en démontant de sa jument.

Il n'avait pas remis son bandage, sa joue avait désenflé, ses écorchures s'encroûtaient normalement. Son œil, quoique poché et larmoyant, demeurait fonctionnel.

– Vous êtes au moins là pour contresigner votre procès-verbal de carence, persifla Virgile-Amédée en guise d'accueil.

Crandalle ouvrit les bras, comme pour offrir sa poitrine :

– Cela ne se peut, monsieur le chevalier, c'est un cas de force majeure. Il y avait une vidangeuse qui bouchait la rue Jéhan-du-Haut. J'ai voulu me détourner par la rue

Serpente mais j'étais point le seul à y avoir pensé, et je l'ai trouvée plus encombrée encore. Alors je suis retourné jusqu'à la Bon-Roy-Henry, et là, sans jactance, il y avait un autre embarras causé cette fois par une gadouyeuse. J'ai dû remonter jusqu'à la place de la Maison et faire le grand tour.

Personne ne douta de sa bonne foi, pas même Clovis qui ne connaissait que trop bien le responsable de ces embouteillages à répétition.

Le chevalier brandit l'Ocloff.

– Voilà qui est fâcheux car j'ai déjà déclaré la carence et ne peux revenir sur ma décision.

Il rechaussa ses besicles pour chercher le passage justificatif.

Crandalle jeta rageusement son chapeau par terre. Il donna à croire un instant qu'il allait aussi le piétiner, mais il se contenta de le ramasser et de l'épousseter sur sa cuisse en lançant des regards de basilic vers Clovis, toujours adossé à la carriole, les bras croisés sur la poitrine.

Pagès-Fortin, curieusement, ne disait mot et se contentait d'observer le chevalier qui s'irritait de ne pas trouver la bonne page.

– Que se passe-t-il ? Pourquoi ça commence pas ? criaient certains spectateurs des créneaux à ceux disposés sur les bords des douves.

L'absence du guet incitait leur nombre à grossir.

Clovis s'interrogea sur sa cote. Était-il seulement coté ?

Son écritoire appuyée sur les cuisses, Gabriel Pillehomme tenait sa plume en suspens au-dessus d'un feuillet vierge et attendait des instructions. Il n'avait jamais assisté à un duel et il aurait été fort déçu que celui-ci n'eût pas lieu.

– Ah ! Tout de même, dit le chevalier en posant son index sur le passage concernant le quart d'heure de grâce.

– « Lorsqu'un combattant en retard se présente au champ du combat une fois la carence déclarée, celle-ci n'est révocable que sous les deux conditions suivantes : premièrement le cas de force majeure du retardataire est parfaitement constaté par l'arbitre d'honneur et les témoins. Deuxièmement, l'adversaire accepte l'annulation de la carence. S'il la refuse, la rencontre ne peut avoir lieu et on ne peut l'en réputer responsable, la carence restant au déshonneur du retardataire. »

Le chevalier se tourna vers le sabotier.

– Acceptez-vous l'annulation ?

– Nenni ! Je refuse ! répondit spontanément Clovis avec beaucoup de conviction.

Il n'était plus question de prétendre. Il avait trop eu peur. Il nota au passage que le chevalier l'avait voussoyé.

Caribert embrassa son frère avec chaleur.

– Bien dit, frérot. Il n'avait qu'à être à l'heure, ce sanguinaire.

Crandalle marcha sur eux. Clovis se raidit. Le dragon Mondidier retint le maître d'armes par une manche.

– Flaquedouille ! Rabouin mille fois chiasseux ! Poltronneur ! hurla-t-il en brandissant son poing vers le sabotier.

– Le poltronneur, c'est celui qui n'est pas là quand il faut l'être, riposta Clovis, piqué au vif.

Même si les intentions de son adversaire ne trompaient personne, il était impensable de se laisser agonir ainsi sans réagir, notamment devant un public aussi nombreux qu'attentif. Il vit Brasc s'approcher et souffler quelque chose dans l'oreille de Crandalle.

Contrarié par la tournure des plus triviales prise par les événements, le chevalier jugea préférable de se retirer. Il n'en eut pas le temps. Crandalle venait de ramasser une poignée de terre et la lançait sur Clovis en poussant un formidable « POLTRONNEUR ET CINQ FOIS COCU ! » qui s'entendit jusqu'à la place de la Maison.

L'invective pénétra Clovis jusqu'au ressort de l'âme. Il interpella le chevalier et, d'une voix pressée d'en finir, déclara qu'il avait changé d'avis et qu'il acceptait l'annulation de la carence.

Le processus reprit là où il avait été interrompu, pour le plus grand soulagement du public.

Les places furent tirées au sort. Le chevalier utilisa l'écu de cinq livres, mais cette fois il le laissa tomber à terre afin que chacun puisse voir.

Le sabotier reçut le levant, le maître d'armes le couchant.

Vint le choix des sabres.

Le brigadier Mondidier et Laszlo les présentèrent au chevalier. Une paire minimale avait été exigée. En cas de bris de lame ou de mise hors service d'un sabre, la rencontre ne devait pas être reportée faute d'arme de rechange.

Le chevalier-arbitre confronta leur poids, leur longueur et leur pointe : il récusa l'un des sabres du dragon pour sa lame droite et sa taille trop importante.

– Messieurs, en chemise.

L'ordre provoqua un murmure approbateur de l'assistance. Le spectacle allait commencer.

Selon l'Ocloff, l'idéal aurait été que les adversaires combattent dépoitraillés, car une chemise ou un gilet pouvaient empêcher de voir une première blessure et donc d'arrêter le combat. Si la saison ne s'y prêtait pas, le très méticuleux baron tolérait la chemise mais à la condition qu'elle soit filée dans un matériau ne pouvant faire obstacle à la lame, tel que la soie, le coton ou la flanelle.

Clovis plia son justaucorps et le rangea sur le siège de la carriole. Son esprit accaparé par l'imminence du danger n'était plus capable d'un raisonnement cohérent.

Crandalle apparut dans une chemise largement échancrée sur une poitrine musclée couverte de nombreux poils grisonnants.

Le chevalier les invita à se laisser palper par les seconds qui auraient manqué au devoir même de leur charge en ne mettant point dans cette vérification un soin pointilleux. Ainsi, Laszlo fouilla le maître d'armes, et Mondidier fouilla Clovis. Les médailles, les médaillons, les ceintures à boucle, les clefs, les pièces de monnaie, les bandages herniaires, les corsets, les images pieuses, bref tout ce qui pouvait entraver peu ou prou la pointe ou le tranchant d'un sabre était interdit.

Cette formalité accomplie, le chevalier fit signe aux combattants de se diriger vers la place que l'écu de cinq livres leur avait échue. Il prit les sabres retenus pour le combat par la lame et approcha des deux hommes pour leur faire part des suprêmes recommandations.

– Messieurs, le moment est venu. Vous connaissez les conventions de cette rencontre que vous avez approuvées et signées. Je vous rappelle qu'une fois ces sabres en main l'honneur vous commandera de ne point faire de mouvement avant mon « Allez ! ». De même que vous devrez vous arrêter immédiatement au signal de « Halte ! » que je suis le seul à pouvoir lancer. Je vous rappelle itou que le silence sous les armes est exigé pour la durée du combat, et cela vaut pour tous ceux ici présents, ajouta-t-il en haussant le ton.

Son laïus prononcé avec énergie, il leur tendit les sabres et sentit le bras du sabotier trembler en l'empoignant.

Les talons en équerre, le bras gauche rejeté en arrière comme le lui avait enseigné Laszlo, Clovis n'en menait pas large. La colère qui le soutenait depuis qu'il s'était fait traiter haut et fort de cocu avait hélas disparu pour laisser place à une venette tordeuse d'entrailles. Ses pensées défilaient à une telle vélocité qu'elles s'entrechoquaient, se chevauchaient, s'entremêlaient, provoquant une grande confusion qui voilait son esprit d'une taie opaque. Sans mentionner Dieu qui s'était montré en dessous de tout dans cette triste affaire.

Comme dans un cauchemar, il vit le chevalier Virgile-Amédée faire deux pas en arrière et lancer :

– Allez !

Sans préméditation, Clovis bondit le sabre haut et l'abattit de toutes ses forces sur Crandalle en poussant un vigoureux « Ahan ! ».

Ahuri par une pareille conduite, le maître d'armes voulut ébaucher une parade, mais déjà la lame d'acier fraîchement aiguisée frappait son cou et tranchait tout sur son passage.

Le poignet de Clovis perçut la secousse de la lame séparant la deuxième vertèbre cervicale de la troisième.

Dans un silence général troublé seulement par le piaillement des oiseaux du matin, la tête de Crandalle aux yeux écarquillés bascula de ses épaules et tomba sur le nez dans la poussière. Une fontaine de sang jaillit du corps décapité qui fit trois petits pas avant de s'écrouler sur le dos, la main crispée sur son sabre. Il y eut un bruit de gargouillis et une tache humide apparut sous la culotte, suivie d'une mauvaise odeur qui plissa les narines des plus proches.

– Tonnerre de mille milliasses de sacré nom de Dieu ! jura quelqu'un.

Ce fut comme un signal. Tout le monde bougea et parla en même temps.

– Un Pibrac n'aurait pas fait mieux, macarel !

Malgré le nombre important de spectateurs attentifs, l'engagement avait été si soudain, si sursauteur, si terriblement inattendu, que personne, à quelques exceptions près, n'avait compris ce qui venait d'arriver.

Entouré, serré, embrassé par les siens, Clovis se sentit comme ivre : ivre de soulagement. Il entendit vaguement Pagès-Fortin improviser un parallèle exalté avec David et Goliath. Il restitua son sabre à Laszlo qu'il vit se pencher au-dessus du mort et essuyer la lame sur la chemise avant de la remettre dans son fourreau.

Une réclamation de Brasc l'aîné auprès du chevalier fut froidement repoussée.

– J'admets ne pas avoir connaissance de cette « botte secrète », je doute même qu'elle soit répertoriée dans les traités d'épée, mais aussi déconcertante soit-elle, elle n'était nullement déloyale, ni contraire à l'honneur.

Il avait esquissé un sourire indulgent en prononçant « botte secrète ».

– En fait, ce duel est un exemple édifiant sur les fâcheuses conséquences d'un excès de confiance, additionné d'une grave sous-estimation des capacités à nuire de l'adversaire. Je vous invite à le méditer en longueur, monsieur Brasc.

Assurés de sa victoire, les seconds de Crandalle n'avaient rien prévu pour le transport de son cadavre. Le chevalier, comme l'avocat, refusant d'ensanglanter les banquettes de leur cabriolet, ils s'adressèrent aux Tricotin.

– Utiliser notre carriole ? Et puis quoi encore ? ironisa Caribert. Vous n'avez qu'à le jeter en travers de son cheval et le ramener ainsi.

L'idée parut bonne à Brasc qui alla détacher la jument. Laszlo lui barra le chemin en déclarant d'une voix forte :

– Droit de prise.

Ce droit remontait au temps des tournois où le vainqueur s'appropriait le destrier, l'armure et les armes du vaincu, souvent pour les revendre. Bon nombre de ces vainqueurs, les « tornéadors », vivaient professionnellement de leurs victoires. Le droit de prise avait été réactivé au siècle dernier par les raffinés et les pointilleux, qui, à l'instar de leurs prédécesseurs moyenâgeux, subsistaient exclusivement du produit de leurs duels. L'ouvrage du célèbre raffiné d'honneur aux deux cents engagements consacrait un chapitre entier à ce sujet.

La belle jument limousine de cinq ans, la selle et le contenu de ses fontes, le sabre et son baudrier, le justaucorps, le chapeau, les bottes du maître d'armes appartenaient désormais au maître sabotier.

Clovis refusa le justaucorps et le chapeau qui lui déplaisaient, ainsi que les bottes au cuir trop avachi et de toute façon trop petites, mais il accepta avec un large sourire la monture qui le hissait inopinément dans la catégorie des gens montés et le sabre que Laszlo ôta des doigts crispés de Crandalle.

Le corps fut placé en travers de l'alezan de Mondidier et c'est Brasc l'aîné qui se chargea de la tête. Attentif à ne pas souiller ses mains, il la saisit par les cheveux et facilita son transport en l'enfonçant à l'intérieur du chapeau décliné par le sabotier.

Son laisser-courre ne pouvant plus attendre, le chevalier fut le premier à quitter les douves, suivi bientôt de Pagès-Fortin, des Tricotin et de Clovis, monté sur la jument du défunt, et qui caracola fièrement au côté du Hongrois jusqu'à la rue des Afitos.

Escorté d'un public d'enfants fascinés par le corps sans tête qui s'égouttait le long du flanc de l'alezan, Mondidier et Brasc coltinèrent Crandalle à la venelle du Suif, argumentant chemin faisant sur qui allait devoir payer les frais d'inhumation.

Les acquéreuses de phylactères attroupées devant la maison de la mère Bienvenu se signèrent en poussant des cris horrifiés à la vue du corps étêté.

Les témoins trouvèrent la porte close et personne, sauf un chien, pour répondre à leurs appels.

– Lui savez-vous des proches ? s'enquit le brigadier qui connaissait le maître d'armes de fraîche date.

– Pas que je sache.

La fouille du mort ne livrant aucune clef, ils rebroussèrent chemin et le déposèrent dans sa salle d'armes de la rue des Maoures. Faute de lit, ils l'allongèrent sur deux bancs rapprochés au centre de la longue salle qui reniflait la sueur et le tabac froid. La tête fut sortie du chapeau et placée sur la poitrine. Brasc s'appliqua à lui fermer les yeux, mais les paupières se relevaient à chaque fois. Il finit par les maintenir baissées en coinçant un écu de dix sols sur l'œil gauche et un liard de six deniers sur le droit déjà poché.

– On ne peut pas le mettre en terre tout marinant dans son bran, dit le dragon. Il faut louer des femmes pour le laver et le changer. Ensuite l'un de nous, vous de préférence qui êtes un natif, devra déclarer son décès à l'église de sa paroisse. De mon côté, je me charge de faire crocheter sa porte afin de lui rapporter des vêtements propres. Peut-être trouverai-je aussi de quoi acquitter les frais à venir.

– J'en suis déjà de dix sols et demi, moi, fit remarquer Brasc l'aîné en désignant l'écu et le liard fermant les yeux du décapité.

Le crocheteur refusant d'opérer sans la caution d'un officier communal, Mondidier se rendit place de la Maison et narra la situation au lieutenant Rondon qui la connaissait fort bien. Compte tenu de la présence du chevalier parmi les protagonistes, le consul l'avait instruit dès la veille de ne pas interdire le duel. L'officier du guet autorisa l'ouverture du domicile du maître d'armes, mais il refusa d'être présent sur les lieux.

Le chien déjà entendu aboya furieusement durant le crochetage, puis se tut lorsque la porte s'ouvrit sur Mondidier sabre au clair. Flairant l'odeur de son maître sur le brigadier, il agita courtoisement sa queue. C'était un chien d'Artois au regard droit et confiant qui s'attacha gaiement aux pas du dragon pendant que celui-ci fouillait la maison à la recherche de vêtements et d'argent.

L'animal le suivit lorsqu'il retourna à la salle d'armes et il montra sa joie en y découvrant son maître allongé sur les bancs. Après avoir tourné autour en battant l'air de son fouet, il s'allongea tout près et attendit sans impatience que celui-ci s'éveille et le nourrisse comme il l'avait toujours fait.

Plus tard, des veuves dévêtirent le cadavre pour le laver et le changer. La tête les gênant, elles la posèrent sur le plancher. Le chien se leva pour la renifler puis revint se coucher. Si quelque chose lui parut anormal, il le garda par-devers lui.

Mondidier ayant recueilli trois livres seulement de sa fouille, Crandalle fut privé de cercueil et enveloppé avec sa tête dans un linceul prélevé sur son lit et cousu par l'une des femmes qui réclama pour ce travail d'aiguille un supplément de cinq sols.

Le vicaire de l'église Saint-Benoît autorisa l'inhumation du duelliste en terre consacrée, mais lui dénia la cérémonie religieuse.

Trépassé à prime, René-Auguste Crandalle fut enterré à none en présence de son compagnon canin dont il emportait le nom avec lui dans la tombe, du brigadier Mondidier, de Brasc l'aîné et du fossoyeur qui était aussi le bedeau.

L'animal aboya vilainement lorsque ce dernier couvrit son maître de terre. Un coup de pelle le tint à distance.

Les seconds filèrent dès la dernière pelletée, sans un mot, sans une prière, pressés d'en finir. Le bedeau voulut chasser le chien mais celui-ci refusa obstinément de quitter le cimetière et fuit parmi les tombes, l'échine basse, la queue entre les jambes, jappant chaque fois qu'une pierre l'atteignait.

A bout de souffle, dérouté par tant d'obstination, le bedeau renonça.

Une fois seul, le chien inspecta les lieux en les reniflant. Il pissa contre la barrière d'entrée, il pissa au pied de la grande croix de pierre et aussi devant la tombe de son maître. Puis il s'allongea dessus et attendit que celui dont il flairait toujours l'odeur sous la terre meuble apparaisse et s'occupe de lui comme avant.

Menton relevé, nez au vent, bras balancés, Clovis foulait le cagadou d'un pas assuré. Tout dans sa physionomie signalait qu'il était content de lui et qu'il voulait que ça se sache. Les œillades, les chuchotements, les coups de coude sur son passage lui plaisaient.

Il remonta la rue des Deux-Places et allait pour traverser la place Royale quand il remarqua un attroupement le long du cimetière accolé à l'église Saint-Benoît. Ils observaient un chien allongé sur l'une des tombes anonymes du canton des pauvres. L'animal était couché sur le flanc et haletait. Point besoin d'être valet de chenil pour comprendre qu'il mourait de soif et de faim.

– Il est là depuis combien de temps ? demanda Clovis à qui voudrait bien lui répondre.

– Depuis que vous avez trucidé son maître, dit d'un ton railleur un compagnon savetier de la rue du Lop.

Parce qu'ils fabriquaient de vulgaires savates en chiffon sans pied droit ni pied gauche, les savetiers étaient en bas dans la hiérarchie des chausseurs.

Pris au dépourvu, Clovis ne sut que répliquer. Il haussa les épaules pour se donner une contenance et reprit son chemin en se souvenant des abois entendus lorsque sa pierre avait brisé la fenêtre du maître d'armes.

Il frappa à la porte de l'engendreuse. Il n'était pas revenu venelle du Suif depuis l'autre nuit. Il vit que la vitre cassée avait été remplacée par de la toile huilée.

La mère Bienvenu ouvrit. Le sabotier entra. La sage-femme n'était pas seule. Une demi-douzaine de mégères, vêtues de noir pour la plupart, caquetaient près de la cheminée en buvant du jus de treille et en chiquant du mauvais pétun. Elles se turent pour le regarder.

– Bien le bonjour, mes commères.

Clovis venait négocier de l'eau de myrte qu'il comptait offrir à Apolline pour la fin de ses relevailles. En échange de deux livres et trois sols la mère Bienvenu lui remit une fiole de verre soufflé rempli d'un liquide rougeâtre.

– Enseignez-lui qu'elle ne doit pas en mettre avant le retour de ses nouvelles fleurs.

– Vous allez lui en faire combien cette fois, maître Tricotin ? s'enquit l'une des commères d'une voix goguenarde.

Il rougit et détourna la tête pour le cacher. L'eau de myrte avait l'heureuse réputation de redonner un conet de baiselette aux parturientes. Il paya et sortit sans refermer la porte derrière lui. Il rentra droit chez lui, sans un regard vers le cimetière où des enfants juchés sur le mur d'enceinte lançaient des cailloux.

Moins d'une heure plus tard, Clovis posa subitement ses outils, ôta son tablier de cuir et retourna au cimetière. Il remplit au passage un seau d'eau à la fontaine Sainte-Cécile et acheta pour cinq sols de bas morceaux rue de la Boucherie.

Les enfants et les curieux avaient disparu. Le chien était toujours couché au même endroit. Clovis poussa la barrière. Le chien remua faiblement la queue. Une pierre l'avait atteint au-dessus de l'œil droit et du sang perlait entre ses poils ternes et sales. En dépit des misères subies, son regard demeura doux et confiant à l'approche du sabotier.

Faute d'écuelle, Clovis joignit ses mains et les plongea dans le seau. Le chien lapa l'eau avec un bonheur évident. Bientôt il retrouva suffisamment d'énergie pour se relever et boire sans aide.

Tout en prenant plaisir à le désaltérer, Clovis ne pouvait s'empêcher de songer à Crandalle, si proche sous ses quelques pieds de terre caillouteuse ; il se demanda comment avait été disposée sa tête.

Le chien accepta les bas morceaux et les goba sans les renifler, sans même les mâcher. Après, il rebut longuement.

Clovis s'en alla, le chien retourna s'allonger sur la tombe. Clovis revint le nourrir le lendemain et les jours suivants.

Il fallut dix-neuf jours au cadavre de Crandalle pour entrer dans une déliquescence telle que son odeur s'en trouva altérée au point d'être méconnaissable. Sa fidélité reposant exclusivement sur les perceptions sensorielles qu'il avait de son maître, le chien quitta le cimetière dès que celles-ci eurent disparu.

Depuis le jour du duel, Clovis commençait chaque matin par soigner Favorite qui logeait dans un box construit face à la vacherie de Clarabelle et à l'enclos de Biquette. Vaste de dix pieds sur dix, sa superficie mangeait un tiers de la cour. La jument flairait fort bien l'amour que lui portait son nouveau maître et se laissait faire obligeamment.

C'est Laszlo qui lui avait enseigné comment lui laver les naseaux et les yeux avec une éponge fraîche sans la faire saboter ; c'est Laszlo également qui lui avait offert une étrille servant à décoller le poil et faire ressortir la poussière. Un autre jour, il lui avait offert une brosse douce pour le lustrage, et un autre jour encore un peigne pour démêler la crinière et la queue. Il apportait un cure-pieds lorsque Clovis finit par remarquer que chacune de ses visites coïncidait avec les jours où Immaculée venait rue des Afitos assister Apolline dans sa quintuple tâche.

Clovis retournait la litière quand Petit-Jacquot apparut dans la cour, la mine chagrine, deux seaux vides dans chaque main.

– Y a un gros cabot dans la rue, mon maître, et j'sais point si y veut rentrer, ou si y veut pas que j'sorte.

Clovis suivit son apprenti à travers la cuisine et l'échoppe.

– Macarel de caramba !

Le chien de Crandalle était assis devant l'entrée. L'animal avait su le pister jusqu'ici : une telle prouesse sur une voie aussi piétinée était digne des limiers de haut nez du chevalier.

A la vue du sabotier, le chien se leva et approcha en tortillant du bassin et en battant l'air de sa queue. Clovis lui caressa rudement le haut du crâne. C'était la première fois qu'il le touchait. Le chien scella le pacte en lui léchant la main. Puis il entra dans l'échoppe et en fit le tour.

Crandalle semblait l'avoir correctement éduqué car il ne pissa que dans la cour.

Deuxième partie

Chapitre 14

La nouvelle existence de Charlemagne était des plus étranges. Quand il ne dormait pas, il tétait, et quand il ne dormait ni ne tétait, il reposait sur le dos dans un monde partagé entre ce qu'il pouvait atteindre avec ses doigts – pour l'instant les bords de son berceau – et le reste au-delà, encore flou et inaccessible.

S'il distinguait le chaud du froid et la nuit du jour, la différence entre le dedans et le dehors restait confuse. Il ne pouvait pas encore se concentrer sur plus d'une chose à la fois, et quand son attention se portait sur une deuxième, il oubliait la première. Il entrevoyait chaque jour un peu mieux qu'il était capable de provoquer des événements, comme lorsqu'il fermait les yeux et que tout s'obscurcissait, ou quand il étendait le bras et flanquait son biberon par terre. Il établissait lentement la différence entre « je veux » et « je peux ».

A l'instant où la faim s'éveilla, Charlemagne gazouillait en regardant sa main s'agiter devant ses yeux sans être certain qu'elle pût lui appartenir. La sensation désagréable lui vint du centre et s'imposa rapidement dans son être en augmentant son malaise, en altérant ses mouvements, en désorganisant sa respiration. Ne connaissant qu'une solution à ce malaise, Charlemagne se mit à vocaliser sur un mode perçant, peu mélodieux certes, mais portant fort loin.

– Ahi ! Déjà ! C'est lequel ? demanda une voix lasse.

– Charlemagne, bien sûr, répondit une voix tout aussi lasse.

– Que veut-il encore ?

– Téter, pardi.
– Mais qu'il attende son tour, ce fringaleur.
Comme s'il les avait compris, le nourrisson augmenta la stridence de ses cris, éveillant les quatre autres qui se joignirent à lui. Goliath accourut de la cour où il lézardait au soleil et se posta devant le berceau de Charlemagne, aboyant avec reproche vers Apolline et Prune.
Accablée, Apolline soupira. La maisonnée était devenue un véritable élevage de moutards, et il arrivait que son esprit soit visité par de honteuses pulsions assassines qui lui mettaient la conscience au court-bouillon. En se multipliant par cinq, ce qui aurait dû être un bonheur de chaque instant était devenu un labeur répétitif, acharné, harassant. Huit biberons par jour et par enfant faisaient quarante biberons. Idem pour les maillots qu'il fallait continuellement changer, laver, repasser. Et quand leurs ongles étaient trop longs, c'était cent qu'il fallait couper, pas un de moins.
Son père Baptiste lui avait ramené de Brameloup Prune Déhaut, une gaillarde cousine de quinze printemps, qui la déchargeait des gros travaux domestiques. En dépit de cette assistance, Apolline avait dû renoncer à la collecte des œufs de fourmi et rester à demeure, sauf le jour du Seigneur où sa mère, parfois Jeanne sa belle-mère, la remplaçait le temps d'une grand-messe. Elle gardait la secrète conviction d'avoir rompu quelque part l'ordre naturel voulu par Dieu, et le sentiment d'anormalité et de culpabilité qui avait gâché sa grossesse perdurait.
C'était vers le troisième mois qu'elle avait deviné que l'enfant attendu n'était pas seul, ou que, s'il l'était, ce serait un géant. Semaine après semaine, son ventre avait enflé de façon si démesurée que la peur de mourir s'était ajoutée à la liste de ses préoccupations et avait transformé son existence en cauchemar. Bonne dormeuse, elle était devenue insomniaque, et quand elle s'endormait enfin, c'était pour rêver de piétinements intérieurs et de grouillements confus qui la réveillaient, le souffle oppressé, le corps pelliculé d'une sueur visqueuse et froide comme de la méchanceté. Ne pas oser se confier à qui que ce soit avait accentué son sentiment de catastrophe imminente.
N'ayant jamais imaginé au-delà de jumeaux, l'apparition

de quintuplés avait confirmé avec éclat ses craintes les plus extravagantes. Les rumeurs circulant sur le nombre (et l'identité) des amants qu'elle avait forcément mis à contribution pour accomplir un tel exploit n'arrangeaient rien. Si le nom de Crandalle était parfois mentionné, c'est qu'avec le temps on ne voulait plus croire que le duel ait pu avoir lieu pour un prétexte aussi mince qu'un arrosage urinaire.

Autre effet secondaire fâcheux, la jeune femme ne supportait plus d'être approchée par son époux. La seule pensée d'être grosse à nouveau la terrorisait. Aussi, quand les quarante jours de ses relevailles furent écoulés et que Clovis se manifesta en lui offrant son eau de myrte, Apolline le repoussa, prétextant de terribles douleurs malaxantes à la racine des cheveux. Le lendemain, elle se plaignit d'un estomac dépravé et le surlendemain d'inexplicables oppressions de poitrine.

Quand un soir, à court de faux-fuyants, elle le laissa enfin s'allonger sur elle, sa peau se révulsa et tous les muscles courant dessous se nouèrent, transformant son corps habituellement douillet comme un édredon en une planche aussi roide que l'écorce d'un vieux chêne.

Clovis, qui n'entendait rien à ces états d'âme femelle, se contristait chaque jour davantage. Il devenait irascible et maladroit jusqu'à rater des sabots qui finissaient tristement en bois de chauffage. De surcroît, dormir avec la société de cinq nouveau-nés se révélait exténuant. A peine tombait-il les paupières que l'un des marmots, Charlemagne onze fois sur dix, s'égosillait pour réclamer son cornet, vite imité par ses frères et sœur et même par Goliath.

Et quand Clovis dormait enfin, il rêvait qu'il avalait l'un d'eux et qu'il souffrait ensuite les mille morts à l'idée d'être dûment atteint et convaincu d'ogrerie. Tous ces inconvénients, additionnés à l'incompréhensible conduite de sa femme, le poussèrent un jour à déblayer les combles et à s'y installer.

A la notoriété d'être le père des « cinq épateurs de Racleterre » – comme on désignait la fratrie – s'était ajouté le renom particulier consacré par son duel et qui allait de pair avec le respect qu'inspiraient les duellistes (« Des gens qui osent regarder la mort en face »). On le saluait quand on le voyait passer sur sa belle jument, et on y aurait regardé à deux fois avant de le traiter de cocu.

Le sabre du maître d'armes était accroché au mur de l'échoppe, bien en évidence sous la bibliothèque bleue, et s'il arrivait à Clovis de le sortir de son fourreau, c'était pour en contempler la lame d'un air rêveur.

Sa victoire sur Crandalle avait eu une incidence non négligeable sur son chiffre d'affaires : en témoignait la pile des bûches destinées à devenir des sabots, dont la hauteur atteignait les poutres du plafond. Si les commandes se maintenaient à cette fréquence, il pourrait bientôt embaucher un second apprenti et être autorisé à se parer du titre d'atelier de saboterie, plus prestigieux que celui d'échoppe.

L'apparition inopinée de monsieur l'intendant royal Alexis de Gourge alluma un émoi considérable parmi les Racleterrois et leur administration. Le roi en personne le mandait vérifier l'authenticité de ces extraordinaires naissances. La nouvelle avait donc voyagé jusqu'aux oreilles du monarque, et le nom de Racleterre avait été prononcé par sa royale bouche.

Cet émoi considérable se mua en béate incrédulité lorsque l'intendant, satisfait de son examen, remit à la Maison une lettre de louanges en blanc, déjà signée du roi, et où il n'eut qu'à inscrire le nom de la famille Tricotin et celui de Racleterre.

Un addenda à ce prestigieux document assurait la gratuité de l'éducation de la fratrie dès son âge de raison, l'âge où l'enfant était estimé capable de discerner le Bien du Mal.

Clovis aurait préféré conserver le document et l'exposer au mur de sa saboterie, entre sa bibliothèque et le sabre, mais le consul en jugea autrement et le suspendit au mur de la salle de délibération, sous la charte d'affranchissement de Racleterre signée du roi Charles VI.

Comme il n'était pas un mois que fit Dieu sans visiteurs venant du lointain pour contempler sa progéniture, Clovis imposa une donation obligatoire d'une livre par personne, deux si l'on voulait faire un dessin, cinq pour une peinture à l'huile nécessitant plusieurs jours de pose. Il institua également un tarif forfaitaire de dix livres réservé aux visiteurs scientifiques désirant anatomiser les quintuplés dans leur état de nature et pratiquer diverses mensurations. Ces inspections se faisaient en présence de Goliath qui montrait les crocs et grondait vers tous ceux qui les faisaient geindre en les manipulant.

A sa naissance, Charlemagne, le plus fort, pesait quatre livres six cents, tandis que Dagobert, le plus gringalet avec Clotilde, n'en pesait que trois livres huit cents. Clodomir et Pépin pesaient chacun quatre livres deux cents. Des poids dérisoires quand celui d'un nouveau-né normal était de sept livres.

Pour la plupart de ces médecins, il était clair que la survie de quintuplés nés un mois avant terme relevait du pur miracle, ou, plus prosaïquement, de la pure supercherie.

Certains sceptiques ne se satisfirent pas des assertions de la famille. Ils consultèrent le registre paroissial et interrogèrent en longueur la mère Bienvenu, prenant des airs entendus quand elle admettait n'en avoir délivré avec certitude que trois sur cinq.

Un médecin-accoucheur venu de Vendée atténua le sentiment d'anormalité d'Apolline en lui montrant un vieil exemplaire du *Journal des Savants* qui rapportait dans le détail l'histoire d'une femme de Saintonge, primipare elle aussi, et qui avait mis bas pas moins de neuf enfants en trois jours.

Un autre praticien, le doktor Rudolf Thaler, de race teutonne, acheva de la rasséréner en lui traduisant le texte d'une brochure relatant la naissance de quintuplés à Augsbourg. Ainsi, tout en restant exceptionnel, son cas n'était pas monstrueusement unique.

Ce même médecin l'instruisit contre le risque d'être enceinte à nouveau.

– D'apord, le sperme gâte le lait, Frau Trikotin, ensuite cela signifierait l'arrêt prutal de sa montée et exposerait dancheureusement la ponne santé de fotre portée.

C'est encore lui qui mit en évidence la ressemblance presque parfaite de l'aîné Clodomir et du cadet Pépin.

Dagobert, plus chétif, se distinguait par des cheveux plantés différemment et des oreilles décollées et Clotilde, la seule garce du lot, n'intéressait personne.

Charlemagne, par contre, ne ressemblait à aucun des autres. Il était le plus potelé, le plus gazouilleur, le plus éveillé, le plus glouton, le plus rebéqueur. Des différences que les traitements de faveur dont il jouissait comme filleul de la châtelaine accentuèrent avec le temps.

Une semaine après sa naissance, dame Jacinthe lui avait offert un trousseau complet en coton anglais, qui avait certainement coûté fort cher.

Des porteuses de ragots lui ayant répété que les langes servaient en fait à l'aîné Clodomir et non à son filleul, dame Jacinthe s'était fâchée jusqu'à se déplacer rue des Afitos pour gourmander les responsables. Bien que chaque enfant ait son berceau, elle exigea que Charlemagne couche dans un cheval rouge à bascule déniché dans le grenier du château et qui avait appartenu à elle ne savait quel Armogaste.

Elle prit sur elle d'envoyer chaque soir une remueuse qui avait pour consigne de bercer Charlemagne jusqu'à ce qu'il s'endorme. Quelquefois c'était Alberte, la fille de l'intendant-maître d'hôtel Francol, quelquefois Élodie Clochette sa pimpante chambrière, parfois son page, le jeune Blaise Onrazac qui abominait la corvée, la jugeant dégradante et très en dessous de sa condition. Il lui arrivait de se venger discrètement sur Charlemagne en le soulevant à bout de bras et en l'agitant dans tous les sens, telle une outre de lait quand on fait du beurre. Il le reposait ensuite dans le berceau et s'éclipsait avant que l'enfant ne proteste à grandes hurlées et attire les adultes, ou, pire, le chien Goliath : ce dernier le haïssait depuis qu'il lui avait soufflé du poivre dans les narines.

Bien qu'elle s'en défendît, Apolline préférait à l'aîné Clodomir le fragile Dagobert qui avait le plus besoin d'elle. Venait ensuite Clotilde que tout le monde semblait oublier. Pépin, le cadet, l'avait tant fait souffrir en naissant qu'elle lui en voulait encore. Et puis il y avait Charlemagne dont elle ne savait que penser tant la personnalité de sa marraine emberlificotait son jugement.

Les préférences d'Apolline se manifestaient surtout durant l'allaitement. Si elle commençait par l'aîné en lui offrant le sein droit, elle réservait le gauche, non pas à Pépin comme elle aurait dû, mais à Dagobert qu'elle laissait téter un *Ave* de plus que les autres. Venaient ensuite Clotilde et Pépin, et en dernier Charlemagne qui s'accrochait au tétin comme un loup à la gorge d'un agneau : il n'en avait jamais assez et le faisait savoir.

La santé d'un enfant se mesurant à son embonpoint, les tétées étaient allongées de panades, de bouillies et de lait de chèvre dilué.

Pour Clovis, seul Clodomir comptait vraiment, et si Pépin venait deuxième dans l'ordre de ses préférences, c'était pour sa ressemblance quasi parfaite avec l'aîné. Dagobert et Clotilde l'indifféraient, aussi montrait-il à leur égard une sollicitude sans chaleur. Quant à Charlemagne, il supportait mal que les visiteurs le confondent avec l'aîné, trompé par son linge fin, son berceau de chevalier et son si dispendieux collier.

Ce collier persécutait son entendement. Avec l'argent de sa vente, il aurait pu accomplir bon nombre de projets, comme celui de s'installer dans une maison plus grande. Cela devait se voir, car, à chacune de ses visites, dame Jacinthe ne manquait jamais de s'assurer de sa présence. Quand l'encolure de son filleul grandit, elle fit déplacer le maître orfèvre de la rue du Château pour qu'il pratique sur place l'agrandissement du fermoir. Il lui arrivait aussi de compter à voix haute le nombre des joyaux en lançant des regards pleins de suspicion autour d'elle. Regards jugés désobligeants par les Tricotin qui se targuaient d'une honnêteté héréditaire.

En mai, le mois où l'on châtre les veaux et où l'on tond les moutons, Caribert déclara triomphalement qu'Immaculée était grosse et personne n'eut cœur à lui demander de qui.

Charlemagne mit six mois pour coordonner sa main et son œil, puis sa main et son autre main, et encore un mois pour pouvoir attraper, agripper, manipuler maladroitement des objets inanimés, découvrant subséquemment que les animés ne se laissaient pas faire. Il dut admettre aussi qu'il ne suffisait pas de fermer les yeux pour que les autres ne vous voient plus.

A l'automne, il fut découvert que la mère Bienvenu continuait de vendre du produit Tricotin (réputé cinq fois plus puissant que les autres et vendu cinq fois plus cher). La Maison la condamna pour tromperie manifeste à être exposée au pilori de la place Royale trois jours durant, à raison de cinq heures par jour. Dieu en personne alourdit la sentence en faisant geler chaque jour de la punition.

Arrivés au huitième mois de leur existence, les cinq Tricotin furent délivrés de leur maillot et revêtirent leur première robe d'enfance : en droguet brun pour l'aîné, en revêche écru pour les autres. Dame Jacinthe profita de cette tradition pour offrir à son filleul une robe carrée de satin bleu rayé d'argent, assortie d'une paire de bas de soie qu'il s'empressa de catastropher en se roulant par terre dès que l'occasion lui fut donnée.

Deux jours avant Noël, Charlemagne surprit toute la maisonnée en se mettant debout sans aide et en marchant d'une traite à travers la chambre, l'atelier, la cuisine, la cour, pour finalement vaciller sur ses jambes et tomber assis dans une bouse de Clarabelle, ce qui parut le ravir.

La station debout lui offrait des perspectives d'autant plus étonnantes qu'elles étaient insoupçonnées. A ce jour, chacun de ses déplacements dépendait du bon vouloir d'autrui, désormais, il pourrait s'en passer et aller voir ce qu'il y avait derrière les meubles ou de l'autre côté des murs.

Rechercher Charlemagne s'ajouta à la liste des corvées

quotidiennes. On le retrouva coincé tête première au fond d'un seau – vide par bonheur. On le récupéra dans l'évier de la souillarde pourtant fixé à quatre pieds du sol (on le soupçonna d'être monté sur le chien). On le débusqua dans la cheminée, plus noir que nègre et babillant avec la famille de grillons qui y grillonnait.

Il ramenait de ses explorations toutes sortes de bestions, vifs de préférence. Aucune espèce ne le rebutait, et il paraissait entretenir spontanément d'excellentes relations avec le monde animal, insectes compris. La façon dont Goliath l'avait distingué parmi les autres et lui était entièrement dévoué était une bonne illustration de ces relations privilégiées.

Le jour des Rois mages 1764, Immaculée Tricotin fit tomber au monde un enfant mâle de huit livres aux yeux bleus quelque peu bridés. Souriant de toutes ses dents, Caribert le baptisa Mérovée.

Le surlendemain, jour de la Saint-Lucien, Laszlo Horvath giflait publiquement Paul Brasc l'aîné.

Gifler était plus grave que frapper du poing fermé. Gifler était un geste conscient et volontaire fait pour humilier l'adversaire plus que pour lui faire physiquement mal. La salle de l'auberge Durif était pleine de clients dont une tablée de militaires de sa connaissance. Brasc ne put faire autrement que d'appeler le Hongrois qui lui désigna la grande cour de la Poste aux chevaux en disant :

– Ça galope !

Le duel dura le temps de cuire un œuf dur. Après quelques enchaînements d'actions offensives et défensives, Laszlo embrocha son adversaire d'un coup de pointe très développé dans la poitrine. Brasc s'écroula. Il n'avait pas encore touché terre que Laszlo armait un nouveau coup et le frappait au poignet, le désolidarisant entièrement du bras. Le sabre tomba avec bruit sur les pavés de la cour, la main toujours crispée sur la fusée en galuchat.

Paul Brasc l'aîné survécut à ses blessures, mais jamais plus il ne toucha à une épée et jamais plus il ne se gaussa à voix haute sur l'identité du vrai père de Mérovée Tricotin.

Le premier anniversaire des cinq épateurs de Racleterre donna prétexte à une belle fête organisée par la Maison.

Le bourg et ses murailles se pavoisèrent, les cloches des églises et celle du beffroi firent chorus. Il y eut un banquet, des discours, un concours de tir à l'arbalète doté d'un prix de cinquante livres et trois mâts de cocagne (un sur chaque place) abondamment garnis et copieusement savonnés.

Le clou de cette mémorable journée fut incontestablement le défilé dans les rues de la fratrie présentée par ses parents et par dame Jacinthe qui s'était imposée au dernier moment.

Juché sur la plate-forme d'un char fleuri tiré par quatre bœufs rouquins aux robes peignées, Clovis dans son meilleur habit (l'air renfrogné parce qu'on lui avait déconseillé de porter son sabre) soutenait Clodomir l'aîné. Jeanne Tricotin tenait Pépin, Apolline avait pris Dagobert et Adèle Floutard, qui aurait préféré Pépin, se contentait de Clotilde.

Assise sur un canapé attaché à la plate-forme, dame Jacinthe, revêtue d'une robe bleu de Prusse parée de manches en falbalas écarlates, souriait à la foule en s'efforçant de maintenir quiet son filleul (en robe de satin mauve et bas rose tyrien) qui ne cessait de gigoter tel un cent d'asticots.

A la longue, excédée par tant de discourtoisie, dame Jacinthe lui pinça la cuisse pour le faire taire, déclenchant instantanément une formidable clameur qui porta la confusion sur le char, dans la foule, et même chez les bœufs de l'attelage qui s'immobilisèrent en secouant des cornes. Comme chaque fois, les quatre autres se solidarisèrent en donnant du poumon, ajoutant quatre fois plus à l'embarras général. Le maître bouvier avertit que les oreilles de ses bovins n'en supporteraient guère plus.

Il fallut ôter Charlemagne des bras de sa marraine – qui ne faisait qu'aggraver sa colère en le manipulant avec agacement – pour qu'il se calme. Lui coi, les autres se turent. Les bœufs acceptèrent de repartir, la procession s'ébranla de nouveau, la foule applaudit.

– Vive nos épateurs !

A ce jour, le nauséabond produit des vidanges de maître Baptiste Floutard était transporté par ses équipes à l'extérieur du bourg pour être déversé dans des fosses creusées à cet effet dans trois terrains communaux loués à la Maison. Année après année, ces fosses étaient devenues de vastes mares excrémentielles où régnaient des milliards de mouches vertes le jour et des milliards de cancrelats coprophages la nuit.

Floutard alimenta à nouveau les rumeurs à ses dépens en offrant à la Maison de racheter les trois parcelles communales pourtant privées de toute valeur marchande. Trop heureux de l'aubaine, le consul et son assemblée acceptèrent la vente.

Peu de temps après, Floutard quitta Racleterre pour se rendre à Brameloup-sur-Aubrac, son village natal. Il en revint accompagné d'une procession de neuf familles, soit au total cinquante-huit personnes. Il les installa dans des chaumines qu'il leur fit construire auprès des mares. On comprit alors que le maître gadouyeur-vidangeur venait de créer une fabrique d'extraction de poudrette, un engrais très apprécié des connaisseurs.

Bientôt, les familles de l'Aubrac puisaient leur matière première dans les mares, la faisaient sécher sur des bâches, la réduisaient ensuite en fine poudre puis l'ensachaient. Maître Floutard en prenait alors livraison à raison d'un sol le sac de dix livres qu'il revendait trente.

Au début, quand on les lâchait ensemble, chacun agissait individuellement, chacun jouait de son côté, aucun ne partageait rien. Quand un conflit les opposait, le plus souvent la possession d'un objet, c'était le plus déterminé qui l'emportait. Charlemagne douze fois sur onze.

La fratrie s'organisa vers sa troisième année. L'aîné Clodomir et le cadet Pépin devinrent inséparables, telles deux moitiés complémentaires. Le premier prit l'habitude de porter son sourire à droite tandis que le second le porta à gauche. Les témoins d'un tel spectacle ne pouvaient s'empêcher d'osciller entre l'amusement, l'émerveillement et un certain malaise.

Dagobert les imitait avec moins de succès. En cas d'affrontement, il lui arrivait de se dérober pour courir se réfugier auprès de sa mère. Clotilde servit de souffre-douleur jusqu'au jour où Charlemagne prit sa défense et la conserva à jamais.

Il n'était pas rare que ses trois frères se liguent contre lui, le plus souvent pour s'emparer de son collier. Il ne se laissait jamais faire et se défendait avec une opiniâtreté qui forçait l'admiration, rendant trois coups pour chacun qu'il recevait. Il attendait loyalement l'instant où il allait être submergé par le nombre pour pousser l'un de ses puissants braillements qui faisait accourir Goliath à la rescousse.

Mais qu'un élément extérieur s'en prenne à l'un d'eux et ils faisaient aussitôt front commun, telles cinq abeilles d'une ruche renversée.

Le premier mot intelligible de l'aîné fut « moi ». Celui de Pépin, prononcé le lendemain, fut « badaboum ». Quelque temps plus tard, Dagobert dit « mamie-mamie », et personne ne se souvint de celui de Clotilde. Charlemagne, lui, se contentait d'imiter le cri des bêtes. Il entendait un son – n'importe quel son – et il le reproduisait à l'identique avec une déroutante facilité.

Ce fut un an après les autres qu'il s'exclama à la vue d'une brigade de la maréchaussée royale caracolant rue des Afitos :

– Il est beau le dada, caramba !

Plus tard, la fratrie développa un étrange babil fait d'onomatopées, de cris divers, de gesticulations, de bruits de chats, de couinements de souris, de trilles d'oiseaux, de grognements de chiens qui s'élabora peu à peu en un patois qu'ils appelèrent « lenou », sans jamais daigner en révéler plus.

Ils avaient quatre ans et quelques semaines quand ils se présentèrent en délégation devant leurs parents pour réclamer des explications sur le fait indiscutable que Clotilde n'avait pas un « dard » comme eux.

– Parce que c'est une garce, pardi.

L'argument leur parut peu convaincant, surtout pour Clotilde qui pensait très confusément qu'elle en avait eu un, elle aussi, mais qu'elle l'avait perdu par mégarde, sans doute en faisant ses eaux.

La première confrontation de la fratrie avec ses géniteurs survint le jour de leur cinquième anniversaire, jour traditionnel de la perte de leur robe d'enfance. L'aîné reçut un habit de drap bleu, ses frères de drap gris. Leur sœur hérita d'un jupon du dessus en coton, d'un cotillon de finette, d'une matelote de serge et d'un tablier de coutil qui la mortifièrent.

La coutume voulait que jusqu'à l'âge nubile les enfants des deux sexes n'aient rien dans leur vêture ou dans leur éducation qui les distingue. Cette époque venait de prendre fin et Clotilde tombait sous la coupe de sa mère et de ses mères-grands, tandis que ses frères passaient sous l'autorité exclusivement paternelle.

L'affrontement eut lieu quand leur père prit les garçons avec lui dans l'échoppe et que leur mère emporta Clotilde en cuisine.

Refusant l'amputation, la fillette courut rejoindre ses frères qui l'entourèrent, déterminés à faire front. Et quand leur père les menaça de son sabre (il utilisait le plat du fourreau pour les fesser chaque fois qu'ils le méritaient), Charlemagne héla Goliath à la rescousse.

– Vous voulez donc qu'on vous baille au chevalier Walter ? Ou vous préférez peut-être qu'on mande le Pibrac pour qu'il vous enseigne l'obéissance ? les menaça gravement Apolline, les poings sur les hanches en signe de courroux.

La réponse fit regretter la question :

– Si on reste ensemble, on veut bien être baillés à qui vous voudrez.

Tant d'ingratitude scella leur victoire. Les parents capitulèrent avec un peu d'aigreur. Clotilde demeura avec ses frères mais dut conserver sa vêture féminine et ne plus jamais pisser debout comme eux.

Le lendemain, dame Jacinthe réapparaissait rue des Afitos, accompagnée de sa cour de petits flagorneurs et d'un maître tailleur contrarié de s'être encagadouillé les souliers.

La châtelaine sacrifia son après-midi à jouer avec son filleul comme avec un petit animal, l'habillant, le déshabillant, lui essayant trente-six vêtures, retenant la plus outrageusement luxueuse qui faisait paraître celles de ses frères pour de vilains haillons.

Sa marraine repartie, Charlemagne poussa un long cri libérateur et courut rejoindre les autres qui jouaient dans la cour à sauter par-dessus leur ombre (ils réussissaient deux fois sur dix seulement). Avant qu'on puisse l'en empêcher, il se roulait par terre en gigotant des quatre membres, riant aux éclats, se crottant de la pointe des cheveux à celle des orteils, exprimant tous les signes de la plus vive satisfaction.

Laszlo, que les enfants appelaient « tonton », proposa un début d'explication à une telle conduite :

– On dirait poulain heureux.

On se souvint alors que « dada » figurait dans ses premiers mots, mais on ne sut qu'en déduire.

Ce passage initiatique de la robe d'enfance à l'habit d'adulte miniature fut accompagné d'un autre changement radical. Clovis les installa dans les combles, retrouvant ainsi sa chambre et surtout son épouse. Là encore, il fut exclu de les séparer de Clotilde.

Clodomir occupa son lit d'aîné en noyer, les trois autres une grande paillasse unique jetée sur un sommier de bois. Charlemagne conserva le lit en merisier offert par sa marraine après que son berceau se fut révélé trop étroit. Il comprenait un sommier de crin, un matelas de laine de mouton et un édredon en duvet d'oie. Des montants torsadés soutenaient le ciel de lit azurin constellé d'étoiles dorées et orné en son centre d'un visage souriant en forme de croissant de lune.

Ce nouvel arrangement leur convint tout à fait et eut pour effet immédiat de porter leur fraternité un cran plus haut. On les retrouvait parfois endormis tous les cinq sur la paillasse, emboîtés comme des petites cuillères dans leur ordre de naissance.

Un jour d'été 1769, dame Jacinthe provoqua un grand émoi au sein de la fratrie en emportant Charlemagne au château sous prétexte de lui essayer un nouvel habit. Ses frères et sa sœur le cherchèrent dans la maison, dans la cour, dans le box de Favorite, dans l'étable de Clarabelle, dans l'enclos de Biquette, dans le poulailler, appelant « Charlemagne, Charlemagne », ne comprenant pas pourquoi il ne leur répondait pas.

Élodie Clochette le rapporta en fin de relevée. Il était vêtu d'un superbe frac à la polonaise vert et gris. Il embaumait le musc et dormait profondément, ce qui, vu l'heure, n'était pas dans ses habitudes. L'empressement de la chambrière à repartir intrigua Apolline qui entreprit de dévêtir l'enfant pour le coucher. Soudain, elle tressaillit :

– Clovis, viens vite !

Occupé dans l'atelier à creuser un quartier de hêtre, le sabotier obéit sans poser de questions. La voix de sa femme était explicite.

– Regarde, ce n'est plus le même, dit-elle en montrant le collier.

Clovis plissa les yeux en se penchant au-dessus de Charlemagne. Il n'était pas nécessaire d'être alchimiste pour comprendre que ce qui avait été de l'or s'était transmuté en cuivre, ce qui avait été des pierreries était devenu de grossiers éclats de verre de couleur.

Lorsque l'enfant s'éveilla dans la matinée du lendemain et que ses parents l'interrogèrent sur les événements de la veille, il ne sut que leur chanter à tue-tête : « J'ai bien ripaillé, j'ai bien buvaillé, merci petit Jésus. »

– Elle l'a endormi pour qu'il ne se rende compte de rien, murmura Clovis.

Apolline hocha la tête.

– Elle a même dû l'enivrer. C'est pour ça qu'il était si fortement parfumé de musc.

A peine Charlemagne avait-il passé ses nouveaux habits qu'il détalait avec ses frères et sœur dans la rue en poussant des cris de sauvages des Amériques.

L'affaire du faux collier fut bientôt supplantée dans la hiérarchie des cancans par l'affaire du « four à pain pour tous », construit par l'avocat Alexandre Pagès-Fortin, et qui mettait à mal le monopole du château. Un procès était en cours.

Puis les très onéreux tourments de cette chicane furent bientôt relégués par le grand émoi que suscita l'incendie du quartier de l'Arbalète. Un tiers des maisons furent détruites. Maître Floutard racheta les ruines aux propriétaires sinistrés et reconstruisit dessus des habitations de petite qualité dans lesquelles il logea ses familles d'extracteurs de poudrette, augmentant d'autant le nombre des chefs de feu susceptible de voter pour lui lors des prochaines élections de quartenier.

Malgré une enquête approfondie, les origines du sinistre demeurèrent inconnues.

Chapitre 15

Le jour de la Saint-Benjamin 1770, septième anniversaire de la fratrie, Clovis se présenta à l'audience publique de la Maison pour remettre à l'esprit de l'assemblée l'addenda royal concernant l'éducation des enfants.

Le lendemain matin, il escortait la fratrie à la Petite École Saint-Benoît pour une première journée de débourrage spirituel.

Créée cent ans plus tôt dans le but désigné de faire triompher la vraie foi et de tenir en échec l'hérésie protestante, l'école occupait le rez-de-chaussée d'une belle maison à encorbellements ayant appartenu à une famille de drapiers parpaillots chassée par la révocation de l'édit de Nantes.

Le régent Joseph Vessodes, fils d'un goujat de ferme qui s'était enfui peu de temps avant sa naissance et d'une trieuse de lentilles, était né cinquante ans auparavant par le siège, ce qui avait occis sa mère. Cette méfortune lui avait valu l'inimitié opiniâtre de ses huit sœurs qui l'avaient élevé avec mille tourments quotidiens. A douze ans, il avait trouvé refuge derrière les murailles du séminaire des Vigilants du Saint-Prépuce, encore en activité à cette époque.

Nommé diacre puis régent par l'abbé du Bartonnet, Joseph Vessodes compensait son ignorance par une piété et une misogynie sans faille. Il enseignait depuis trois décennies l'abécédaire, le syllabaire, les dix commandements et comment servir la messe à la cinquantaine d'enfants du bourg en mesure d'acquitter leurs frais de scolarité. Parce que la conception augustinienne du péché originel faisait de la femme une créature infiniment sournoise et dangereuse, les garces n'étaient pas admises. Pas d'étoupe près des tisons.

– En vérité je vous l'affirme, mes enfants, la femme est plus amère que la mort, car si c'est le démon qui a conduit Ève au péché, c'est Ève qui a séduit Adam, professait-il d'une voix empreinte d'une grande sincérité.

La vue de Clotilde parmi la fratrie provoqua un rejet immédiat.

– Laissez les garçons mais éloignez cette allumette du vice, ordonna-t-il avec un geste balayeur de la main.

Clovis lui sourit aimablement. Il avait revêtu pour la circonstance son bel habit en drap de Saint-Geniez et chaussé des sabots en noyer fraîchement repeints couleur chair. Il avait aussi passé au vinaigre salé son anneau afin qu'il scintillât au bout de son lobe.

– Comme on a toujours un mal fou à les séparer, on les laisse tout faire ensemble, c'est plus simple. Et pour Clotilde, monsieur le régent, vous verrez, c'est une gentille garce bien apprise qui sait déjà un peu lire, un peu écrire, et même un peu dessiner, ma foi.

Il l'avait vue l'été dernier dessiner Charlemagne en s'aidant d'un bâton pour tracer les contours de son ombre sur le sol. A l'automne, elle dessinait toujours l'ombre de Charlemagne mais sur le mur de la cour et avec un morceau de charbon de bois prélevé dans la cheminée. Son modèle exclusif se montrait enthousiasmé par les résultats et l'exprimait en poussant des cris de joie capables de tympaniser quiconque n'y était pas aguerri.

– N'insistez pas, maître Tricotin, les femelles ne sont point admises dans les Petites Écoles.

Clovis regroupa sa progéniture et se rendit place de la Maison pour protester haut et fort. Le consul n'ayant pas autorité sur le régent, il se déchargea sur l'abbé du Bartonnet, qui, par extraordinaire, n'était pas trucidant envers la gent sauvage. Malgré sa goutte, l'abbé eut bonne grâce de se faire transporter en chaise jusqu'à la Petite École où il s'accorda avec le régent d'un compromis que n'aurait pas désavoué un général jésuite : Clotilde pourrait suivre la classe mais du dehors, assise près de la fenêtre qui resterait ouverte pour qu'elle puisse ouïr. Il lui était interdit de se manifester et, bien sûr, de pénétrer dans la salle.

Le régent avait prudemment réparti sa cinquantaine d'écoliers, non pas selon leurs mérites, mais selon une préséance calquée sur celle régissant les places à l'église : les nobles et les nantis devant sur des pupitres proches de son bureau, les autres échelonnés derrière sur des bancs de sapin sans dossier. Au fond, rangé entre deux courants d'air, le banc d'infamie servant de pilori scolaire et, près de la fenêtre, un autre banc réservé aux commençants. C'est lui que Vessodes désigna aux quatre frères. Mais avant il leur montra son martinet à six cordes.

– Embrassez votre meilleur ami, car c'est lui qui vous permettra un jour de faire bonne figure dans le monde.

A l'instar du fouet et de la férule, le martinet était plus un instrument de piété que de torture. Frapper l'écolier fautif non seulement déracinait le mal implanté en lui, mais facilitait la pénétration des connaissances dans son esprit. Cette méthode dite « contondante » était en usage dans la majorité des Petites et Grandes Écoles du royaume. Pour les punitions à caractère religieux, on cognait sur le crâne avec une bible.

Vessodes nota sans plaisir qu'avant de lui obéir les frères s'entretinrent dans un patois aussi volubile qu'incompréhensible contenant des SSSSSSH rappelant ceux des vipères.

Accoutumés depuis toujours à être lorgnés, admirés, voire applaudis, les Tricotin furent tout sauf impressionnés d'être assis face à la classe entière qui les reluquait. Croisant les bras, ils adoptèrent le même air fendard conforme à leur surnom mérité d'épateur et attendirent la suite.

D'emblée, Charlemagne déplut au régent. D'abord parce qu'il ne ressemblait pas aux autres et attestait ainsi les rumeurs d'adultère, ensuite, bien que richement vêtu par sa noble marraine, il était d'une saleté inouïe qui signait un esprit forcément rebéqueur.

Il leur montra la table abécédaire recouverte d'une épaisse couche de sable sur laquelle les commençants s'entraînaient avec le doigt à écrire l'alphabet.

– Montrez-moi ce que vous savez faire.

La fratrie se leva. Vessodes protesta.

– Pas tous à la fois, l'aîné d'abord.

Pépin et Dagobert se rassirent, Clodomir et Charlemagne approchèrent, irritant le régent d'un cran supplémentaire.

– J'ai dit l'aîné !

– L'aîné c'est moi ! déclarèrent-ils d'une seule voix, prêts à se sauter dessus.

Pépin et Dagobert rirent de bon cœur, ravis à l'idée d'assister à une distrayante échauffourée. La tête de Clotilde apparut par la fenêtre, elle aussi riait.

Croyant à une pantalonnade le régent abattit sa main à plat sur le bureau avec un bruit de tonnerre.

– Allez vous rasseoir et restez-y !

Les ignorant alors ostensiblement, il commença son enseignement en interrogeant Louis Dussac, le petit-fils de l'ancien consul. Bientôt, le jeune garçon ânonna :

– Obtenez-moi le don de cette grâce divine qu'est la foi et qui sera la protectrice et la maîtresse de mes cinq sens, qui me fera travailler aux huit œuvres de la miséricorde, croire aux douze articles de la foi et pratiquer les dix commandements de la Loi, et qui enfin me délivrera des sept péchés capitaux jusqu'au dernier jour de ma vie. Amen.

La fratrie se lassa rapidement de cet immobilisme si peu naturel et commença à chuchoter en lenou. Charlemagne fut le premier à quitter le banc pour se lancer à la poursuite d'un cancrelat adulte qui avait entrepris la périlleuse traversée de la salle.

La condition première et indispensable à toute éducation étant d'abord une obéissance sans faille, le régent happa l'enfant par les cheveux à l'instant où il passait devant lui en imitant les zigzags de l'insecte paniqué et le frappa avec son martinet. Charlemagne poussa un cri outragé qui précipita la cascade des regrettables événements qui suivirent.

Clotilde sauta par la fenêtre dans la classe, tandis que Clodomir et Pépin se jetaient tête baissée et de tout leur poids sur le vieux régent. Pris de court, celui-ci tomba à la renverse les bras en croix, lâchant Charlemagne qui en profita pour s'ôter un sabot et lui rendre avec largesse le mauvais traitement qu'il venait de subir, visant la tête, cognant aussi fort qu'il pouvait, les traits congestionnés par l'effort.

Ces représailles provoquèrent une bruyante débandade générale. Les écoliers se précipitèrent vers la sortie en courant chez eux rendre compte de l'outrageuse agression des épateurs sur monsieur le régent.

La fratrie abandonna sa victime gémissante et meurtrie et s'en retourna bras dessus, bras dessous rue des Afitos, chantant la version rouergate de Saint-Nicolas que leur avaient enseignée leurs mères-grands.

Ils étaient cinq petits enfants
Qui s'en allaient glaner aux champs.
Ils sont allés et tant venus
Que sur le soir se sont perdus.
Ils sont allés chez le Pibrac.
– Bourrel voudrais-tu nous loger ?
– Entrez, entrez, petits enfants,
Y'a de la place assurément.
Ils n'étaient pas sitôt entrés
Que le Pibrac les a tués,
Les a coupés en p'tits morceaux
Et puis salés dans un tonneau.

Victimes de la varicelle, les quintuplés firent leurs Pâques au lit, attachés comme des saucisses afin qu'ils ne puissent se gratter et se défigurer comme l'avait été leur mère en son temps.

Ils étaient parfaitement rétablis quand Clarabelle mordit Clovis et plongea les Tricotin et l'ensemble des Racleterrois dans un très affligeant et très odieux dilemme.

Chapitre 16

Racleterre, le mercredi 14 mai 1774.

Mi-écuries, mi-auberge, la Poste aux chevaux de maître Arsène Durif était l'un des rares endroits de Racleterre animé du matin au soir. On y accédait par un large portail flanqué de bouteroues en granit donnant sur une cour percée d'un grand puits. La trentaine de seaux qui pendait autour servait à alimenter en eau les chambres des voyageurs, la cuisine, les écuries et les abreuvoirs.

Le bâtiment de l'auberge se trouvait à main gauche. On achetait à l'intérieur son billet et on réservait sa place à un guichet ouvert sous un avis piqueté de chiures de mouches qui avertissait charitablement : PART QUAND ÇA PEUT.

On pouvait manger, boire, et éventuellement faire sa nuit, mais sans possibilité de crédit. Un autre avis, placardé sur le mur luisant de crasse, accusait explicitement les mauvais payeurs de l'avoir trucidé.

Séparés par la cour à main droite s'alignaient le hangar abritant la sellerie, la maréchalerie et les grandes écuries d'où l'on entendait piaffer et hennir les chevaux.

Propriétaire d'une flotte de cinq pataches, trois malles-de-poste et trois accélérées, maître Durif régnait sans partage sur quatre-vingts chevaux, vingt-sept conducteurs, cochers et postillons, douze goujats d'écurie, cinq baillasses de salle, une épouse, trois fils, quatre garces, plusieurs chats et un couple d'alans qu'il lâchait chaque nuit dans la cour. On pouvait ajouter à cet inventaire un bon milliard de puces et de punaises, si nombreuses qu'elles tombaient parfois du plafond, au pire sur votre chevelure, au mieux dans votre assiette.

Parce qu'il tenait sa commission du roi, le maître de poste était exempté de taille, de milice pour son aîné, du logement des gens de guerre et de la contribution aux frais de guet : ce dernier privilège lui était chroniquement contesté par la Maison qui voyait là une ingérence royale dans les affaires du bourg, doublée d'un sérieux manque à gagner.

On venait à la Poste aux chevaux attendre l'arrivée ou le départ du coche, on venait aussi écouter les dernières nouvelles de l'extérieur que colportaient sans avarice les conducteurs, les cochers et les postillons. Avec le cabaret *A la dalle en pente* de la rue Trousse-Vache, c'était l'établissement de prédilection de la soldatesque désœuvrée qui venait boire, pétuner, parler haut, jouer aux cartes : c'était aussi le lieu de rendez-vous des colporteurs d'almanachs et des vendeurs d'images et de papiers-qui-parlent.

Clovis démonta et attacha Favorite à l'un des poteaux réservés à cet effet. Le goujat qui se curait le nez en surveillant les chevaux du Royal-Navarre fit signe qu'il s'occuperait aussi du sien.

Il poussa la porte de l'auberge et entra dans la vaste salle enfumée et bruyante. Toutes les tables étaient occupées. Quelques voyageurs entourés de leurs sacs et ballots attendaient nerveusement l'arrivée de la patache. Cinq bas-officiers en habit du Royal-Navarre jouaient au trictrac près de la fenêtre ouverte sur la place de l'Arbalète. Ils avaient commandé des poulets qui rôtissaient sur le tourne-broche actionné par un chien noir enfermé dans une cage tambour et qui trottinait à la façon d'un écureuil. La baillasse surveillant la cuisson stimulait régulièrement son ardeur en lui montrant son tisonnier rougi. L'an passé, maître Durif avait acheté un loupiot au garde-chasse Javertit et l'avait mis à la place du chien, mais le louveteau s'était laissé brûler à mort plutôt que d'obéir.

Clovis regarda vers le coin qu'affectionnaient les pieds poudreux et en vit trois occupés à bâfrer, bien imprudemment à son avis, du ragoût maison. Un grand bâton-enseigne après lequel pendaient par la queue six races différentes de rats empaillés annonçait que l'un d'eux était un tueur de rats. Les deux autres vendaient des almanachs de l'année, des romans de chevalerie à deux sols et même quelques vieux numéros du *Mercure de France*. La lecture était exposée dans leurs malles à dos qu'ils avaient ouvertes à côté d'eux. Tous trois portaient sur la poitrine la plaque de cuivre établissant leur état. La profession, et principalement la marchandise qu'elle colportait, était sous étroite surveillance : depuis 1757, un édit royal punissait de mort le commerce des livres clandestins. Étaient prohibés les écrits diaboliques et les modes d'emploi de sorcellerie, les ouvrages libertins, les diatribes s'attaquant à Dieu, les pamphlets et les libelles diffamatoires s'en prenant au roi ou à sa cour.

Clovis s'accroupit pour fouiller dans la première des malles au dossier de cuir puant la sueur de son propriétaire, le papier étant un produit pesant. Il trouva ce qu'il cherchait entre un exemplaire illustré de *La Bête du Gévaudan* et de *L'Attentat de Damiens*.

– Je prends celui-là.

Il montra *L'Histoire du bonhomme Misère*, vivement recommandée par Culat qui lui avait dévoilé l'intrigue (le héros réussit à prendre la Mort au piège). Il empochait la monnaie de son liard, quand un grand vacarme de roues ferrées sur les pavés agita les voyageurs qui se hâtèrent dans la cour où la patache de Rodez venait d'entrer.

– Le roi est mort, s'écria le conducteur avant même d'avoir immobilisé son attelage de six (il disait le « roué »).

Avec des mines et des intonations de circonstance, les passagers confirmèrent l'extraordinaire nouvelle, précisant que le funeste événement s'était produit trois jours auparavant et que sa cause en était la vérole.

Clovis monta sur sa jument et rentra rue des Afitos.

– Le roi est mort voilà trois jours déjà, lança-t-il sans ralentir à tous ceux qu'il croisait, prenant plaisir à leur grande surprise.

Toute activité professionnelle cessa. Le régent Vessodes interrompit sa classe et renvoya ses élèves, les églises se remplirent. Le beffroi sonna le glas. Le chevalier annula son laisser-courre. La châtellenie prit le deuil.

Bouleversée dans sa routine, Prune Déhaut en oublia Clarabelle dans son pré, et lorsqu'elle reprit sa mémoire, les portes du bourg étaient closes jusqu'au lendemain.

Apolline la réprimanda en lui faisant les gros yeux.

– Tête de linotte, va ! Les loups vont la dévorer.
– Pauv' Clarabelle ! Pauv' Clarabelle, gémit en chœur la fratrie.

Dès l'ouverture des portes, Clovis, les quintuplés portant un sac à luzerne vide, Prune chargée de son broc et de son tabouret à traire et Goliath se rendirent au pré situé à une demi-lieue sur le chemin de Roumégoux, en bordure du bois Floutard.
– Nous la voyons ! s'exclamèrent d'une seule voix Charlemagne et Clodomir en jouant des jarrets vers la vache, suivis avec un temps de retard par les autres, Dagobert bon dernier.
Clotilde avait retroussé sa robe et coincé le bas dans son tablier pour courir aussi vite que Pépin, n'ayant cure de montrer ses jambettes jusqu'aux cuisses.
Attachée sous un cerisier en fleur, Clarabelle ruminait en attendant qu'on s'occupe d'elle. Ses volumineuses mamelles pendaient douloureusement dans l'herbe encore mouillée de rosée. Traite matin et soir, son excédent de lait était transformé en beurre et en fromage qu'Apolline revendait (Biquette, morte de vieillesse l'hiver dernier, n'avait pas été remplacée).
Prune joignit ses mains vers le ciel bleu en remerciant sainte Prune, patronne des étourdies. Une laitière de l'Aubrac coûtait cher et il lui aurait fallu dédommager le maître des années durant.
Clovis vérifia l'humidité du mufle et la vivacité de l'œil de la vache qui meugla tristement.
– Toute douce, ma belle. C'est moi.
Il la flatta du garrot à la croupe, s'intéressa au lustrage du poil, à la souplesse de la peau, à la régularité de sa respiration, autant d'indices de bonne santé que l'expérience lui avait inculqués.
Tout paraissait normal lorsqu'il vit des traces de morsures au jarret, puis du sang séché sur la pointe de la corne gauche. Quelques longs poils brun fauve restés collés après indiquaient que la vache avait repoussé les assauts d'un renard et qu'elle l'avait blessé.

Le sabotier s'étonna : ce n'était point mœurs de goupil de s'attaquer à si grosse proie.

Prune s'assit sur son tabouret et glissa le seau sous les mamelles. Clarabelle meugla de nouveau puis se remit à ruminer avec un curieux acharnement.

Rassurés sur son sort, les quintuplés s'étaient dispersés dans le pré. Dagobert cueillait des primevères avec l'intention de les offrir à sa mère, Pépin cherchait des grillons, ou des mantes religieuses, ou des sauterelles, ou n'importe quoi de vivant qu'il pourrait chasser, capturer, torturer, mettre à mort. Bras croisés sous le noisetier, Clodomir, Clotilde et Charlemagne jargonnaient à grande vitesse en observant la servante. Le chien avait disparu dans le sous-bois ronceux.

– Que dites-vous ? demanda leur père qui avait pourtant renoncé depuis longtemps à les comprendre.

Charlemagne décroisa les bras pour mieux hausser les épaules.

– C'est lui qui se demande comment l'herbe verte que mange Clarabelle peut devenir du lolo si blanc, traduisit Clodomir en riant.

Furieux d'être trahi, Charlemagne se jeta sur lui. Ils roulèrent dans l'herbe en essayant de se faire mal. Clovis les empoigna au col et les sépara avec rudesse. Au même instant, Clarabelle rua dans le vide et s'élança en avant, comme piquée par un taon. Sa longe l'arrêta et se tendit en secouant le tronc du cerisier, provoquant une ondée de pétales et d'étamines.

Prune tomba du tabouret en poussant un furieux « Macaniche ! », dévoilant des mollets poilus et des cuisses rose bébé. Clovis détourna vivement les yeux.

– Qu'est-ce qui lui prend ? On dirait-y pas qu'elle me tient rancune de l'avoir oubliée hier, gémit-elle piteusement en se relevant.

Clarabelle s'était remise à brouter avec une voracité insolite, raflant indifféremment la luzerne, les feuilles mortes, les brindilles, les fleurs, et même l'une de ses vieilles bouses sur laquelle poussaient des champignons.

Des clameurs guerrières détournèrent l'attention de Clovis. Encadrés par leurs frères qui se tenaient les mains croisées dans le dos en signe de neutralité, Clodomir et Charlemagne se battaient en duel, armés de branches défeuillées à la hâte. Les poings fermés et l'air farouche, Clotilde était prête à intervenir, en faveur de Charlemagne naturellement.

Il allait interrompre l'engagement lorsque Clodomir esquiva trop lentement une attaque en tierce et reçut la branche sur le crâne. Clovis l'entendit crier sur un ton d'excuse quelque chose comme *« Crafouillot ma minade tapour »*, qui arrêta le combat.

Goliath se fit entendre dans le sous-bois. Ses abois signalaient que l'un des collets tendus hier avait donné.

– Rendez-vous utiles et allez plutôt arracher de la luzerne pour Favorite, leur ordonna-t-il d'un ton sévère.

Les duellistes jetèrent leur bâton et détalèrent en se défiant d'arriver le premier au cerisier où était le sac. Charlemagne gagna d'une épaule.

Pépin n'obéit pas et préféra ramasser l'une des branches-épée et fouailler avec dans un trou de taupe en s'efforçant d'atteindre son occupant. Clovis entra dans le sous-bois au sol parsemé de jonquilles et de violettes qui sentaient bon quand on les écrasait.

Le chien se tortillait d'envie au-dessus d'une lapine de huit livres étranglée à l'entrée de la coulée menant à sa rabouillère.

Clovis la libéra du nœud coulant, l'éventra avec son couteau et la vida des entrailles qu'il donna au chien. Il retendit le collet. Silencieux, dépourvu de mécanisme, tressé à partir de crins pris sur la crinière de Favorite, le piège était conçu pour que la bête se débattît et participât à sa propre assassination.

Un chuchotement le fit se retourner vivement. La fratrie au complet l'observait avec attention. A aucun moment, il ne les avait entendus approcher.

– Macarel de caramba ! Je vous ai pourtant commandé de luzerner ! Faut-il vous fouetter pour que vous daigniez m'obéir ?

– Surtout pas, not' bon père, c'est juste qu'on voulait vous voir braconner, expliqua l'aîné.

Clovis en resta sans voix. Le braconnage était sévèrement châtié dans la châtellenie. Le chevalier Évariste avait fait pendre l'un de ses bûcherons surpris de nuit avec une biche étranglée. Que le bois Floutard appartienne à son beau-père ne changeait rien. Même son propriétaire n'avait pas le droit de toucher aux bêtes sauvages qui s'y trouvaient. Chasser était un privilège exclusivement réservé au roi et aux gentilshommes possesseurs de fiefs.

– Qui vous a dit que je braconnais ?

Ils échangèrent entre eux des mimiques faussement ahuries en se gardant de lui répondre. Plus les ans passaient et plus ils semblaient n'appartenir qu'à eux-mêmes. Ce n'était pas qu'ils étaient vraiment indociles, c'était qu'ils avaient pris l'habitude de ne jamais obéir sans en débattre avant entre eux (et dans leur lenou).

Les premières manifestations de fraternité absolue auxquelles il lui avait été donné d'assister dataient de leur robe d'enfance, quand on appelait Clodomir et que tous les autres réagissaient, ou quand l'un commençait une phrase et que le plus proche la terminait. L'an dernier, Pépin avait trébuché en poursuivant une poule qui l'avait regardé de travers et s'était écorché le genou droit. Bien qu'à aucun moment Clovis ne l'ait entendu crier ou pleurer, les quatre autres avaient surgi dans la cour.

– Je cousais et ils étaient autour de moi à bavardiner quand l'aîné s'est mis à pleurer en se frottant le genou, conta plus tard Apolline, incertaine d'être crue.

Avant de replier la lame dans le manche de corne de son couteau, Clovis l'essuya sur la fourrure de la lapine.

– Savez-vous au moins celer un secret ?

Ils hochèrent la tête à l'unisson.

– Eh bien, il ne faudra jamais rapporter ce que vous m'avez vu faire, sinon on risque de pendre votre pauvre père. Et vous ne voudriez point me voir pendu, j'imagine ?

Ils en débattirent rapidement et décidèrent que non.

– Encore heureux, grommela Clovis.

Ils arrivaient en vue de la porte des Croisades et s'apprêtaient à entrer dans le bourg, lorsque la fratrie se donna le bras et forma une ligne unie comme les cinq orteils d'un pied. Ils prirent alors le petit trot en poussant des « huff, huff, huff » saccadés et bien rythmés.

C'était un spectacle curieux, fantasque même, mais il plaisait aux gens qui s'écartaient en riant pour leur faire place.

– Ahi ! Les voilà, nos épateurs Tricotin ! s'exclamait-on en prenant des mines épatées.

Clovis soupçonnait Charlemagne d'être l'instigateur du numéro. Et pas seulement parce qu'il se plaçait au centre et entraînait les autres, mais plutôt pour le côté chevalin du jeu, pour le petit trot, les huff-huff, et puis cette façon de rejeter la tête en arrière tous les vingt pas et de hennir aux nuages.

Arrivés rue Jéhan-du-Bas, encombrée comme à l'accoutumée, ils modifièrent leur alignement (sans qu'aucun ordre n'ait été donné) et se transformèrent en une chaîne à cinq maillons qui continua de huff-huffer en cadence, tout en se faufilant adroitement entre les charrettes, les tombereaux, les carrioles, les fardiers, les voitures à bras, les portefaix.

Clovis dut allonger le pas pour ne pas être distancé.

Chapitre 17

Apolline s'impatientait. Les vêpres étaient proches et Prune et Clarabelle n'étaient toujours pas revenues du pré. Pour tromper l'attente, elle croquait des échaudés qu'elle amollissait dans du vin de gentiane.

Quand la servante apparut enfin, elle courait en pleurant, à bout de souffle, les cheveux défaits, un signe de grand trouble depuis qu'elle était devenue coquette. Apolline vit avec agacement qu'elle n'avait ni son broc ni son tabouret de traite.

– Ah, là, làlà, ma bonne maîtresse ! C'est la Clarabelle qui veut rien entendre pour rentrer. Elle m'a chargée et sans la longe qui l'a arrêtée, elle m'encornait. Sur l'auréole de sainte Prune, que c'est droite vérité c' que j' vous conte là.

Apolline la prit dans ses bras et la consola : elle la sentit trembler comme un noyer qu'on secoue pour décrocher ses noix.

– Vas-y voir, mon ami, on ne peut pas la laisser faire une deuxième nuit dehors, dit-elle à Clovis qui hocha la tête avec mauvaise grâce.

Sa journée de sabotier s'achevait et il se faisait une joie d'allumer une pipe de Vrai Pongibon et de continuer la lecture de l'histoire du bonhomme Misère, débutée la veille au soir à la plus grande satisfaction des quintuplés.

L'histoire commençait par les mésaventures de deux voyageurs, Pierre et Paul, surpris par l'orage, qui trouvaient asile chez un vilain baptisé Misère, le bien nommé puisqu'il était si pauvre qu'il possédait pour tout bien un unique poirier dont on lui volait régulièrement les fruits. A ce stade du récit, une polémique avait éclaté sur ce que chacun aurait fait à la place de Misère pour ne plus être briconné.

L'aîné Clodomir aurait érigé une forte barrière autour de l'arbre et disposé un grand nombre de grippe-loups.

Pépin trouvait plus expéditif de se poster sur une branche avec le sabre de son père et d'y attendre les nuisibles pour leur sauter dessus et leur trancher la tête.

– Moi, j'aime pas les poires, avait lâché Dagobert en haussant les épaules.

– Moi, je peindrais en rouge les poires vertes, avait dit Clotilde en forçant sa voix pour imiter celle de Charlemagne.

– Et alors ?

– Alors comme ça, ça encoliquerait les bricons et y reviendraient plus, pardi.

Quant à Charlemagne, il avait pris son air malandrin pour lâcher d'une voix toujours trop forte :

– Moi, je serai jamais miséreux.

Quand Clovis et Prune arrivèrent à proximité du pré, des nuages compacts d'étourneaux virevoltaient dans un ciel gris-rose prometteur de pluie.

La servante s'arrêta au bord du chemin en refusant de faire un pas de plus. Du doigt elle désigna l'endroit où elle avait abandonné le broc à traire et le tabouret à trois pieds. La vache ruminait sous le cerisier et semblait ne pas avoir bougé depuis le matin.

Clovis dénoua la longe et tira dessus. Clarabelle ne bougea pas, se contentant de le regarder d'un air attristé. Il tira plus fort. La vache eut un meuglement navré mais s'ébranla et le suivit sur le chemin. Il caressa son mufle au passage et le trouva anormalement chaud et sec. Prune récupéra broc et tabouret et se tint à distance.

Des métayers rentrant chez eux après avoir vendu leurs racines à la halle les saluèrent. Clovis nota avec satisfaction que deux d'entre eux marchaient dans ses sabots.

Ils passèrent l'octroi de la porte des Croisades et pénétrèrent dans le bourg par la promenade du Chevalier, à peine moins encombrée que la Jéhan-du-Bas à cette heure de la relevée.

Pressé de retrouver sa routine, le sabotier accéléra le pas

en tirant sur la longe de Clarabelle pour qu'elle l'imite. Soudain la vache chargea et le heurta violemment dans le dos, le projetant tête première à terre. Abasourdi, il se retourna au moment où l'énorme mufle descendait vers lui, ouvert béantement sur d'énormes canines et incisives jaunes mouchetées de débris de luzerne verte. Clovis se protégea avec sa main droite, et c'est elle que Clarabelle mordit cruellement, manquant de peu de sectionner l'artère radiale. Son forfait commis, la laitière fonça cornes baissées dans la circulation, bottéculant tout ce qui s'interposait.

Prune s'enfuit droit devant elle, abandonnant seau et tabouret pour courir plus vite.

Hébété, la main saignante et douloureuse, Clovis se releva, aidé par un portefaix qui revenait à vide d'une livraison.

Soudain il y eut ce cri terrible, repris par d'autres, et qui provoqua une débandade générale :

– La vache est enragée !

Clovis entendit mais son esprit refusa de comprendre. Il en fut autrement du portefaix qui le lâcha, comme ébouillanté, et disparut sans se retourner.

Glacé d'effroi, oubliant Clarabelle qui semait une franche panique sur la promenade, Clovis s'engouffra dans le passage Testa-Verde donnant dans la rue des Frappes-Devant.

– Ça se peut point, ça se peut point, ça se peut point, répétait-il en tenant sa main blessée devant lui, courant aussi vite que ses jambes le lui permettaient.

Le travail s'achevait à la maréchalerie Tricotin. L'un des teneurs de sabot balayait le sol, l'autre le regardait faire. Louis-Charlemagne comme Caribert étaient absents.

– Où est le maître ?

– Au jardin, dit l'apprenti en montrant la porte ouverte donnant sur la cour.

Un tiers de la superficie était réservé à un potager. Son père profitait des derniers instants de jour pour lisser la terre avec le dos du râteau en bois.

– Père, brûle-moi vite !

Il brandit sa main d'où s'égouttait toujours du sang.

Louis-Charlemagne lâcha son râteau et accourut d'une démarche raidie par les rhumatismes.

– Comment c'est arrivé ?
– Clarabelle m'a mordu.
Le maréchal blêmit. Il ordonna aux teneurs de sabot de ranimer le feu à la hâte et plongea dans les braises la longue lame plate qui lui servait à cautériser les plaies vives chez les quadrupèdes. En attendant qu'elle chauffe, il se servit de la pointe de son couteau pour faire saigner la morsure en la débridant par des petites scarifications.
– Maintenez-le ferme, commanda-t-il aux deux apprentis qui saisirent Clovis avec une mimique d'excuse et l'immobilisèrent comme ils auraient fait pour un mulet rétif.
D'une main qui ne tremblait pas, Louis-Charlemagne appliqua la lame rougie sur les plaies qui fumèrent en grésillant, dégageant une odeur identique à s'y méprendre à celle du cochon lorsqu'on lui grille la couenne pour le dépouiller de ses soies.
Clovis se déchira la lèvre à force de la mordre pour ne pas crier. Ses yeux se brouillèrent de larmes et lui firent l'effet de regarder sous l'eau. Il osa demander :
– Vous pensez que j'ai le fléau ?
Louis-Charlemagne évita de mentir en répondant par une question :
– Où est Clarabelle maintenant ?
– Je ne sais. Après m'avoir mordu, cette carogne s'en est allée semer la déroute sur la promenade du Chevalier. J'ai grand-peur que le guet me la trucide.
– Prions qu'il n'en soit rien, marmonna son père en appliquant sur les chairs calcinées un onguent à base d'ail et de sel pilé pétris longuement avec du miel.
– Il faut la retrouver, ajouta-t-il en refermant le pot médicinal.

Clarabelle gisait morte au croisement de la promenade du Chevalier et de la rue des Maoures. Elle avait été tuée d'un coup de pistolet dans l'oreille administré par un sergent-major du Royal-Navarre qui passait par là et semblait fort aise d'avoir fait mouche sans même démonter.
– Justement, le voilà, dit quelqu'un en voyant Clovis et son père arriver.

Louis-Charlemagne s'agenouilla près de la vache et se servit de son couteau pour retrousser les babines et dévoiler les mâchoires. Il vit de la bave, mais en quantité normale.

L'examen des morsures au jarret ne lui apprit rien de plus. Même si les renards et les loups étaient les principaux propagateurs du fléau, rien ne permettait d'affirmer que celui qui avait mordu Clarabelle était contaminé.

Un piétinement martial et un remous de voix piqué de dauberies annoncèrent l'arrivée tardive du guet.

Le premier acte du sergent fut d'identifier le propriétaire du bovin et de lui dresser un procès-verbal pour entrave à la circulation. Il s'inquiéta ensuite de l'identité du tueur dudit bovin. Toujours perché sur son cheval, le bas-officier se désigna d'une voix bâillante.

Les consignes étant d'éviter toute complication avec les militaires en garnison, le sergent du guet s'en tint là.

Incapable de juger si l'animal était ou non enragé, il manda un archer quérir le médecin Mathieu Izarn ou, à défaut, le chirurgien Perceval, puis il entreprit de dégager le croisement embouchonné. Clarabelle pesant quelque mille livres, la tâche fut rude.

Gêné par sa main blessée, Clovis se contenta de regarder son père et les hommes du guet la repousser avec peine contre un mur.

– C'est elle qui vous a fait cette dentée ? s'enquit le sergent.

– Oui.

– Si elle est enragée, c'est critique pour vous.

A sa voix, Clovis comprit qu'il n'était pas seulement question de sa santé.

Quelques rires accueillirent l'arrivée du médecin qui, à quarante ans, en paraissait vingt de mieux. Mathieu Izarn portait perruque et son crâne résolument hydrocéphale était fiché sur un corps mesquin que prolongeaient des membres grêles lui donnant un air souffreteux de mauvais augure.

Il se pencha sur Clarabelle lorsqu'une voix railleuse s'éleva :

– Un bonheur pour elle qu'elle soit déjà morte, y pourra point la trucider deux fois.

Les Racleterrois, qui préféraient la médecine surnaturelle à la médecine officielle, jugée moins efficace et trop dispendieuse, faisaient appel à ses services en ultime recours, généralement trop tard, d'où cette vilaine réputation d'occire ses patients.

Reçu docteur en médecine à Toulouse après sept années d'études durant lesquelles il avait acquis un respect tyrannique pour la Tradition, Mathieu Izarn pratiquait avec la foi d'un chrétien de l'époque des catacombes le dogme de l'infaillibilité des trois Anciens, Aristote, Hippocrate et Galien, postulant que la source des maladies était le péché, chaque maladie étant un avertissement de Dieu. Un malade se devait donc d'endurer son mal avec joie et patience, tel un signe d'élection divine.

Izarn examina la vache morte à une distance prudente sans rien noter de remarquable. Il étudia pareillement la main du sabotier et déclara que les plaies n'étaient point profondes et qu'elles avaient été adroitement débridées et cautérisées, ce qui fit plaisir au maréchal.

Montrant la laitière du doigt, le médecin ajouta :

– Il est fâcheux qu'elle ait été tuée, car maintenant nous allons devoir espérer les cent un jours.

L'assistance frémit, des femmes se signèrent en secouant la tête, d'autres baisèrent leur médaille en fermant les yeux.

Quand un animal soupçonné de rage avait mordu quelqu'un, on devait le capturer et le placer en observation six jours durant. Au bout de cette période, si l'animal ne succombait pas, on était assuré qu'il ne portait point le fléau, et on épargnait au mordu et à ses proches les affres d'une bien cruelle incertitude. Si par malheur la bête échappait à ses poursuivants, ou si elle était abattue comme ce venait d'être le cas, le mordu devait alors attendre cent un jours avant d'être totalement pacifié sur son état.

Clovis rentra chez lui après avoir délégué son père chez l'équarrisseur Touvier afin qu'il dispose de Clarabelle et la brûle en dehors des murailles.

La mauvaise nouvelle avait déjà atteint la rue des Afitos où un attroupement de voisins battait la semelle devant l'échoppe Tricotin en commentant la situation avec animation. L'arrivée de Clovis suscita un silence contraint. On s'écarta, et si d'aucuns lui adressèrent quelques mots de circonstance, personne ne s'approcha. Tous les regards fixaient sa main aux chairs déjà tuméfiées.

– Oui, c'est Clarabelle, et j'ignore ce qui l'a piquée, admit-il avec une mimique d'incompréhension.

– Une vache qui mord est forcément enragée, lança Boissonade, le maître sabotier qui tenait échoppe quelques maisons plus bas.

Clovis ne releva pas, c'était aussi son avis.

Apolline ajustait sa coiffe du dehors en se mirant dans le reflet d'une casserole de cuivre. Jeanne pilait des noix d'un air accablé, aidée par Prune aux yeux et au nez rouge vif d'avoir trop pleuré.

Assis à l'écart dans la ruelle du lit, les quintuplés jacassaient en lenou autour de Clotilde.

– Merci bien, Seigneur ! s'écria Apolline voyant Clovis entrer, je me faisais un souci d'encre et j'allais à ta rencontre.

Prune éclata en sanglots, se leva et quitta la salle en faisant un grand détour pour l'éviter.

Il s'assit en soutenant sa main de plus en plus douloureuse. Pendant qu'il narrait les circonstances de la mort de Clarabelle et l'incertitude qui en découlait, Jeanne interrompit son pilage de noix pour examiner la morsure. Les quintuplés sortirent de la ruelle et s'efforcèrent d'attirer l'attention de leur père sur *L'Histoire du bonhomme Misère* que tenait Clotilde. La blessure parut les intéresser plus que les apitoyer.

– Lisez-nous la suite, not' bon père, Clotilde, elle, elle fait semblant.

– Laissez-le en paix. Vous voyez bien qu'il est en douleur, s'interposa leur mère-grand Tricotin en remplaçant l'onguent de Louis-Charlemagne par une couche de noix pilées qu'elle saupoudra sur la morsure en récitant la prière antirage.

– Toi, le Fléau si mortel, cours ton chemin car je vois Dieu et ses saints, et la sainte croix, et la sainte bannière, et surtout saint Leu et sa tricote avec laquelle il te donnera des coups sur la tête si tu t'en vas pas.

Demain, elle récupérerait la noix pilée et la donnerait à picorer à ses poules. Si l'une d'elles en crevait, la preuve de la rage serait établie.

– Fléau ou pas, ce qu'est sûr c'est qu'on n'a plus de vache, plus de lait, plus de beurre, plus de fromage… Ah oui, caramba, j'ai aussi une amende pour avoir entravé la circulation et je dois payer les frais d'équarrisseur. Ah ! parlez-moi d'un jour de guignon !

N'ayant plus de raison de sortir, Apolline troqua sa coiffe du dehors pour celle du dedans et retourna dans la cuisine achever la préparation du dîner. Jeanne promit de revenir le lendemain avec de la cendre d'écrevisse et s'en alla.

Clovis demeura seul avec la fratrie. Clotilde lui tendit le *Bonhomme Misère*, ouvert à la bonne page, celle où les deux voyageurs, Pierre et Paul, prennent congé de leur hôte et lui offrent, en remerciement de son hospitalité, de prier Dieu afin qu'il intercède et le tire de ce fâcheux état dans lequel il était réduit.

– « Messieurs, dans la colère où je me trouve contre les fripons qui volent mes poires, je ne demanderais rien d'autre au Seigneur, sinon que tous ceux qui monteront sur mon poirier, y restassent tant qu'il me plaira, et n'en pussent jamais descendre que par ma volonté », lut Clovis à un auditoire attentif et grand poseur de questions.

Le passage où Misère découvrait le voleur de poires perché sur son poirier et se donnant tous les tourments du monde pour en descendre sans pouvoir y parvenir les enthousiasma.

– « Ah ! drôle, je te tiens, dit Misère d'un ton tout à fait joyeux, tu vas payer bien cher tes briconnages par les tourments que je vais te faire souffrir. En premier lieu je veux que toute la ville te voie en cet état, ensuite je ferai un bon feu sous mon poirier et je t'enfumerai comme un jambon de Mayence. »

Pépin applaudit des deux mains. Charlemagne désapprouva :

– Le poirier va brûler avec, et comme il n'en a qu'un, c'est point finaud.

Clotilde demanda où se trouvait Mayence.

Clodomir et Dagobert se turent.

La suite déçut. Misère se faisait embabouiner par le dénicheur et le délivrait du poirier enchanté en lui faisant seulement prêter serment qu'il ne reviendrait de sa vie dessus.

– « Ah ! que cent diables m'emportent, s'écria le bricon, si jamais j'en approche d'une lieue. »

Loin d'être impressionnés, les quintuplés confondirent la mansuétude du bonhomme avec une faiblesse inconcevable et firent savoir qu'ils auraient préféré que Misère brulât et transformât le voleur en jambon fumé, comme promis.

Apolline les interpella de la cuisine en les traitant de petits feignassons. Pépin, Dagobert et Clotilde la rejoignirent avec regret.

Sa qualité d'aîné l'exemptant de toute corvée domestique, Clodomir resta à sa place. Charlemagne aussi, et il aurait été plus aisé d'enseigner le patois à un gentilhomme que de l'y déloger.

– L'aîné, c'est moi ! répétait-il chaque fois que l'occasion se présentait, croisant les bras comme pour se retenir de cogner.

Clovis avait beau le mettre en garde contre le chapelain du château qui lui entrait de pareilles faussetés dans le cabochon, rien n'y faisait.

Depuis le contestable échange de collier, dame Jacinthe s'était faite très rare rue des Afitos ; aussi, lorsqu'elle voulait s'amuser de son filleul, elle envoyait sa chambrière dans une voiture qui l'emportait paisible et haillonneux le matin et le rapportait accommodé en guêpe de cour l'après-midi et l'humeur en fagot d'épines.

– Sauf le respect que je dois peut-être au père Gisclard, je te serine derechef que l'aîné dans notre châtellenie de droit romain est le premier sorti. Comme c'est Clodomir et point toi, c'est Clodomir l'aîné.

– Alors pourquoi c'était moi le plus gros et pas lui ? Et puis pourquoi alors monsieur le chapelain dit que l'aîné c'est toujours le premier entré, et que le premier entré c'est toujours le dernier sorti ?

– Parce que j'ai point voulu lui bailler les quatre livres qu'il me réclamait à tort. Pour un homme de Dieu je le trouve merveilleusement rancunier, caramba.

Charlemagne s'en prenait alors directement à son frère :

– Et toi, c'est même pas sûr que t'es le premier sorti. Monsieur le chapelain dit qu'on t'a tiré au sort parce que vous étiez tous brouillés comme une omelette sur la table.

Il décroisait invariablement les bras pour montrer la table en question, et, invariablement, Clodomir lui sautait dessus. Ils roulaient alors à terre en poussant des grognements de marcassins et Clovis n'avait plus qu'à décrocher le sabre pour accabler leur fondement d'autant de coups qu'il était nécessaire.

La douleur allait et venait le long du bras, enfiévrant son sang qui paraissait bouillonner sous la peau tel du vin chaud. Apolline ne dormait pas non plus. Clovis le devinait à sa respiration courte et à la raideur de son corps sur le matelas. Craignait-elle qu'il s'enrage subitement, qu'il la morde et l'enrage à son tour ?

Les lumières du sabotier sur le fléau se limitaient aux histoires contées aux veillées d'hiver, comme celle de ce valet de charrue du hameau de La Valette qu'un loup enragé avait contaminé. Il avait fallu l'étouffer entre deux matelas après qu'il eut mordu ses enfants, son épouse, et même la mère de son épouse, qu'il fallut étouffer à leur tour.

Ayant soif, il se glissa hors du lit, déclenchant la voix d'Apolline :

– Ça ne va pas ?

– J'ai juste soif, ne te chaille point.

Il se rendait à la cuisine quand il perçut des chuchotements assourdis en provenance des combles. Montant quelques marches, il prêta l'oreille et entendit la fratrie baragouiner en lenou : la lueur d'une bougie dansait sous la porte. Clodomir et Charlemagne faisaient les frais de la conversation. Entendant prononcer le nom de Misère, il crut deviner qu'ils racontaient aux trois autres ce que les corvées de cuisine leur avaient fait rater. Mais comment en être sûr avec ces extravagants *« Poul ra mir canipalit ot marma crassssso manira lézorou »* ?

Il s'éleva d'une marche de trop qui craqua. Le silence tomba comme un rideau, la lueur disparut sous la porte. Clovis n'avait plus qu'à redescendre. Il but dans la cuisine deux gobelets d'eau fraîche qui étanchèrent sa soif et le rassurèrent provisoirement. Avec la production surabondante de bave, la phobie de l'eau était l'un des symptômes les plus spectaculaires du fléau.

Il sortit dans la cour, en évitant de regarder vers l'étable vide, et fit quelques pas sous la lune et les étoiles. Favorite qui dormait debout dans sa stalle s'éveilla. Il l'apaisa en lui murmurant des mots doux. Il revenait dans la cuisine lorsque des bruits de piétinements fourbus, de cliquetis métalliques et de respirations lasses allumèrent sa curiosité. Il ouvrit la fenêtre de l'échoppe et se pencha au-dehors. Une trentaine de chiens prenant toute la largeur de la rue défilèrent devant lui, l'échine basse et la langue pendante. Certains boitaient bas et deux d'entre eux, gravement blessés, étaient portés par des valets au visage marqué par l'effort. Après les meutes, après les valets, Clovis vit passer les piqueurs Onrazac, le père à cheval, et Blaise, son fils, à pied. Ils étaient suivis du chevalier Virgile-Amédée et de ses invités, dont l'abbé du Bartonnet qui avait perdu son tricorne et paraissait connaître des difficultés à rester en selle. Leurs montures étaient boueuses jusqu'au poitrail et portaient aux flancs de nombreuses écorchures. Quelle que soit la bête chassée, celle-ci n'avait point été prise.

Clovis ferma la fenêtre et retourna se coucher. Il souffla la chandelle, ferma les yeux et attendit le sommeil comme on attend la malle-poste quand le temps est mauvais et qu'elle a du retard.

Chapitre 18

Le vendredi 16 mai 1774.

Clovis dormit peu et rêva qu'il avalait des limaces. Lorsqu'il s'éveilla, sa main avait doublé de volume, la plaie suintait sous la noix pilée et un bubon de la taille d'un œuf de cane gonflait son aisselle.

Le bras en écharpe lui interdisant toute activité sabotière, il renonça à se rendre au bois Floutard s'approvisionner en quartiers et se contenta de distribuer le travail à Petit-Jacquot (qui avait grandi et était passé compagnon) et d'accueillir les clients, simples curieux pour la plupart, venus s'informer sur l'évolution de sa morsure comme on consulte un ciel orageux en se demandant quand il va percer.

Leur soupe matinale avalée, les quintuplés s'activèrent à leurs corvées quotidiennes. L'aîné et Pépin restèrent près de leur père qui avait commencé l'année précédente leur apprentissage. Dagobert s'en fut avec sa mère trier des lentilles dans la cuisine. Charlemagne sortit Favorite de sa stalle et la bouchonna en s'installant près du puits pour monter sur la margelle et atteindre l'échine. Il prenait plaisir à ce qu'il faisait, la jument aussi.

Munie d'une fourche deux fois plus grande qu'elle, Clotilde changeait la litière en lançant régulièrement quelques mots en lenou à son frère qui lui répondait sur le même ton.

Le vieux Goliath faisait son tour d'inspection de la cour, qui se limitait à renifler les voies laissées par les rats durant la nuit et à laisser tomber dessus quelques gouttes d'urine.

Dans l'échoppe, Clovis avait bandé les yeux de l'aîné et

du cadet et avait disposé devant eux quatre sortes de feuillus qu'ils devaient identifier à l'odeur et au toucher.

– C'est du bouleau, dit Clodomir après avoir reniflé et tripoté sans conviction un quartier de noyer.

Clovis soupira. Chaque bois avait son odeur. Le bouleau sentait le nid de fourmis, le noyer exhalait une fine odeur de violette, le peuplier dégageait une épaisse senteur marécageuse et le hêtre sentait la pierre à fusil. Les distinguer était l'alphabet du métier, pourtant, après un an d'apprentissage, ses fils ne savaient toujours pas reconnaître une rénette pour sculpter d'une cuillère pour creuser, et encore moins se servir d'un paroir. Clodomir avait manqué y laisser un pouce, et, plus récemment, Pépin avait gravement ébréché le tranchant en voulant sectionner avec la tête d'un clou. Bien que remplis de bonne volonté, ils étaient hélas totalement dépourvus de disposition pour la saboterie et le travail du bois en général.

Clovis les sentait présentement distraits et plus attentifs à ce que Charlemagne et Clotilde baragouinaient dans la cour qu'à ce qu'il leur enseignait.

– Je me demande ce que Dieu va vous bailler comme vie si vous ne changez pas ! dit-il sincèrement préoccupé, oubliant un instant sa morsure.

Il dénouait leur bandeau quand le médecin Mathieu Izarn entra et le salua en exprimant le souhait de l'ausculter. Clovis accepta à la condition qu'aucun honoraire ne lui soit réclamé après.

– Rassurez-vous, seule la curiosité médicale m'anime, maître Tricotin, assura l'homme de l'art en sortant d'un écrin maroquiné une loupe de grande dimension qu'il promena longuement au-dessus de la morsure.

– Que recherchez-vous ainsi qui prenne autant de temps ? finit par demander Clovis.

– Je m'assure qu'aucun ver à tête de chiot n'est en train de croître dans votre plaie.

Avant de venir, le médecin avait rafraîchi sa mémoire en consultant les ouvrages d'Avicenne et d'Ambroise Paré. Tous deux étaient formels sur l'existence de tels vers et affirmaient avoir constaté leur apparition quelques heures après une contamination.

– Mais veuillez rester serein. Ces vers ont pour coutume de se nicher au préalable sous la langue, puis dans les dents des animaux atteints. Or l'examen auquel je me suis livré sur votre vache n'a rien donné. Il y a donc tout lieu d'être optimiste. Ne manquez point cependant d'être vigilant et de me prévenir avec diligence si, malgré tout, l'un d'eux se manifestait.

Clovis regarda sa main avec inquiétude.

– Vous dites que ces vers ont des têtes de chiot ?

Le médecin opina gravement du chef, précisant toutefois :

– De chien lorsqu'ils seront plus vieux.

– Pourquoi de chien ? C'est une vache qui m'a mordu, pas un chien.

Pris au dépourvu, le docteur Izarn gagna du temps en faisant répéter la question et en fronçant les sourcils d'un air intéressé, marmonnant quelques « hum, hum » spéculatifs.

– J'allais précisément attirer votre sagacité sur ce détail. Il va sans dire que, dans votre cas, ce sera, bien sûr, des vers à tête de veau qu'il vous faut guetter, maître Tricotin.

Le médecin rangeait sa loupe et allait pour prendre congé quand la cloche du beffroi retentit selon un code connu de tous et intimant aux dix quarteniers de se réunir toutes affaires cessantes à la Maison communale.

Clovis ne douta pas d'en être la cause.

L'abominable particularité de la rage – unique en cela parmi les calamités répertoriées – était de transformer en bête féroce et écumante toute créature de Dieu qu'elle atteignait, fût-elle la plus douce (on connaissait des cas d'agneau enragé, de colombe enragée, de coccinelle enragée). Sa simple évocation avait le pouvoir d'affoler les esprits les plus forts, qui la considéraient comme un authentique fléau commandité par Dieu dans le seul but de châtier ceux qui méconnaissaient sa Toute-Puissance.

Grâce aux contrôles draconiens exercés aux trois portes, grâce aux fermetures de ces dernières à l'obscur, grâce encore à la stricte application de l'édit communal sur l'errance des animaux, la rage à ce jour était restée cantonnée hors des murs de Racleterre. Aussi, lorsque le consul Arnold de Puigouzon prit connaissance du rapport concernant l'abattage d'une vache soupçonnée d'être enragée parce qu'elle avait mordu son propriétaire, donna-t-il l'ordre au carillonneur de sonner la convocation immédiate de l'assemblée.

Sur les dix quarteniers, deux manquaient à l'appel. Le greffier Pillehomme nota leur nom ; une amende de dix livres leur serait imposée au cas où ils ne pourraient justifier leur absence.

Le sergent du guet refit oralement son rapport. On lui posa quelques questions auxquelles il répondit au mieux.

– Nenni, maître Durif, à ma connaissance, personne d'autre n'a été mordu... Oui da, monsieur l'exacteur, la vache a été inspectée à ma demande par monsieur le médecin reçu Izarn qui n'a rien remarqué. Oui da, maître Lamberton, j'ai interdit au propriétaire de la vendre en boucherie, et c'est l'équarrisseur qui s'en est chargé.

Le consul ordonna au lieutenant du guet d'amener le médecin séance tenante. Les archers le trouvèrent revenant de la saboterie. Il les suivit sans se faire prier, les narines battantes dans son avidité de plaire. Il répondit aux questions de l'assemblée, et même à celles dont il ignorait les réponses.

– Le système de l'hydrophobie, ou si vous préférez de la rage, monsieur le consul, messieurs les quarteniers, nous est, à nous médecins reçus, tout à fait familier. Il s'agit de vers minuscules nés des eaux dormantes et putrides, ou encore des charognes en déliquescence, qu'avalent imprudemment les loups, les renards, les fouines, mais aussi les chiens. Ces vers perfides se glissent aussitôt sous la langue et dans les dents de l'animal où ils prospèrent avec célérité. De là, ils se propagent dans l'organisme jusqu'aux ventricules du cerveau, à qui ils donnent bientôt l'ordre de mordre n'importe qui dans le but de se répandre dans un nouvel organisme, mélangé à la bave toujours abondante chez une bête enragée.

Maître Floutard l'interrompit.

– Tout ceci est fort instructif, monsieur le savant, mais

ce qui nous importe c'est de savoir si ce sabotier représente un danger pour la sécurité de notre bourg.

Tous savaient que « ce sabotier » était aussi son beau-fils : soucieux de ne pas être suspecté de partialité, Floutard se croyait tenu à une intransigeance sans défaut.

– Il est encore trop tôt pour le dire. Je viens d'ausculter sa blessure et je n'y ai trouvé aucun de ces vers morbifiques. Mais cela ne veut pas dire qu'ils n'y soient point. Il se peut qu'ils attendent leur heure et surgissent à l'improviste dans un mois, ou dans deux, voire dans trois. Si maître Tricotin n'est point décédé au bout de cent et un jours, nous pourrons conclure que la vache n'était pas enragée. J'ajoute que nous ne serions point dans une si cruelle expectative si l'animal n'avait point été abattu inconsidérément.

– Vertudiou ! C'est ma foi vrai. Quel est l'imbécile ?

Le sergent du guet eut une grimace.

– Comme c'est un sergent du Royal-Navarre, monsieur le consul, j'ai suivi les consignes de discrétion, et je m'en suis tenu à sa relation des faits : il a vu la vache folle, il a entendu quelqu'un crier qu'elle avait la rage, il a sorti son pistolet et il a fait mouche.

Il y eut des soupirs excédés et quelques jurons bougonnés. Les relations du bourg avec les troupes en garnison étaient toujours mauvaises.

Prétextant ne point disposer des finances nécessaires à la construction de casernes, l'administration royale avait pour habitude de répartir les troupes de sa Majesté à travers le royaume. Comme tous les bourgs et cités du Rouergue, Racleterre était régulièrement mis à contribution. Cette fois, le bourg avait écopé d'une compagnie du régiment Royal-Navarre qu'il fallait loger et nourrir. Grands suceurs d'eau-de-vie, étrangers au Rouergue pour la plupart, ravageurs de jupons, ces soldats cohabitaient mal avec une population fière et dépourvue d'humour dès qu'il était question d'honneur familial.

Le consul remercia le docteur Izarn qui sortit fort marri de ne pas être convié aux délibérations finales.

Seule sa qualité de père des célèbres épateurs valut à Clovis le privilège de ne pas être expulsé sur-le-champ du bourg. En contrepartie, l'édit suivant fut voté à l'unanimité :

DE PAR LE CONSUL ET SON ASSEMBLÉE
Il est convenu qu'à ce jour d'hui et pour une période de cent et un jours, le maître sabotier Clovis Tricotin, tenant échoppe rue des Afitos, devra une fois par jour, qu'il arde, vente ou neige, se présenter à la Maison communale afin que son état d'enragé potentiel soit dûment contrôlé.
Fait à Racleterre ce seize mai de l'an de grâce mil sept cent soixante-quatorze.

SIGNÉ : De Puigouzon et son Assemblée.

A la demande du quartenier Floutard, une nouvelle délibération eut lieu durant laquelle le « une fois par jour » fut amendé en « deux fois par jour ».

Racleterre ne possédant pas d'imprimerie (le chevalier Virgile-Amédée y veillait), plusieurs copies furent manuscrites. Maffre, le crieur public, s'en fut les placarder sur la façade de la Maison, aux trois places, aux trois portes, et, pour conclure, sur celle de l'intéressé.

A raison de trois quarts d'heure par sabot – une heure et demie par paire –, Clovis fabriquait une moyenne de seize paires par jour qu'il vendait vingt sols la paire (le salaire quotidien d'un journalier était de dix sols en hiver – douze en été –, et la plus vilaine des perruques du chevalier en coûtait trois cents). Ces quelques jours sans travail allaient lui purger la bourse.

Réjoui par la seule bonne nouvelle de la journée transmise par sa mère (les poules nourries à la noix pilée avaient survécu), Clovis céda aux instances des quintuplés et leur lut la suite des mésaventures de Misère.

– « Un certain jour qu'il était tranquille dans sa maison, le bonhomme entendit frapper à sa porte et fut bien étonné de recevoir une visite qu'il ne croyait pas si proche : c'était la Mort qui faisait sa ronde dans le monde. »

Avec beaucoup d'à-propos, des coups résonnèrent contre la porte de l'échoppe. La fratrie sursauta. Clovis eut un sourire crispé.

– C'est Maffre, le crieur, dit Apolline.

Clovis reposa son livre et sortit, suivi des quintuplés qui s'accrochaient à ses chausses en le pétitionnant pour connaître la suite de l'histoire.

De sa belle voix de clairon qui portait loin, le crieur public lut l'édit et le placarda sur le battant. Clovis blêmit. Qui voudrait désormais faire commerce avec un « enragé potentiel » ?

Les heures qui suivirent confirmèrent ses craintes. Plus un seul client ne franchit le seuil de l'échoppe, et, ce soir-là, personne n'ignorait à Racleterre que le fléau était « potentiellement » *intra muros*.

Après le souper, qu'il avait croustillé du bout des dents, il dut se plier aux exigences de plus en plus bruyantes des quintuplés pour qu'il poursuive la lecture.

– « Soyez la bienvenue, dit Misère sans s'émouvoir, en regardant la Mort comme un homme qui ne la craignait point.

« Quoi ! lui dit-elle, tu ne me crains donc point, moi qui fais trembler d'un seul regard tout ce qu'il y a de puissant sur la terre, depuis le berger jusqu'au monarque !

« Non, lui dit-il, vous ne me faites aucune peur. Je n'ai ni femme ni enfant, je n'ai pas un pouce de terre ayant quelque valeur, excepté cette petite chaumière et mon poirier. A vrai dire, si quelque chose dans ce monde était capable de me faire de la peine, ce serait l'attache que j'éprouve pour cet arbre qui depuis tant d'années me nourrit. Mais comme la réplique n'est point de saison quand Vous voulez qu'on Vous suive, tout ce que je désire et que je Vous prie de m'accorder avant que je meure, c'est que je mange encore une de mes poires. »

Clovis s'interrompit, incapable de se concentrer plus avant. Sa main irradiait de douleur et la fièvre qui cuisait sous son front lui brouillait sa vue. Il referma le livre. Les quintuplés s'agitèrent.

– Dites-nous au moins ce qu'a répondu la Mort ? l'implora Clodomir en rouvrant le livre à la bonne page.

Clovis lut d'une voix terne :

– « La demande est trop raisonnable, pour te la refuser, dit la Mort ; va toi-même choisir la poire que tu veux manger, j'y consens. »

Chapitre 19

Le samedi 17 mai 1774.

Un peu avant tierce, Clovis, dans son meilleur habit, prit le chemin de la Maison.

Ignorer le contrôle médical aurait provoqué son expulsion du bourg, déchirer l'affiche aurait coûté trente livres d'amende, plus une livre pour payer la nouvelle copie au greffier.

Apolline et les quintuplés l'accompagnaient, vêtus eux aussi de leurs plus beaux atours. Clotilde portait un corsage et un jupon du dehors brodés de fleurs des champs semblables à ceux de sa mère. Clodomir était en habit du même drap bleu de Saint-Geniez que celui de son père, Pépin et Dagobert étaient en habit de drap gris. Charlemagne portait un justaucorps épinard aux revers moutarde, enfilé sur un gilet jaune poussin mal boutonné et une culotte trop ajustée jadis vert céladon, aujourd'hui brun cagadou. Il n'était point chapeauté, ses cheveux longs étaient serrés en queue sur sa nuque, ses bas plissaient sur ses mollets et, seul accroc au bon goût, il chaussait des sabots identiques à ceux de ses frères, ne souffrant pas les souliers à talons hauts imposés par sa marraine.

Tierce sonnait lorsqu'ils arrivèrent devant la Maison communale surmontée de son beffroi haut de huit toises (une de plus que le clocher de Saint-Benoît) et fierté des bourgeois de Racleterre. Le léopard de pierre ornant le porche rappelait que le Rouergue avait été anglais. Le hall d'entrée se trouvait agrémenté d'un vaste tableau décrivant la première assemblée recevant des mains du roi Charles VII la charte d'affranchissement du bourg.

L'appariteur et sa table étaient installés face à une statue fort laide du premier consul élu. A sa gauche, s'ouvrait la salle de garde du guet donnant accès à la cave, et sur sa dextre, la salle de justice communale prolongée d'un réduit baptisé salle des archives judiciaires. Une petite porte voûtée menait au beffroi et au logement du carillonneur.

L'examen médical de Clovis eut lieu dans la salle des délibérations située à l'étage, en présence du consul, d'une partie du conseil et d'un public clairsemé et sur ses gardes. Un sergent et six archers se tenaient prêts à intervenir au cas où, subitement, l'enragé potentiel deviendrait enragé tout court.

A défaut d'une autorité plus compétente, l'examen fut confié au docteur Izarn, et cela malgré son refus d'en rabattre sur ses honoraires (une livre par consultation à domicile, le double hors du bourg). Il convia Clovis à poser sa main sur le pupitre du greffier qu'éclairait abondamment l'une des fenêtres à meneaux, puis il imposa un silence expectatif dans la salle en sortant de son étui sa grande loupe médicinale.

Debout sous la charte d'affranchissement et la lettre de félicitations du défunt Louis le quinzième, Apolline psalmodiait silencieusement la prière antirage en tripatouillant la médaille neuve de Saint-Hubert achetée la veille. Main dans la main, sage comme cinq images, la fratrie suivait chaque mouvement du médecin.

L'inspection de la main achevée, Izarn ne rangea pas pour autant son instrument.

– Je souhaiterais examiner votre langue itou.

– Ma quoi ? ne sut que répliquer le sabotier, pris de court.

– Votre langue, maître Tricotin, ou si vous préférez cet organe charnu et mobile qui se trouve fixé par son extrémité postérieure à votre plancher buccal.

– C'est que je n'ai point été mordu là, que je sache.

Le médecin s'adressa au consul et à son entourage.

– Je tiens à m'assurer que ces vers morbifiques ne sont pas déjà remontés jusqu'à la langue, un endroit d'une importance stratégique capitale pour leur abominable disposition à contaminer. Là se trouve le siège des glandesfabriques à bave, bave par laquelle, souffrez messieurs que je vous le serine à nouveau, ils aiment voyager.

Le consul congratula le médecin pour sa conscience professionnelle et ordonna au sabotier de se soumettre.

Les joues échauffées par l'embarras, Clovis tira la langue. Ses fils se dévisagèrent avec circonspection. On leur donnait du plat de sabre, à eux, pour une pareille conduite.

Aucun ver n'ayant été repéré, Clovis put clore la bouche et rentrer chez lui, sous réserve de revenir en fin de relevée pour un nouvel examen.

Dans le hall, il se sépara d'Apolline et des enfants.

– Rentrez, je vous rejoindrai plus tard.

Élevant la voix pour être entendu, il ajouta d'une voix où perçait la menace :

– Tu as vu comment ils me traitent ! Je vais chez monsieur l'avocat Pagès-Fortin, et ça ne va point se passer ainsi, caramba !

Sa main blessée lui interdit de faire tinter son anneau.

L'idée de consulter l'avocat se révéla bénéfique. Ce dernier obtint du consul que les examens s'effectuent au domicile du sabotier de préférence à la Maison, et il le convainquit aussi de voter un dédommagement au bénéfice du sabotier, afin de compenser la grande déroute de son chiffre d'affaires depuis le placardage de l'édit sur sa porte.

En guise d'épices, Pagès-Fortin demanda que la fratrie assiste cinq fois par semaine aux leçons de son Temple du Savoir.

Fermée une première fois sur ordre de l'évêque de Millau sous prétexte que son enseignement y était scandaleusement mixte, l'école avait été rouverte après que l'avocat eut fait appel à l'arbitrage du grand chantre du chapitre de Notre-Dame de Paris, pas moins.

Elle fut fermée une seconde fois sur ordre de la Maison, après que des parents eurent exigé le renvoi du régent accusé de trop grandes lumières : nombreux étaient ceux qui croyaient sincèrement que les enfants intelligents vivaient moins longtemps que les autres, et plus nombreux encore ceux qui estimaient qu'un trop grand savoir était une menace pour leur autorité. Le régent fut remplacé, et l'école rouverte.

L'idée de mêler ses enfants avec ce qu'il y avait de plus gueusard, de plus malappris, de plus grouillant de vermines du bourg et des environs ne souriait guère à Clovis ; mais, après la contre-performance de l'an passé à la Petite École, il n'existait point d'alternative s'il voulait que ses enfants acquièrent quelques lumières.

Après quatre ans d'apprentissage chez un maître de Marseille et six autres comme compagnon chez son père, Paul Eustachette s'était présenté à sa maîtrise d'apothicaire devant un jury de maîtres qui lui avait demandé d'identifier diverses plantes médicinales, puis d'exécuter cinq préparations savantes.

Rendu aveugle par un coup de foudre tombé trop près, son père lui avait cédé prématurément le gouvernement de la vaste boutique aux murs couverts de bocaux en faïence, de boîtes en bois coloriées, de flacons en verre soufflés, de piluliers de toutes tailles, chacun portant le nom en latin du produit qu'il contenait. Son apprentissage à Marseille l'avait mis au contact de nombreux remèdes exotiques qu'il avait appris à doser et qui faisaient de lui l'apothicaire le plus réputé du bourg. Tous ces remèdes avaient en commun dans leur préparation le vin, le miel, la chair de vipère hachée et, surtout, une abondante quantité d'extraits de pavot et de cannabis.

Comme c'étaient aussi des médecines onéreuses, réservées à l'usage des nantis, maître Eustachette tiqua lorsque Louis-Charlemagne entra dans son officine et lui commanda trois scrupules de thériaque. Inventée par le premier médecin de Néron, la thériaque avait fait ses preuves dans la guérison des dépravations du tube à crottes, des flux de poitrine, des apoplexies bleues, de la petite vérole, des morsures venimeuses et de celles d'animaux enragés.

– Je te signale, bonhomme, que la thériaque de d'Aquin comporte soixante-dix-sept substances aussi rares qu'inaccoutumées. Toutes ont été ramenées de contrées lointaines renommées pour l'inhospitalité de leurs citoyens, aussi je te…

Il se tut. Le maréchal venait de déposer sur le marbre

du comptoir un louis qui tinta avec le bruit inimitable de l'or. Au manque d'éclat du métal, ainsi qu'au profil de Louis XIV enfant, il devina que la pièce voyait la lumière après un long séjour dans une cachette obscure.

L'apothicaire prépara la panacée et convainquit Louis-Charlemagne d'emporter, en sus des scrupules de thériaque et en échange de la monnaie de son louis, cinq grains d'orviétan, excellent pour les convulsions de petite et longue durées, deux setiers d'eau d'arquebusade et une infusion de plantes vulnéraires, réputées pour leur action réparatrice sur les plaies béantes, ainsi qu'une once de baume Le Tranquille, un subtil mélange de trente-trois plantes, toutes narcotiques, capable d'apaiser n'importe quelle douleur.

Au même moment, Apolline, Jeanne Tricotin, sa mère, Blandine Camboulives, Adèle Floutard et les quintuplés se rendaient en carriole à la chapelle de Saint-Hubert, élevée dans une clairière de la forêt de Saint-Leu, à deux lieues du bourg. L'édifice remontait au temps des Anglais et du chevalier Hubert le Honni, douzième des Armogaste, son édificateur.

Égaré dans la forêt par une nuit de pleine lune couverte, celui-ci s'était adressé à son saint patron en faisant le vœu de lui bâtir une chapelle s'il l'aidait à se déperdre. On contait que les nuages s'étaient alors espacés, que la lune était apparue et que le chevalier Hubert avait retrouvé le chemin de son donjon : il avait tenu sa promesse dès le lendemain.

Deux cordes en lambeaux tombaient d'une branche du grand chêne faisant face à la chapelle : elles avaient servi à pendre un braconnier et son chien du temps du chevalier Évariste.

Les murs de la chapelle portaient de nombreux ex-voto de veneurs remerciant saint Hubert de leur avoir permis de survivre à tel ou tel accident de chasse. Certaines de ces actions de grâce étaient attribuées à des braconniers. L'un d'eux, qui s'était prudemment peint sans tête, remerciait saint Hubert d'avoir caché la lune avec de gros nuages au moment où il le lui demandait, lui permettant d'échapper au garde-chasse, reconnaissable sur l'ex-voto à son fusil et à son baudrier aux armes des Armogaste.

Afin de remettre les choses en leur place, on avait peint sur la porte l'intégralité de la grande ordonnance des Eaux et Forêts de Louis le quatorzième.

> Faisons défense avec risque d'y perdre la vie, aux Marchands, Artisans, Bourgeois et Habitants des Villes, Bourgs et Paroisses, Villages et Hameaux, Paysans et Roturiers, de quelque état et qualité qu'ils soient, non possédant fiefs, seigneuries, et Haute Justice, de chasser en quelque lieu, sorte et manière, et sur quelque gibier à poil ou de plume que ce puisse être.

C'est au XVe siècle qu'une partie de la chapelle fut dédiée à saint Leu, patron des bûcherons, des pâtres, des bergers et des bergères. Sculpté dans un tronc de noyer, le saint souriait sous sa mitre d'archevêque. Il tenait sa crosse dans une main, tandis que l'autre caressait la tête d'un grand loup noir qui le regardait en montrant ses crocs d'entre lesquels pendait une langue carmin.

Adèle et Blandine disposèrent huit cierges en cire autour de la statue et les allumèrent en récitant une première supplique.

Les qualités qu'on prêtait au saint depuis l'an mille venaient de l'homonymie de son nom avec celui de la malebête, « leu » étant la forme ancienne de loup. Par extension, saint Leu était invoqué contre les méchefs et les dégâts causés par les animaux, sauvages ou non.

Clotilde fut captivée par toutes ces saynètes. Trop courte pour voir les plus hautes, elle grimpa sur Charlemagne qui lui prêta ses épaules sans rechigner.

– Pourquoi on n'en met pas un nous aussi ? finit-elle par demander à sa mère.

– On en met seulement si on est exaucé.

– Alors quand notre bon père sera guéri, c'est moi qui fera le sien.

– Nous allons tous prier ensemble pour le salut de votre père bien affligé. Venez vous agenouiller, ordonna Apolline en désignant le dallage poussiéreux semé de crottes de rat que des fourmis avaient entrepris de ranger ailleurs.

– Si à neuf y nous entend pas, c'est qu'il est sourd des deux oreilles, dit Clodomir en dévisageant le saint aux couleurs défraîchies par l'humidité.

– Ou qu'il veut pas, dit Pépin.

– Ou qu'il est pas là, dit Dagobert.

– Ou qu'il peut pas, dit Clotilde.

– Ou qu'il s'en contrefiche, conclut Charlemagne.

Les effets de l'opium contenu dans la thériaque, conjugués à ceux du cannabis composant les trois quarts de l'infusion d'arquebusade, prirent effet une heure environ après leur ingestion. L'humeur porc-épic de Clovis s'atténua au fur et à mesure que les pointes de douleur s'émoussaient. C'était magique. Même l'anxiété disparaissait.

Il mangea peu mais prit un vif plaisir à observer les quintuplés bâfrer avec entrain. Charlemagne était le seul à manger aussi salement. Il s'en mettait partout, même sur les cheveux, mais une pareille appétence faisait plaisir à voir. Clotilde, à ses côtés, mangeait lentement et souriait entre chaque bouchée. Dagobert, le plus aimable et le plus pacifique (au point d'avoir fait ses premières dents un an après les autres), aimait piocher dans l'assiette des autres qui le laissaient faire. En face, côte à côte, et dans un synchronisme parfait, Clodomir et Pépin vidaient leur écuelle avec un même nombre de cuillerées. Celle-ci vide, ils la présentèrent en un ensemble déroutant pour un supplément. Apolline, debout derrière eux, les servit.

– Moi aussi ! clama aussitôt Charlemagne de sa voix ample et qui portait si loin.

– Moins fort, lui rappela Clovis pour la millionième fois.

Le gamin semblait refuser d'admettre qu'il n'était point nécessaire de tonner pour avoir du pain, ou de réciter à tue-tête le bénédicité pour être entendu de Dieu.

Clovis se sentait si bienheureux qu'il se bourra une bouffarde de Vrai Pongibon et ne se fit pas prier lorsque son aîné déposa sous ses yeux le livre du bonhomme Misère ouvert sur l'illustration montrant le miséreux, le poirier aux belles poires et la Mort encapuchonnée dans une ample cape noire. Elle tenait une faux dans une main squelettique et un sablier dans l'autre.

– « Misère tourna longtemps autour du poirier, regardant dans les branches la poire qui lui plairait le plus. Ayant jeté sa vue sur une qui lui paraissait très belle, il dit : "Voilà celle que je choisis, prêtez-moi, je vous prie, votre faux pour un instant que je l'abatte."

« Cet instrument ne se prête à personne, répondit la Mort, et jamais bon soldat ne se laisse désarmer. Il vaut mieux que tu montes sur ton arbre et cueilles à la main cette poire qui se gâterait si elle tombait.

« C'est bien dit si j'en avais seulement la force, répondit Misère, ne voyez-vous pas que je ne saurai presque me soutenir ?

« Hé bien, je veux bien te rendre ce service, lui répliqua la Mort. »

Assises près de la cheminée, leur écuelle posée sur leurs cuisses, Apolline et Prune mangeaient à leur tour sans perdre un mot du récit. Le vieux Goliath s'était roulé en boule près de Charlemagne et dormait.

– « La Mort ayant grimpé sur l'arbre, cueillit la poire que Misère désirait avec tant d'ardeur ; mais elle fut bien étonnée lorsque, voulant redescendre, cela se trouva tout à fait impossible.

« Bonhomme, lui dit-elle, dis-moi ce que c'est que cet arbre-ci ?

« Comment ? Ne voyez-vous pas que c'est un poirier ?

« Sans doute, mais que veut dire que je ne saurais pas en descendre ?

« Ma foi, reprit Misère, ce sont là vos affaires.

« Oh ! Bonhomme, quoi ! Vous osez vous jouer de Moi qui fais trembler toute la terre ! A quoi vous exposez-vous ?

« A quoi vous exposez-vous vous-même de venir ainsi troubler le repos d'un malheureux qui ne vous a fait aucun tort ? Quelle pensée fantasque vous a pris aujourd'hui de songer à moi ?

« La Mort éleva le ton :

« Enfin bonhomme, j'ai des affaires aux quatre coins du monde et dois les terminer avant soleil faillant. Consens que je descende de cet arbre sinon je le fais mourir sur l'instant.

« Si vous le faites, je vous proteste sur tout ce qu'il y a de plus sacré, que tout mort que soit mon poirier vous n'en descendrez point sans un miracle de Dieu lui-même.

« Je m'aperçois, dit la Mort, que je suis aujourd'hui entrée dans une fâcheuse maison. Tu peux te vanter bonhomme d'être le premier de la vie qui ait vaincu la Mort. Je te jure que jamais tu ne me verras qu'après le Jugement dernier et que ce sera toi qui recevras le dernier coup de ma faux.

« Dois-je ajouter foi à votre discours, et n'est-ce point pour mieux me tromper que vous me parlez ainsi ?

« Les arrêts de la Mort sont irrévocables, entends-tu, bonhomme ?

« Oui, dit Misère, je consens donc que vous vous retiriez quand il vous plaira.

« A ces mots, la Mort fendit les airs et s'enfuit à la vue de Misère sans qu'il en entende parler depuis, et quoique très souvent elle voyage dans le pays, même dans ce petit bourg de Racleterre, elle passe toujours devant sa porte sans jamais y frapper de nouveau. C'est ce qui fait que depuis ce temps-là et suivant les promesses de la Mort, Misère restera sur la terre tant que le monde sera monde. »

La fièvre chuta dans la nuit du quatrième jour et disparut au matin du cinquième. L'enflure sous l'aisselle fondit et, à défaut de petits vers à physionomie bovine, ce furent des signes de cicatrisation qui apparurent çà et là sous la loupe du médecin.

Clovis dormit mieux. Apolline et les voisins également.

Au dixième jour, les plaies s'étaient recouvertes d'une épaisse croûte sous laquelle il sentait les chairs déchirées se reconstituer.

Certains clients qui avaient passé des commandes avant la morsure et n'avaient pas réapparu depuis se présentèrent, arborant l'air de ceux qui n'ont jamais douté.

Chaque jour à tierce et à vêpres, le docteur Izarn se présentait dans l'échoppe aux volets clos, accompagné du greffier Gabriel Pillehomme chargé d'enregistrer son diagnostic, d'un sergent et de quatre archers, toujours au cas où.

Au quinzième jour, Clovis ouvrait et fermait sa main, bougeait les doigts avec aisance, mais pas assez encore pour tenir l'essette ou le paroir. Il se sentait bien et le manifestait en chantonnant, en faisant des projets, comme un voyage à Rodez et une visite au bordel du *Bon Oustal*, signes certains d'une vitalité retrouvée.

Au vingtième jour après la morsure de Clarabelle, les croûtes se craquelèrent, des morceaux se détachèrent et dévoilèrent une fine peau lisse et rose.

L'édit était toujours placardé sur la porte mais une averse avait délavé le texte et décollé les coins qui pendaient tristement.

Au vingt et unième jour, Apolline et les quintuplés retournèrent à la chapelle Saint-Hubert offrir à saint Leu un ex-voto peint par Clotilde sur une planche de chêne longue de deux pieds et large d'un.

S'inspirant du chemin de croix en douze stations de l'église Saint-Benoît, la fillette avait divisé la planche en quatre tableautins. Sur le premier, son père se faisait mordre par une Clarabelle dotée d'une mâchoire disproportionnée meublée d'une centaine de dents.

Sur le deuxième, Clovis, la mine triste, montrait sa main blessée. De grosses larmes bleues coulaient de ses yeux bleus : Clotilde n'avait pas oublié son anneau d'oreille.

Le troisième tableautin avait été le plus long à exécuter. On y reconnaissait les quintuplés, leur mère, leurs deux mères-grands et leur aïeule Camboulives. A la demande de Charlemagne, Goliath avait été ajouté. Tous priaient à genoux, le chien aussi, autour de la statue de saint Leu et de son loup souriant. Privilège de l'artiste, Clotilde s'était peinte plus grande que ses quatre frères.

La quatrième scène se profilait sur un fond de ciel bleu. On y voyait son père, le sabre à la ceinture, accompagné de saint Leu avec sa crosse et de Clarabelle dressée sur ses pattes arrière. Ils étaient unis familièrement par la main et dansaient une joyeuse bourrée.

La fillette avait calligraphié sur le bas de la planche en hautes majuscules : FAI PAR MOI CLOTIDE.

Ce dernier tableautin ne faisait pas l'unanimité. Apolline et Adèle le jugeaient trop irrévérencieux.

– On ne danse pas avec un saint.

– Encore moins avec une vache, surenchérit Jeanne.

Après avoir manifesté une surprise admirative, Clovis avait froncé les sourcils en découvrant le support sur lequel était peinte l'œuvre.

– D'où vient cette latte de si beau chêne ?

La fillette avait baissé le nez en regardant Charlemagne par en dessous. Clovis avait examiné la planche plus attentivement, puis il avait sursauté, d'indignation cette fois.

– Malandrins que vous êtes ! Vous n'auriez pas osé tout de même ?

Le visage fermé, il avait ouvert la porte de l'armoire dotale d'Apolline, le seul meuble en chêne de la maison, et l'avait inspectée sans rien noter d'insolite. Une bonne odeur de lavande se dégageait du linge plié et repassé, et aucune étagère ne manquait. Surprenant le regard de connivence qu'ils s'étaient lancé, Clovis avait poussé son inspection jusqu'à décoller avec peine l'armoire du mur, découvrant qu'une des lattes transversales était absente.

– Ça doit être un rat qui a fait ça, avait proposé Charlemagne.

Devant son air dubitatif, il avait ajouté en prenant la fratrie à témoin :

– Un gros rat qui serait très fort.

Au matin du vingt-troisième jour, Clovis sut avec certitude qu'il avait la rage.

Chapitre 20

Vendredi 6 juin 1774.

Clovis noua son tablier de cuir autour de la taille, choisit un quartier d'aulne vieux d'un lustre et le plaça sur le billot du paroir. Il était seul dans l'échoppe silencieuse. Apolline, la fratrie et Goliath étaient partis à la pique du jour collecter des œufs de fourmi. Prune lessivait au lavoir communal, et Petit-Jacquot, désœuvré, se baguenaudait il ne savait où.

Empoignant le manche du paroir, Clovis donna le premier coup, prenant plaisir à entendre à nouveau la lame crisser en tranchant le bois. L'effort déclencha une courte douleur dans sa paume. Il lâcha aussitôt le manche et s'examina la main. La fine peau rose recouvrant les cicatrices était curieusement indolore alors que les pourtours étaient sensibles.

Il dénoua son tablier, rangea le quartier d'aulne, balaya l'unique copeau, et s'en alla pétuner dans la cour ensoleillée en s'efforçant de penser à tout sauf à sa main. Quand les pourtours le picotèrent, il les gratta et ne fit que les enflammer en accentuant le prurit. Clovis s'inquiéta. Qu'allait penser le docteur Izarn ?

Il se rendit dans la cuisine, emplit une casserole et plongea sa main au fond. Pendant que l'eau froide l'apaisait quelques instants, une sensation grandissante de brûlure remonta le long du bras et s'ajouta aux démangeaisons. Il eut peur et reconnut l'émotion paralysante éprouvée onze ans plus tôt, avant son duel. Il se pencha par la fenêtre, scruta le ciel et lut que tierce approchait : le médecin n'allait plus tarder. Le bon sens soudain rétréci par l'anxiété, Clovis sortit sans trop savoir où aller.

Il marcha au hasard un long moment, la tête basse, l'air affairé. Lorsqu'il leva les yeux, il était rue du Purgatoire. Il entra dans la chapelle des Pénitents gris et s'assura qu'elle était vide avant d'immerger sa main dans le bénitier. On eût dit maintenant qu'un escadron de moustiques s'acharnait autour des cicatrices. Il se gratta en s'adressant au Christ cloué sur sa croix au-dessus de l'autel.

– Je vous ai fait quoi pour que vous me colloquiez une telle abomination ?

Écartant d'emblée son duel (Dieu était mieux placé que quiconque pour savoir qu'il n'en était pas l'instigateur et qu'il n'avait fait que se défendre), Clovis songea à ses visites au *Bon Oustal* de Rodez. S'il s'avérait être porteur du fléau, allait-il devoir se retirer la vie avant qu'il ne morde Apolline et les enfants, ou avant qu'on ne l'étouffe entre deux matelas pendant son sommeil ? Pourtant, l'hydrophobie, fréquemment évoquée par le docteur Izarn comme symptôme infaillible, manquait à l'appel. Toujours d'après Izarn, la seule vue du liquide faisait horreur à l'enragé qui s'en détournait en montrant des signes de violent dégoût. Il se rassura en regardant sa main enfoncée jusqu'au poignet dans l'eau bénite.

– C'est-y qu' vous comptez y prendre aussi un bain de pied ! railla une pauvresse qu'il n'avait pas entendue entrer.

– Faites excuse, la vieille, j'étais distrait.

Il libéra le bénitier et sortit. Remarquant un sac d'orties posé dans l'entrée, il retourna dans la chapelle.

Apolline haussa le ton.

– Ah, baste, maintenant, monsieur le médecin ! Puisque je vous rabâche que j'arrive du bois et que j'ignore où il s'en est allé.

– Voilà qui est fâcheux, se plaignit Izarn en tournicotant sur ses jambes grêles.

– Très fâcheux, confirma le greffier Pillehomme, impatient d'en finir.

Apolline écrasa avec son doigt une fourmi qui courait sur son avant-bras.

– Si ça vous canule trop d'attendre, et ben revenez demain, ou plus tard. Il est guéri après tout.

– Assurément pas, mère Tricotin. Il manque soixante-seize jours avant d'en être sûr et certain. C'est bien pour cela que je dois l'examiner chaque jour.

– Taratata, c'est surtout pour point perdre votre épice. Moi aussi je sais tripoter une main en prenant l'air d'une poule qui couve et après réclamer une livre.

Piqué au vif, le médecin allait répliquer quand Clovis entra dans l'échoppe. Il portait un sac contenant des bottes d'orties.

– Tiens, dit-il à sa femme, voilà de quoi faire de la soupe pour le mois. Mais prends garde, elles brûlent.

Il montra ses deux mains grattées au vif dessus comme dessous.

Si la finauderie illusionna le docteur Izarn, il n'en fut pas de même pour Apolline qui savait que personne ici ne goûtait la soupe d'orties, une soupe de serre-ceinture s'il en était.

– Vas-tu me dire pourquoi tu as acheté ce sac ? Tu veux qu'on dise que nous sommes devenus gueusards ?

Il tenta de lui échapper en filant dans la cuisine, mais elle le suivit.

– Qu'est-ce que tout ceci, caramba ? s'exclama-t-il à la vue des deux lièvres et de la perdrix que Charlemagne et Clotilde écorchaient proprement sous l'œil intéressé des trois autres.

Goliath mangeait la tripaille près de la cheminée éteinte.

– J'ai relevé vos collets, dit l'aîné avec un large sourire satisfait.

– Moi, je les ai retendus, et c'est bien plus difficile, dit Charlemagne sans interrompre son dépiautage.

Clovis se servit un gobelet d'eau qu'il regarda d'un air sinistre avant de l'avaler d'un grand trait. Il sortit dans la cour. Apolline l'y rejoignit.

– Pourquoi ne te sers-tu point de ta main droite ?

Il soutint son regard, puis dit d'une voix déformée par l'effort qu'il faisait pour la maîtriser :

– Je crois que j'ai le fléau. Je crois que je vais tous vous quitter bientôt, et dans de bien grandes misères.

Son visage s'était soudainement flétri comme si dix ans venaient de s'écouler entre ces deux phrases. Il bougea sa main mordue et grimaça. Il lui narra alors les démangeaisons incendiaires, l'escadron de moustiques et la migraine qui se levait maintenant entre les tempes.

Apolline se signa, pleura, gémit de compassion en se tordant les mains, mais se garda de l'approcher, encore moins de le serrer dans ses bras. Fallait-il qu'il ait commis un bien terrible péché pour que Dieu l'afflige d'un tel châtiment. Elle n'osa le questionner.

– C'est horrible, finit-elle par dire.

– A qui le dis-tu.

Elle le quitta abruptement pour aller regrouper la fratrie dans la cuisine.

– Laissez tout ça, Prune terminera. Suivez-moi, j'ai de l'ouvrage pour vous.

Se retournant sur le seuil, elle lui dit sans le regarder :

– Attends-moi. Je les expédie et je reviens. Il nous faut converser plus.

Il approuva. Des décisions s'imposaient. Son pouls s'accéléra, sa migraine aussi. Il entendit Apolline parler aux enfants qui sortirent de l'échoppe en piaillant : il s'interrogea sur ce qu'elle avait pu inventer pour les convaincre. Il gratta sa main en cherchant un endroit qui ne soit pas à vif. Il se sentait oppressé, comme si quelque chose de pesant s'était assis sur sa poitrine et rendait difficile chaque respiration.

Allumant un petit feu dans la cheminée, il fit chauffer une casserole remplie d'eau dans laquelle il jeta ce qui lui restait d'arquebusade plus une poignée d'herbe à caboche contre les maux de crâne. Comme il avait très mal, il ajouta une seconde poignée.

Il buvait lentement l'amer breuvage jaune sombre lorsque son épouse l'interpella de l'échoppe.

– Mon ami ? Tu es là ?

Son ton était celui de la prudence.

– Je le suis et point encore enragé si c'est ce que tu veux connaître. Tu peux venir, dit-il d'une voix désabusée.

Apolline entra dans la cuisine. Son père la suivait. La crosse d'un chenapan dépassait de son habit : il tenait la lourde canne ferrée qui lui servait habituellement de jauge à cagadou.

– Apolline me dit que tu te crois enragé ? Pourtant j'ai vu le rapport de ce matin et il te déclarait exempt.

Clovis avoua sa ruse à base d'orties. Floutard s'alluma.

– Bran de vipère ! J'ai toujours dit que cet incapable en était vraiment un.

Le médecin Izarn était aussi à l'origine d'une pétition visant à interdire l'épandage du cagadou dans les rues. La pétition n'avait pas eu de suite, sauf dans l'esprit rancunier du maître gadouyeur-vidangeur.

– Comment es-tu certain d'être contaminé ?

– C'est que je n'en suis point tout à fait certain, et je ne voulais rien dire avant de l'être.

Il accompagna ces derniers mots d'un regard accusateur vers Apolline qui l'ignora.

– Elle a bien fait ! décréta Floutard avec autorité. Tu es devenu un danger public de première grandeur dont il faut nous protéger au plus vite.

Clovis termina l'arquebusade et se gratta la main d'un air absent.

– Dans combien de temps crois-tu t'enrager ?

– Comment voulez-vous que je le sache ? C'est la première fois que ça m'arrive, figurez-vous !

Floutard se donna un air sévère en fronçant ses sourcils.

– Je te conseille de ne pas mettre un pied dehors. C'est plus prudent, pour nous mais aussi pour toi, car, quand on va savoir…

Chapitre 21

Jean-Baptiste ordonna à sa fille de rentrer directement place de l'Arbalète afin d'organiser avec Adèle l'installation de la fratrie « jusqu'à ce qu'on sache avec certitude ce qu'il en est pour ton mari ».

– Que va-t-on lui faire ?

– S'il est réellement enragé, il faudra l'occire au plus vite, répondit-il avec la franchise d'un fer de hache.

– Il n'y a donc pas d'autre issue ?

– Si. Il peut grandement nous aider en choisissant de s'homicider lui-même.

– Mais s'il se défait lui-même vous savez bien qu'il sera interdit de cimetière. Regardez ce qu'ils ont fait au Simon.

Le carillonneur du beffroi était le dernier suicidé en date du bourg. Son cadavre avait été jugé et condamné par l'officialité à subir divers sévices par le bourreau avant de finir exposé au pilori la tête en bas.

– Où est le chien ? demanda-t-il avec impatience.

– Avec les enfants, comme d'habitude.

– Tu diras à Duganel de s'en débarrasser. On ne peut pas prendre de risques.

Refusant d'en entendre plus, Apolline empoigna le bas de sa robe et courut tête baissée vers la place de l'Arbalète tandis que son père se rendait place de la Maison.

Le consul Arnold de Puigouzon était dans son bureau en compagnie de l'exacteur Amans de Bompaing et du greffier Pillehomme. Ils préparaient le recouvrement annuel des tailles royales et seigneuriales. L'exacteur recevait un pourcentage de onze pour cent sur chaque livre collectée. Assisté de son équipe de grippe-sols, il lui fallait environ deux semaines pour recouvrir de gré ou de force les impôts de la châtellenie.

Floutard les interrompit pour leur narrer le triste état dans lequel il venait de quitter son gendre Tricotin, et déclara qu'il n'y avait pas une respiration à perdre pour réagir.

Le beffroi carillonna, le conseil se réunit, le débat fut houleux. Si tous étaient unanimes pour se débarrasser de Clovis, pas un ne l'était sur la façon de s'y prendre.

Flavien Doignac, maître juré de la corporation des Aimables Pinardiers, préconisa l'expulsion immédiate du bourg et se fit traiter de « Ponce-Pilate irresponsable » par maître Durif, partisan, lui, d'enfermer Clovis dans une alcôve et de l'y nourrir par une trappe jusqu'à sa mort.

L'exacteur Bompaing et maître Greffuel, le drapier q ui possédait plusieurs familles de tisserands et avait des contrats avec l'armée, étaient d'accord pour qu'on agisse comme envers n'importe quel animal convaincu de rage : il fallait l'abattre avant qu'il ne morde quelqu'un.

Lucien Brasc, le fils cadet du fermier général des Armogaste, le benjamin des conseillers (il n'avait que vingt-sept ans), protesta mais sans rien proposer.

– Je vous accorde que le caractère imprévisible du fléau exige que l'infortuné soit isolé, mais en quoi nous est-il profitable d'ajouter à sa détresse en le traitant d'un cœur aussi sec ?

Louis Laplisse, maître juré de la corporation des Tanneurs, proposa de raisonner l'enragé à se suicider.

– Il serait bien venu que ce soit ses proches, son épouse ou ses géniteurs par exemple, qui l'en persuadent, et cela pour notre salut à tous.

Le tollé fut presque général.

– Vous trouvez sans doute que la rage ne lui suffit point ! Vous voulez aussi qu'il se consume en Enfer ?

– Il ira de toute façon puisqu'il n'a pas craint en son temps de braver l'excommunication avec son duel.

Soucieux d'objectivité, Floutard protesta :

– C'était lui l'offensé. Il n'a fait que se défendre.

– Ce ne serait point vraiment un suicide, mais plutôt un acte d'abnégation. A travers la destruction de son corps, ce serait d'abord le fléau qu'il détruirait.

Une décision tardant à se prendre, le consul déclara ne pas pouvoir différer la mise en garde à la population.

– Où se trouve présentement votre gendre ?

– Lui est à la saboterie, et ma fille est chez moi avec les enfants. J'ai fait prévenir Petit-Jacquot, son compagnon, et aussi Prune sa baillasse, de ne plus y retourner. J'ai fait aussi trucider son chien.

– Votre gendre est-il sous clef ?

– Ma foi, non.

L'exacteur Bompaing s'indigna.

– Alors qui vous dit qu'il s'y trouve encore ? Peut-être est-il déjà dans la rue, à mordre à tort et à travers !

– C'est qu'on aime mieux chez nous, notre bonne mère, protesta Clodomir en suivant les efforts d'Arsène et Véron à descendre des paillasses du grenier pour les installer dans l'ancienne chambre qu'occupait Apolline lorsqu'elle était pucelle.

– Ce ne sera point pour un long temps, et puis vous serez bien ici, leur promit-elle sans conviction.

Les quintuplés chuchotèrent rapidement dans leur patois.

– Puisqu'on dort ici, on doit retourner prendre nos affaires, dit Charlemagne.

– Non ! Il ne faut plus aller là-bas pour le moment.

– Mais pourquoi ? s'exclamèrent-ils tous à la fois.

– Parce que je vous le dis. Allez-vous enfin apprendre à obéir ?

– Mais pourquoi ?

– Obéir, c'est jamais demander pourquoi. Allez, ouste, et toi, Clotilde, rends-toi utile et aide-moi avec ces linceuls.

La fillette préféra s'enfuir dans l'escalier derrière ses frères qui se répandirent dans la grande cour des établissements Floutard.

Apolline les vit pénétrer au pas de course dans les écuries, Charlemagne en tête. Ils allaient encore revenir en empestant le crottin. Elle songea à Clovis, seul dans la saboterie avec sa rage, et fondit en larmes en couvrant son visage avec ses mains, ce qui l'empêcha de les voir resurgir des écuries, traverser la cour encombrée de tombereaux de cagadou et franchir en file indienne le porche donnant sur la place de l'Arbalète.

Se tenant par la taille dans l'ordre de sa naissance, la fratrie prit la direction de la rue des Afitos en serpentant d'une même foulée, pareille à un reptile à cinq vertèbres.

Sa peur et ses maux de crâne provisoirement assoupis par l'infusion d'arquebusade et de caboche, Clovis avait empilé sa collection d'almanachs devant lui et cherchait l'exemplaire contenant *La méthode honnête, avantageuse et solitaire de rédiger son testament, selon si on est du Clergé, de la Noblesse ou du Tiers*.

Durant cette recherche, il remarqua dans le numéro de l'année 1769 une *Dissertation sur la Rage et où il est parlé de la morsure de chiens enragés et autres bêtes venimeuses*, qu'il lut attentivement. L'auteur, un médecin d'Angers, rapportait les nombreux cas d'enragés qu'il avait observés.

– « Nous sentons dans la tête, m'ont-ils dit tous unanimement, des bruits semblables à ceux des torrents débordés qui se précipitent en se bouleversant les uns dans les autres et viennent se briser contre nos oreilles. »

Clovis reconnut ses propres maux. Plus loin, le médecin expliquait comment un animal enragé mordait et communiquait non seulement le venin du fléau, mais aussi une partie de cette substance très subtile de sa nature.

– « C'est pour cette raison que l'homme, ou l'animal, aboiera, hurlera, miaulera, bramera selon qu'il aura été mordu par un chien, un loup, un chat, un âne. »

L'homme de l'art préconisait de s'observer fréquemment dans un miroir, et de s'isoler d'autrui dès les premiers signes de transformation.

La pensée qu'il allait sous peu se mettre à meugler consterna Clovis à l'extrême. Il se gratta la main sans y prendre garde et tressaillit vivement à la soudaine irruption des quintuplés dans l'échoppe. Ils le regardèrent en souriant. La vue de la pile d'almanachs les surexcita. Ils en oublièrent le motif premier de leur venue et s'installèrent autour de lui.

– Ahi, not' bon père ! On peut les mirer nous aussi ?

Il y consentit mais à la condition qu'ils manipulent les pages avec respect.

Au lieu de prendre un almanach chacun, ils n'en ouvrirent qu'un seul et laissèrent Clotilde déchiffrer approximativement les légendes des illustrations. Clodomir et Charlemagne tournaient les pages à tour de rôle, Pépin et Dagobert se contentaient de regarder et de s'étonner, en lenou la plupart du temps.

Un moment paisible s'écoula avant que Clovis ne leur demande :

– Votre mère sait-elle que vous êtes céans ?

Ils prirent leur air malandrin pour répondre par une autre question :

– Où est Goliath ?

– Je le pensais avec vous.

– Il n'y est plus. On croyait qu'il était revenu ici, dit Charlemagne.

– Non, il n'est pas ici.

– Et pourquoi on doit dormir chez grand-père Baptiste ? demanda l'aîné en fronçant les sourcils pour signaler que ce déménagement ne lui convenait pas.

– Vous avez la remembrance de votre rougeole ?

Ils rirent en bourrant de faux coups Dagobert qui avait été le premier des cinq à l'attraper.

– Vous avez la remembrance alors que Dagobert est resté ici tandis que vous avez été dormir place de l'Arbalète pour point l'attraper ? Eh bien, aujourd'hui c'est pareil.

– Pourtant, on l'a tous eue quand même la rougeole, releva Clotilde avec pertinence.

– A qui la faute ? Vous n'avez point obéi et vous avez quand même été le voir.

– Mais aujourd'hui, on n'est point malades.

– Vous, non, mais moi, si.

– Vous avez la rougeole ?

– Non... j'ai autre chose.

– Père a la rage, déclara Charlemagne, content de savoir quelque chose que ses frères ignoraient. J'ai ouï grand-père Baptiste le narrer à notre bonne mère tout à l'heure.

Ils dévisagèrent leur père sans crainte et avec intérêt.

Clovis allait répondre lorsque le brouhaha de la rue s'éteignit subitement. Il se leva et ouvrit la porte. Des archers détournaient le trafic en amont et en aval vers la rue Jéhan-du-Haut et la rue des Deux-Places. La boutique du chapelier faisant face à l'échoppe était anormalement close, de même que les autres boutiques. Il distingua des silhouettes qui le guettaient derrière les fenêtres.

Maffre le crieur et maître Pons approchèrent de quelques pas. Le menuisier de la rue Saint-Joseph était accompagné de ses compagnons chargés de planches.

– Croyez-moi, maître Tricotin, je suis fort marri de ce qui vous augure et je vous regretterai. Ceci étant dit, la Maison vous fait défense, en quelque manière que ce soit, d'aller et venir par les rues, marchés, places, églises et autres lieux publics pour quelque cause que ce soit, et de vous approcher à plus de trois toises de qui que ce soit, qu'il soit homme, femme, enfant ou animal. La Maison vous enjoint donc de demeurer céans, portes et croisées bien closes afin que nul miasme ne s'en évade, et ceci jusqu'à nouvel ordre.

Maintenus aisément à distance par les archers, les habitants de la rue ne perdaient pas un mot de ce qui se disait.

– Et maintenant, par ordre du consul, maître Pons va procéder à la condamnation des ouvertures.

Sans le quitter de l'œil, prêts à détaler à la moindre alerte, les compagnons menuisiers déchargèrent leurs planches.

– Pourquoi tu t'en vas pas, Clovis ? Ça serait mieux pour tout le monde ! lança Marcellin, le tailleur d'habit occupant la maison voisine à l'échoppe.

Les quintuplés apparurent derrière leur père.

– Les épateurs sont encore là ! s'étonna le crieur public.

– Oui, mais ils ne vont point demeurer. Croyez-vous que j'ai cœur à les mordre ?

– Il faut qu'ils s'en aillent, sinon ils seront décrétés de quarantaine eux aussi. Y a-t-il des animaux chez vous ?

– Ma jument. Prenez-la et menez-la à la maréchalerie Tricotin. Mon père a de la place dans son écurie. Y a aussi un chien, mais il n'est plus là et j'ignore où il se trouve.

Pendant que les quintuplés se précipitaient dans les combles pour récupérer leurs biens, les compagnons de maître Pons condamnaient les deux premiers volets de la saboterie en clouant dessus de larges planches d'un pouce d'épaisseur.

– Même la porte ? s'enquit Clovis qui sentait ses maux de crâne revenir.

– Même la porte.

– Comment je vais me confesser le moment venu ? Et mes derniers sacrements alors ?

On savait que se présenter aux portes du Paradis sans extrême-onction risquait d'être fort mal interprété par saint Pierre, un saint peu réputé pour sa clémence.

– Pour vot' porte, maître Tricotin, nous allons fixer une barre qui pourra se coulisser à volonté, mais de l'extérieur bien sûr, expliqua le menuisier.

Les quintuplés l'embrassèrent l'un après l'autre, Clodomir le premier, Charlemagne le dernier. Il répondit à leur « à demain » par un grognement étranglé, certain tout à coup de ne plus jamais les revoir. Il rentra dans l'échoppe et referma la porte : il lui sembla entendre la rue soupirer de soulagement.

– Y a une autre porte, rue du Lop, avertit la voix de Victorine, une courtaude de boutique qui mansardait au-dessus du chapelier et qui, depuis un an, lui devait le coût d'une paire de sabots.

– Je sais, lui répondit sèchement le maître menuisier.

Un peu plus tard, assoupi par les effets de l'arquebusade, Clovis songeait à s'allonger quand des éclats de voix le ranimèrent. Il traîna ses sabots vers la porte pour écouter. Son père et son frère se harpaillaient avec le guet : ils voulaient entrer mais les archers en faction devant l'échoppe le leur interdisaient.

– En tout cas, vous ne m'empêcherez point de lui parler ! lança Louis-Charlemagne d'une voix forte. Clovis ! C'est moi, réponds, veux-tu !

– Je vous entends, père. Favorite va bien ?

– Ces butors me refusent l'entrée, mais sache que moi, ton frère et nos frappes-devant, nous ne bougerons point de la nuit. Si tu as besoin de quoi que ce soit, fais-le savoir.

Dans l'expectative où son fils serait convaincu d'abriter

le fléau, Louis-Charlemagne voulait être le premier averti afin d'agir en conséquence. Il se défiait de ses concitoyens et avait en référence le souvenir de ce marchand espagnol à la joue mangée par un ulcère et que le populaire avait trucidé à coups de sabot et de tricote, un jour de marché, après que quelqu'un, on ne savait toujours pas qui, l'eut accusé d'être un lépreux sans crécelle.

– Favorite va bien ? redemanda Clovis.

– Oui, elle va bien.

– Je manque d'arquebusade, ajouta-t-il après un silence.

– Je vais t'en procurer de ce pas, promit Caribert en joignant le geste à la parole.

L'ambiance était orageuse dans la cour des établissements Floutard. Les quintuplés venaient de découvrir le sort de Goliath. C'est Clotilde la première qui avait aperçu sa patte gauche dépasser d'un tombereau de cagadou. Duganel l'y avait dissimulé (mal), en attendant de le sortir du bourg et de s'en débarrasser dans le Dourdou, s'épargnant ainsi les frais de l'équarrisseur, le seul légalement habilité à disposer des animaux morts.

A l'exception de Clotilde qui goûtait de moins en moins de se crotter, les quatre frères grimpèrent sur le tombereau et entreprirent d'exhumer le vieux chien en expulsant le cagadou par brassées entières. Goliath avait encore la tête dans le sac ayant servi à l'étouffer. Charlemagne le lui enleva et pleura. Les autres se collèrent contre lui, comme pour le réchauffer. Clotilde pleura parce que Charlemagne pleurait.

Le personnel avait interrompu son va-et-vient dans la cour et contemplait la scène sans savoir encore quelle attitude adopter tant elle leur paraissait insolite.

Charlemagne souleva le chien, mais comme il était lourd Clodomir et Pépin l'aidèrent pour le transporter jusqu'au cabinet de travail de leur grand-père où ils pénétrèrent sans frapper ni se faire annoncer. Celui-ci était assis en réunion avec ses douze chefs d'équipe debout autour de lui, leur chapeau à la main.

– Qui vous autorise à importuner ainsi ? Dehors, petits insolents !

Charlemagne déposa le cadavre souillé de cagadou su le tapis à mille cinq cents livres et brandit le sac de toile en déclarant de sa voix trop puissante :

– Œillez vous-même, notre bon père-grand, on a occis Goliath.

Les larmes avaient strié verticalement ses joues sales.

– Où l'avez-vous trouvé ?

– Dans un tombereau plein. Y avait sa patte qui dépassait.

Floutard foudroya son cousin des yeux et des sourcils. Duganel comprit qu'il était à l'amende. Il baissa la tête avec humilité. Quand il la redressa, il croisa le regard de Charlemagne, un regard où se lisait une détermination bien froide et prématurée chez un garçonnet de onze ans. Il la rabaissa aussitôt.

– J'ai fait occire ce chien parce qu'il aurait pu avoir la rage. Aussi, je vous saurai gré de le remettre là où vous l'avez trouvé, leur dit Floutard avec impatience. Et maintenant disparaissez, nous travaillons, nous, ici.

– Goliath n'avait pas la rage. Il avait juste un peu de rhumatismes en automne et seulement quand il pleuvait.

– Je n'ai point dit qu'il l'avait, j'ai dit qu'il aurait pu l'avoir, et si on l'avait pas supprimé il aurait fallu lui aussi le faire surveiller cent un jours. Et puis c'était un vieux chien, qui ne servait plus à rien et qui mangeait pourtant. Vous savez bien qu'on tue toujours les vieux chiens qui ne servent plus à rien.

La fratrie échangea quelques courtes phrases en lenou, puis Clodomir, Pépin et Dagobert soulevèrent le chien et sortirent. Clotilde resta près de Charlemagne qui se tourna vers son grand-père pour lui montrer à nouveau le sac de toile et lui dire d'une voix anormalement mesurée :

– Je le garde pour quand vous serez vieux et que vous ne servirez plus à rien.

Chapitre 22

Samedi 7 juin 1774.

Adossé au mur de l'échoppe, la bouche et la gorge brûlantes d'avoir trop bouffardé, Louis-Charlemagne luttait contre le sommeil en s'efforçant de suivre la partie de lansquenet que disputaient les archers à la lueur d'une chandelle de suif.

Minuit venait de sonner. Caribert devait venir le relever à laudes, et Clovis, qu'il n'entendait plus arpenter l'échoppe, la chambre, la cuisine et la cour, avait dû enfin trouver le sommeil. Il bâilla, les archers l'imitèrent.

Il s'assoupissait irrésistiblement lorsqu'un bruyant remue-ménage retentit et fut suivi de grognements bestiaux. Collant son oreille contre le volet de la chambre, il entendit Clovis gronder sur un ton à la fois implorant et excédé :

– Assez, Seigneur, faites que ça cesse !

Des coups résonnèrent contre les murs. Les archers suspendirent leur jeu pour s'emparer de leur pique ; l'un d'eux vint écouter à côté de Louis-Charlemagne.

– Clovis, que t'arrive-t-il ? appela ce dernier.

– J'ai MAL ! Voilà ce qui m'arrive. J'AI MAL, MAL, MAL !

Il y eut un grand vacarme qui fit trembler porte et fenêtre. On eût dit qu'il s'était jeté contre le mur. Des bruits d'assiettes se brisant sur le carrelage indiquèrent qu'il s'était jeté maintenant contre le vaisselier.

– Ouvrez-moi que j'aille le voir, ordonna Louis-Charlemagne au sergent du guet qui refusa net.

– Nenni et berluette ! Après ce brouillamini, c'est monsieur le lieutenant que j'en vas réveiller.

– J'ÉTOUFFE ! brailla Clovis d'une voix suraiguë.

Des chandelles s'allumèrent dans les maisons avoisinantes. Des portes s'ouvrirent, des gens en bonnet et chemise de nuit apparurent, certains armés de faucille, de fourche, de couteau de cuisine. Des coups violents retentirent contre la fenêtre de gauche.

– Calme-toi, Clovis ! cria Louis-Charlemagne qui craignait le pire.

Avec un bruit assourdissant, les volets se fendirent, les planches de maître Pons se déclouèrent à demi. Un autre coup plus violent fracassa la fenêtre. Le lourd coffre à sel que Clovis venait d'utiliser comme projectile s'écrasa dans la rue. Des cris de terreur retentirent lorsque Clovis jaillit à son tour par la fenêtre béante pour hurler de douleur en se foulant la cheville sur un caillou. Ce hurlement fut interprété différemment par les voisins qui détalèrent chacun pour soi, jetant leur chandelle pour courir plus vite ; certaines enflammèrent le cagadou qui fuma en dégageant une odeur bien vile.

Passé un bref instant de frayeur tétanisante, les archers se ressaisirent et baissèrent leur pique.

Louis-Charlemagne brandit à deux mains son frappe-devant.

– Arrière ! ordonna-t-il d'un ton bourru aux archers. Il va rentrer et il n'en sortira plus. Je le jure sur Dieu qui nous œille en ce moment, mais ne le touchez point.

Tout à sa nouvelle douleur, Clovis gémissait et grimaçait en sautillant à cloche-pied. Les archers maintinrent leurs piques pointées sur lui mais ne bougèrent pas.

Louis-Charlemagne ouvrit la porte, enlaça son fils par la taille et l'aida à rentrer dans la saboterie.

– Mon pauvre Clovis, chuchota-t-il en découvrant les bancs renversés, les assiettes du vaisselier en morceaux sur le sol, les almanachs éparpillés partout.

– Ah ça, vous pouvez le dire ! ironisa sauvagement l'infortuné en se dégageant et en clopinant jusqu'au lit pour s'y asseoir.

Ses traits étaient tirés, de larges cernes mauves soulignaient ses yeux, une bosse de première catégorie gondolait son front graissé de sueur.

– C'est étrange car ça s'était pourtant bien cicatrisé,

s'étonna Louis-Charlemagne en examinant sa main grattée au vif. C'est peut-être point le fléau.

– Je ne me suis jamais senti aussi égrotant, et puis y a ces maux de crâne qui me concassent l'entendement.

Il lui épargna les crampes dans le dos, les difficultés respiratoires qui allaient et venaient à leur guise, et puis toutes ces images haineuses qui s'imposaient dans son esprit par effraction, tels des cauchemars éveillés.

– Tu as soif ?

– Non, murmura-t-il en peinant pour déglutir.

Pourtant la fièvre qui mettait la sédition dans son esprit lui desséchait la bouche et la gargante.

– Il faut savoir. Je vais t'en chercher.

Les archers les observaient par la fenêtre béante.

Son père revint de la cuisine avec un gobelet d'eau. Clovis but une gorgée en fermant les yeux. De violents spasmes contractèrent sa langue, remontèrent le long de son pharynx, butèrent contre l'épiglotte et l'étouffèrent en obturant l'œsophage.

Il recracha l'eau et toussa longuement avec le sentiment que sa tête allait se fendre comme du bois trop sec. Son œil hagard et surtout sa bouche convulsée d'où moussait un début d'écume blanche épouvantèrent Louis-Charlemagne qui recula.

Quelques instants plus tard, l'officier de garde, l'épée au clair, et quatre archers qui n'en menaient pas large accouraient en renfort, suivis à distance des voisins et des voisines qui les avaient alertés.

Louis-Charlemagne rapatria le coffre à sel dans la maison et rafistola tant bien que mal les volets défoncés.

Le sergent fit un rapport laconique. L'officier rengaina et dressa un procès-verbal pour « bris de quiétude nocturne », en utilisant le dos courbé de l'un de ses archers pour écritoire.

Le consul Puigouzon était encore dans ses vêtements de nuit lorsque le lieutenant du guet vint lui répéter le récit des événements de la nuit. Sa réaction fut immédiate.

– Vous auriez dû me réveiller aussitôt ! Faites doubler

la garde rue des Afitos. Convoquez l'assemblée, mais sans carillon cette fois, et puis allez-vous-en quérir maître Gastounet sur-le-champ.

Gastounet était le maître juré de la corporation des Charmants Maçons-Bousilleurs.

– Je n'ose songer à ce que nous aurions eu à décider si cet enragé avait mordu d'autres gens.

Comme tous, le juge avait en mémoire une histoire de rage. Il tenait la sienne de son père qui la garantissait authentique. Un demi-siècle plus tôt, un grand-vieux-loup était entré dans les faubourgs de Rodez et, avant d'être abattu, avait mordu de nombreux chiens, de nombreux bestiaux, mais aussi de nombreuses personnes, une soixantaine environ. Sur ordre du bourg et de l'évêché, ces mordus sans exception avaient été enfermés dans l'une des tours désaffectées de la muraille nord, où ils étaient morts dans d'infernales conditions, s'entre-déchiquetant comme des cannibales empiffreurs tout en clabaudant telle une meute de chiens courant à l'hallali.

Maître Gastounet arriva rue des Afitos précédé de huit compagnons et apprentis qui poussaient et tiraient une charrette pleine de briques « double épaisseur ». Il était le meilleur briquetier de Racleterre et son secret était connu de tous : alors que les autres maîtres maçons faisaient pétrir leur argile par des chevaux, maître Gastounet utilisait des hommes, capables, eux, de retirer les pierres qu'ils sentaient sous leurs pieds nus et d'épurer d'autant la pâte.

Le déchargement se fit sous la protection du guet qui, pour une fois, n'avait aucune difficulté à maintenir les curieux à distance.

– Ahi, maître Gastounet, que faites-vous donc ? questionna tout à coup la voix de Clovis à travers les fentes des volets brisés.

– Ordre de la Maison, maître Tricotin, je dois vous emmurer, et vous m'en trouvez fort chagriné.

Déjà les compagnons gâchaient du mortier dans une grande auge de bois.

– Vive le consul ! lança une voix.

– Fermez les volets et apportez-moi une chandelle, ordonna Achille Perceval en ouvrant sa mallette.

Une saignée se pratiquait de préférence dans une chambre obscurcie.

Prune courut chercher la chandelle, tandis qu'Adèle les plongeait dans la pénombre en fermant les volets. Son front plissé et l'absence de souplesse dans chacun de ses gestes signalaient son inquiétude. Apolline était allongée sur le lit et se plaignait d'étouffements intempestifs ponctués de tremblements et de maux de tête persistants qui, disait-elle, finissaient par lui brouiller la vue et l'entendement.

Des symptômes qui s'étaient manifestés peu de temps après que Petit-Jacquot, les joues baignées de larmes, lui eut appris qu'on était en train d'emmurer Clovis dans la saboterie sur ordre de la Maison. Des symptômes qui justifiaient à ses yeux qu'elle ne soit point présentement auprès de son si infortuné époux. En fait, Apolline était terrorisée.

Prune revint avec un bougeoir allumé. Adèle l'interrogea du regard. Elle lui répondit par un signe de la tête négatif : le maître des lieux n'était pas annoncé.

Comme tous les paysans, Baptiste Floutard se précipitait chez le maréchal-vétérinaire au moindre signe de maladie de ses mulets ; mais qu'un membre de son personnel, ou de sa famille, se déclare malade, et il attendait la dernière extrémité pour quérir, au pire, le rebouteux, au mieux, la sorcière Lacroque.

Faire usage du médecin reçu Izarn, ou du chirurgien également reçu Perceval, était strictement proscrit. Baptiste n'avait que des mots durs à leur encontre.

– Ce sont de parfaits incapables. Quels que soient vos maux, le premier vous administrera un lavement à trois livres la pinte, et le second vous saignera pour deux livres trois sols. Autant mettre un pansement à une béquille.

Reçu chirurgien après quatre années d'apprentissage à l'Hôtel-Dieu de Millau où il avait appris à saigner, panser les plaies, inciser les abcès et réduire les factures, Perceval avait exercé quinze années au Royal-Guyenne où le chevalier Virgile-Amédée était capitaine. Lorsque ce dernier avait pris congé de la vie militaire et lui avait offert de le suivre à Racleterre, dépourvu alors de chirurgien, Perceval n'avait pas hésité à renoncer à une existence qu'il exécrait.

Parce que le service de santé était interdit de champ de bataille et ne pouvait intervenir qu'à la fin de l'engagement, les chirurgiens, les brancardiers et autres valets de pansements étaient considérés par les combattants comme autant de vils poltronneurs, voire d'abjects détrousseurs, pour qui ils ne professaient que morgue et méchantes craques.

Maître Perceval posa sa lancette près de sa cuvette en cuivre cabossée et mal lavée.

En général, la veine à perforer devait se situer à proximité de la source du mal. Se plaignant à la fois de maux de crâne et d'étouffements, la patiente serait donc saignée deux fois aux veines faciales du front et deux fois aux cubitales de l'avant-bras.

– Une seule ne pourrait point suffire ?

– Plus on tire l'eau d'un puits plus elle revient bonne, mère Floutard, ou si vous préférez, plus la nourrice est tétée plus elle a du lait. Il en est de même avec le sang et la saignée.

– Alors hâtez-vous, car il ne ferait pas bon que mon époux vous trouve céans.

Prune s'était postée à la fenêtre donnant sur la place et guettait entre les volets l'éventuelle venue de Baptiste.

Apolline tendit son bras dénudé jusqu'à l'épaule et laissa Perceval le garrotter avec un lacet de cuir qu'un trop fréquent usage avait rendu mou et graisseux. Il plaça sous le coude la cuvette noircie de vieux sang incrusté dans les plis et les bosses.

Perceval promena le bout de son majeur le long du bras d'Apolline, trouva la veine cubitale superficielle et l'incisa avec la pointe de sa lancette tandis que derrière lui Adèle murmurait entre ses dents :

– Feu de la fièvre perd ta chaleur comme Judas perdit sa couleur quand il trahit Notre Seigneur.

Le sang s'égoutta en résonnant au fond du récipient. Soudain la porte s'ouvrit avec fracas et les quintuplés s'engouffrèrent tous en même temps dans la chambre en jacassant tous à la fois. Ils pilèrent des deux talons, surpris par la pénombre et par ce qui s'y passait.

– Ahi, notre bonne mère ! s'écrièrent Dagobert et Clotilde en se précipitant sur Apolline, bousculant dans leur hâte Perceval qui tomba sur un genou en laissant échapper sa lancette sur le plancher poussiéreux.

– Mère ! On nous interdit de sortir voir notre bon père, et nous on veut, déclara fermement l'aîné, immédiatement approuvé du menton par les autres.

Charlemagne croisa les bras sur la poitrine et afficha le tranquille demi-sourire de celui que rien ne fera changer d'avis.

Suite à leur disparition de la veille, l'ensemble du personnel Floutard avait reçu l'ordre de ne plus leur ouvrir les portes.

– Votre mère est souffreteuse. Prenez-la en pitié et épargnez-lui vos jérémiades, intervint Adèle en éloignant Dagobert et Clotilde du lit.

– Ce n'est rien, mes petits, j'irai mieux bientôt, et nous irons alors voir votre père, promit Apolline, tandis que Perceval ramassait sa lancette et faisait signe à sa patiente de présenter son autre bras.

Puigouzon était d'humeur pointue. L'assemblée était réunie depuis deux sabliers maintenant, et il y avait autant de propositions que de conseillers.

De plus, le guet venait de verbaliser Frey, le garde-champêtre, qui, au nom de tous et muni de son fusil, était monté sur l'un des toits surplombant la saboterie, s'était posté à l'affût derrière une cheminée et avait déchargé son arme sur Clovis alors qu'il apparaissait dans la cour, le ratant d'un poil de carotte.

– Ce n'était point pour l'occire, pardi, mais plutôt pour le décourager de rester, sinon, pensez bien que j' l'aurais point raté. Foi de Frey, j' touche l'œil d'une perdrix en plein vol ! déclara-t-il avant d'être relaxé.

Et maintenant, des délégations d'habitants de la rue des Afitos et de la rue du Lop avaient envahi le rez-de-chaussée et réclamaient l'exécution sanitaire de l'enragé, ou, à défaut, son expulsion immédiate du bourg.

C'est alors que Louis-Charlemagne se présenta devant l'assemblée et proposa une solution qui fut aussitôt adoptée à l'unanimité.

Chapitre 23

– Si vous partez avec la patache, vous n'arriverez point à Bellerocaille avant après-demain. Prenez plutôt une accélérée et vous y serez demain en fin de matinée, avait conseillé le consul à Louis-Charlemagne.

Menée par un seul conducteur, attelée à cinq chevaux en arbalète et n'emportant jamais plus de deux passagers, la chaise accélérée était le moyen le plus rapide existant pour voyager. Elle abattait quinze lieues par jour tandis que la malle-de-poste en parcourait neuf et la patache six (deux de plus par temps gribouille). Comme c'était aussi le transport le plus onéreux avec un tarif d'une livre et demie la lieue, la place du maréchal était payée par la Maison qui ne faisait pas foin de son impatience à le voir revenir.

Alignés dans la cour, Jeanne Tricotin, Caribert, Immaculée serrant de près Mérovée, Baptiste et Adèle Floutard ainsi que la fratrie assistaient au départ de Louis-Charlemagne pour sa lugubre mission.

De l'autre côté de la place, derrière les volets fermés de sa chambre de jeune fille, Apolline sommeillait dans une demi-torpeur presque agréable. Profitant d'une nouvelle absence de son père, sa mère avait fait revenir le maître chirurgien qui l'avait saignée d'une nouvelle pinte et demie de sang rouge.

La présence des épateurs avait drainé dans la cour la plupart des clients de l'auberge qui les reluquaient avec l'habituel demi-sourire étonné que leur spectacle provoquait.

Pour l'instant, ils se donnaient le bras et observaient deux valets d'écurie attelant cinq chevaux à l'accélérée. Un conducteur en redingote grise les malmenait verbalement en agitant son fouet.

– Hardi ! Limaces ! Hardi !

Son ton indiquait qu'il lui en faudrait peu pour qu'il s'en serve. De même que les valets de bourreau et les huissiers de justice, les conducteurs d'accélérée étaient renommés pour leur arrogance, leur caractère vindicatif et leur goût à les manifester en public.

L'homme surveillait le bridage du cheval de flèche, un comtois plutôt nerveux, lorsque Charlemagne se dénoua de la fratrie et s'approcha. Il avait remarqué la nervosité de l'animal et venait d'en comprendre les raisons : la muserolle traversant son chanfrein était montée à l'envers et le blessait.

– Écarte-toi, merdaillon, c'est point son jour, l'avertit le conducteur.

Loin d'obéir, le gamin s'avança et tendit les mains vers la muserolle pour la retourner lorsque le cheval redressa la tête et le heurta violemment au menton. Les mâchoires de Charlemagne claquèrent brutalement l'une contre l'autre, ébranlant toutes ses dents, tranchant net l'apex de sa langue qu'il avala en même temps qu'un flot de sang tiède et salé.

Les bras écartés, le garçon tituba en arrière et entendit avant de se pâmer le conducteur s'exclamer :

– J' l'avions pourtant averti !

Aucun de ceux présents ce jour-là dans la cour de la Poste aux chevaux du maître Durif n'oublia le déchaînement qui s'ensuivit.

Poussant des cris aigus, ramassant les innombrables cailloux jonchant le sol, la fratrie entreprit de lapider le comtois qui hennit en se cabrant sous les projectiles, bousculant les valets, effrayant les autres chevaux qui secouèrent la voiture, malmenèrent le timon, défoncèrent de plusieurs ruades la portière avant. Et quand le conducteur voulut s'interposer en saisissant au corps Dagobert, le plus proche, Clodomir l'atteignit d'une grosse pierre à la poitrine qui lui fit si mal qu'il en perdit le souffle pour un temps.

Maître Durif donna des ordres et des contrordres que personne n'entendit, tandis que les pierres continuaient de pleuvoir sur le comtois qui tentait désespérément de se dégager des brancards.

Jeanne et Adèle réussirent à s'emparer de Clotilde, mais elle se débattit si violemment qu'elle leur échappa et rejoignit les autres en poussant un cri libérateur.

Pépin, que personne n'avait vu disparaître, surgit subitement de l'écurie armé d'une fourche à purin qu'il courut planter jusqu'à la garde dans le ventre du comtois en poussant un long cri incompréhensible ressemblant à quelque chose comme : *GARATI LO CHAVODA*. Le cheval s'effondra sur le flanc en hennissant lamentablement. Il battit l'air de ses sabots et, après quelques soubresauts, cessa de bouger.

Clotilde enleva un de ses sabots et s'efforça de lui crever les yeux avec la pointe. La fratrie glapit sa joie avec une férocité qui en laissa plus d'un perplexe sur leur avenir.

Se désintéressant de leur victime agonisante, ils s'empressèrent autour de Charlemagne que leur grand-père Tricotin et leur oncle Caribert avaient transporté près du puits. Ils l'avaient ranimé en aspergeant son visage d'eau, et Louis-Charlemagne s'assurait qu'il n'avait rien de plus sérieux qu'un bout de langue en moins.

– Ah ça, mon garçon, tu n'as à t'en prendre qu'à toi-même. Et vous autres, petits sauvages, vous avez eu bien tort d'assassiner ce cheval, car nous voilà maintenant débiteurs de maître Durif.

– C'est qu'on a cru qu'il nous avait occis Charlemagne ! protestèrent-ils d'une seule voix indignée, prêts à récidiver s'il le fallait.

Clotilde, hirsute, les joues rouges, tenait encore à la main son sabot taché de sang.

Maître Floutard, qui s'était mis à l'écart dès le début, avait pu constater leur détermination durant l'attaque, comme il avait remarqué la méchanceté de leurs coups dirigés aux yeux, aux nasaux, aux fanons, aux pointes des jarrets, les parties les plus sensibles chez les équidés.

– Il est temps de les séparer si on veut en faire quelque chose un jour, songea-t-il dans son particulier.

L'un des valets d'écurie acheva le cheval d'un coup de masse sur la tempe, tandis que l'autre récupérait la fourche toujours enfoncée dans le poitrail. Les mouches arrivèrent.

Avisant maître Durif enfuribondé par l'étendue des dégâts, Floutard lui ordonna de choisir un nouveau conducteur et d'atteler au plus vite une autre accélérée.

– Et hâtez-vous, car il y va du salut public.

Menée grand train par Léon Tricouillare, un Millavois en état de ronchonnement chronique qui aimait faire claquer son fouet dans les airs avec un bruit d'arquebuse, l'accélérée parcourut les quinze lieues du trajet en moins d'un jour plein. Seul incident, une meute de sept à huit loups traversa le grand chemin à la hauteur de la forêt de Saint-Leu et effraya les chevaux qui se seraient emballés sans la grande autorité du conducteur.

Parti à none, roulant toute la nuit, ne s'arrêtant que pour abreuver les coursiers, le véhicule rapide arriva le lendemain matin en vue du dolmen de la croisée du Jugement-Dernier où se dressaient depuis quatre-vingt-onze ans les fourches patibulaires à quatre piliers de la baronnie de Bellerocaille. Les tours écarlates et le toit en lauzes noires de l'oustal de Justinien Pibrac, troisième du nom, maître exécuteur à plein temps des hautes et basses œuvres du baron Ferdinand Boutefeux, apparaissaient derrière le grand mur de grès rose. A une demi-lieue de là, la forteresse des seigneurs de Bellerocaille se profilait à contre-soleil dressée sur son neck volcanique, paraissant plus jaillie de l'Enfer que tombée du Ciel.

La croisée était déserte à l'exception d'un lézard réchauffant au soleil son sang froid sur l'énorme dalle dolménique et d'un couple de mésanges à longues queues qui trillaient dans les charmes. Trois corbeaux freux se reposaient sur l'une des poutres transversales des fourches, indifférents à la dépouille dénudée, racornie, émasculée, énucléée d'un domestique pendu le mois dernier pour avoir briconné et démarqué deux mouchoirs brodés à son maître : il se charognait depuis, au rythme des intempéries et des vers gros comme des auriculaires qui parfois s'en détachaient.

Tricouillare immobilisa l'accélérée et attendit que le passager ouvre lui-même l'unique portière. Les reins moulus fin par un million de cahots, Louis-Charlemagne grimaça en se décoffrant de l'étroit véhicule. A peine touchait-il terre que le conducteur claquait son fouet et faisait le tour du dolmen avant d'engager son véhicule sur la draille de Bellerocaille.

Louis-Charlemagne s'empressa de vider ses eaux sur les pâquerettes et les pissenlits poussant autour du mégalithe. L'accélérée possédait un pot d'aisance, mais l'utiliser en marche sans s'inonder relevait de la saltimbanquerie, et demander au conducteur de s'arrêter était s'offrir à une rebuffade.

Il se rajusta et avança sur le sentier frangé de bleuets et de coquelicots qui serpentait jusqu'au porche. Il regarda avec une dégoûtation fascinée le haut fronton timbré d'un blason de pierre en se demandant une fois de plus si tout ce qui se colportait sur les mœurs des Pibrac était vrai. Jamais auparavant il n'avait imaginé qu'il puisse un jour sonner chez eux, et, surtout, attendre qu'on lui ouvre.

Le tintement de la cloche silença les mésanges qui s'envolèrent à tire-d'aile. Le trio de freux se contenta de hocher du bec en signe d'agacement. Et le lézard, sur la dalle de dix-sept tonnes, ne bougea pas d'une ligne.

Reculant de quelques pas, Louis-Charlemagne leva la tête pour lire la devise gravée sur le blason, sans parvenir à la déchiffrer car sa vue baissait un peu plus chaque année.

L'un des vantaux s'ouvrit sans un grincement. Un jeune homme au nez en trompette et aux joues encore duvetées le toisa en prenant l'air dégoûté. Il était vêtu d'un vieil habit tomate aux revers anthracite et chaussait des sabots auvergnats à la pointe rebiquante vers le haut.

– C'est quoi qui veut, le vieux bonhomme ?

Son air butor et son accent basque au ton discourtois cachaient mal qu'il n'était pas encore très à l'aise dans son personnage de valet de bourreau forcément insolent. D'autant moins à l'aise qu'il n'avait pas vingt ans et s'adressait à un quinquagénaire le dépassant de trois têtes.

– Je viens voir maître Pibrac.

– Y lui veut quoi au maître, le vieux décati ?

– Je veux le louer.

Le jeune valet se crut obligé de ricaner en posant ses

mains calleuses sur ses hanches. Louis-Charlemagne lui trouva la dégaine de quelqu'un capable de manger ses poux en secret.

– Le maître est cher.

– Crénom de macarel ! J'ai de quoi !

– Alors y faut espérer, car le maître il est à la grand-messe comme tous les dimanches.

Sur ce, il referma le battant de chêne et on entendit le bruit de ses pas s'éloigner vers l'oustal.

Louis-Charlemagne consulta le soleil qui lui apprit que la grand-messe venait seulement de commencer et qu'il allait devoir prendre patience. Il retourna vers le dolmen et le lézard demeura impassible lorsqu'il se glissa sous la dalle posée à une toise du sol, on ne savait ni comment, ni pourquoi, ni par qui. Dix bœufs ne l'auraient pas bougée.

Il délaça sa besace, sortit son coupe-chou et se rasa sans eau en se mirant dans la plaque de cuivre fixée à cet effet sur l'étui. Il croustilla ensuite ce qui lui restait de provisions de bouche et souffrit de n'avoir plus rien à boire.

Comme il ne supportait l'immobilité que couché et dans le seul but de s'endormir, il abandonna l'ombre du dolmen et marcha quelques pas indécis avant de se diriger vers les fourches en essayant de deviner le crime du pendu qui y faisandait.

Élevées sur une vaste plate-forme dallée de huit pieds, les fourches patibulaires se signalaient de loin, d'abord par l'odeur, ensuite par la vue. Les exécutions ayant toujours lieu place du Trou, elles servaient à l'exposition exemplaire des condamnés, déjà morts lorsque le Pibrac les y suspendait (par la cheville ou sous les aisselles en cas de décapitation).

Les piliers en chêne de Provence entretenus à la cire d'abeille brillaient de santé en dépit de leur siècle d'existence, et les armoiries des Boutefeux qui ornaient le madrier central venaient d'être repeintes.

L'approche de l'homme déplut à l'un des freux qui s'envola lourdement. Ses compagnons ne le suivant pas, il fit un grand cercle dans le ciel et allait reprendre sa place lorsqu'il fondit sur le dolmen, saisit dans son bec le lézard et l'avala vif.

Le maréchal examina le chaudron de cuivre placé sous le pendu mais il n'osa pas monter l'escalier menant sur la plate-forme pour voir si de la mandragore poussait dedans.

Comme tout un chacun, Louis-Charlemagne avait eu maintes occasions, durant son demi-siècle d'existence, d'assister à des spectacles de haute justice, aussi la physionomie des Pibrac lui était familière : il se souvenait même du tout premier de la lignée, surnommé Nez-en-moins et qui arborait un nez différent à chaque exécution.

Louis-Charlemagne avait huit ans en 1726. C'était la première fois qu'il accompagnait son père Mérovée à la foire aux mulets de Rodez. Ils s'étaient joints à des petits groupes qui convergeaient vers le village de Montrozier où, leur avait-on dit, le bourrel de Bellerocaille allait fricasser un métayer dûment atteint et convaincu d'avoir « socratisé » sa jument. Son épouse, jalouse, les avait dénoncés aux autorités religieuses qui les avaient arrêtés, questionnés, jugés et condamnés à être brûlés avec du bois vert afin que le supplice dure plus longtemps.

La place en étoile du village était déjà bondée lorsqu'ils y arrivèrent. Le supplice allait avoir lieu sur le parvis en terre battue de l'église, maintenu dégagé par une douzaine de miliciens.

Trop court pour voir, l'enfant grimpa sur les épaules de son père. Il émergea au-dessus d'une grande quantité ondulante de têtes chapeautées, bonnetées, coiffées, toutes tournées vers le condamné qui était nu sous une chemise soufrée, ligoté à la gorge, aux poignets et aux chevilles à un poteau de frêne, un bois solide doublé d'une excellente combustibilité.

Il vit un vieil homme tout de vermillon vêtu qui supervisait la construction d'un bûcher par un quadrille de valets d'échafaud : soucieux de bien faire, ceux-ci alternaient savamment les bottes de paille, les fagots à un liard et les grosses bûches de charme selon un plan en carré.

Debout au centre d'un second bûcher, une pouliche baie d'un an était enchaînée à un poteau semblable à celui de son suborneur et mangeait de la paille qu'elle avait arrachée à l'une des bottes la cernant.

Louis-Charlemagne s'était étonné du nez porté ce jour-là par le vieil exécuteur : un nez aussi pointu qu'une paire de ciseaux, en argent sans doute, et qui renvoyait par instants des reflets lumineux sur les spectateurs. Les femmes s'en protégeaient de l'avant-bras en poussant des couinements ambigus.

– Pourquoi y le cache ? demanda-t-il à son père.

– Parce qu'il n'en a plus. On dit que c'est un jeune valet qui le lui a tranché un jour en manipulant une épée de justice.

Cette réponse provoqua un début de polémique parmi ceux qui l'avaient entendue.

– Ce n'est point un valet mais lui-même qui se l'est coupé alors qu'il affûtait sa grande hache, affirma un meunier.

Une voix de femme le contredit :

– Il se l'est taillé lui-même, c'est vrai, mais c'est parce qu'il y avait la lèpre après.

– Moi, j'ai toujours ouï dire que c'était son loup qui le lui avait croqué.

– Et moi, qu'il l'avait troqué au diable contre sa fortune.

– Fadaises de tréteaux ! Il avait déjà un nez de bois avant d'être bourrel. Et ça, j'le sais pour sûr, puisque j'suis apprenti charpentier à Bellerocaille.

Il baissa la voix d'un ton pour ajouter :

– On dit aussi qu'il aurait été le bâtard du vieux baron Raoul.

– Œillez, œillez, ça va commencer, les avertit Louis-Charlemagne.

L'un des valets venait de tendre au vieil homme en rouge une torche résineuse. Le bourdonnement de la foule cessa et le silence fut tel qu'on put entendre pousser les arbres de la place.

L'exécuteur battit son briquet, la torche s'enflamma. Il la brandit au-dessus de lui afin que chacun puisse la voir, et, selon un rituel qu'il avait lui-même instauré, il lança d'une voix menaçante :

– ET N'OUBLIEZ JAMAIS QUE SEULS DIEU ET NOUS POUVONS !

Ces mots dits, il enfouit la torche dans le bûcher abondamment badigeonné de soufre qui s'embrasa aussitôt en dégageant une épaisse fumée qui asphyxia charitablement le condamné avant même que les premières flammes ne le lèchent. La jument n'eut pas ce bonheur et périt en hennissant et en ruant dans le vide.

Chapitre 24

Ce fut d'abord un lointain bruit grelottant ; puis un nuage de poussière apparut avec, au centre, un point rouge et noir qui grossit rapidement jusqu'à devenir un carrosse écarlate tiré par quatre chevaux au poitrail surchargé de grelots. La voiture déboula avec fracas sur le carrefour en broyant les cailloux sous ses roues cerclées de fer.

Les vantaux du porche s'ouvrirent. Le valet conducteur en livrée tomate à parements noirs mit les chevaux au pas. Il portait des moustaches relevées en corne à la façon hidalgo et dissimulait son menton carré qui lui donnait un air lourdaud sous une épaisse barbiche grisonnante. Louis-Charlemagne lui fit signe. L'homme l'ignora. Le carrosse franchit le porche. Il reconnut au passage le maître exécuteur en compagnie de trois femmes aux vêtures de deuil que rehaussait le velours cramoisi drapant l'intérieur du caisson.

Le jeune insolent au nez en trompette allait pour refermer les vantaux lorsque Louis-Charlemagne saisit la poignée de la cloche et l'agita au rythme répété du tocsin.

Le carrosse s'immobilisa. La portière blasonnée comme celle d'un marquis s'ouvrit. Le valet déplia le marchepied. Justinien le troisième descendit. Le valet lui souffla quelque chose à l'oreille en désignant le maréchal qui s'approchait. Une voix menaçante venant de la tour sud lui fit relever la tête. Un homme en livrée posté entre deux créneaux l'ajustait avec un fusil à double canon.

– Ce n'est rien, Honoré, lui lança le Troisième en s'accompagnant d'un geste apaisant.

Également rameuté par le tocsin, un couple de molosses aux poils du dos hérissés déboucha du passage voûté reliant la tour sud à l'aile gauche de l'oustal. Les suivaient de près deux adolescents, l'un armé d'un taille-pré, l'autre d'une fourche. Le Troisième calma les premiers de la voix, les seconds du regard.

Une louve, une vieille louve certes, mais une louve tout de même, apparut en clopinant, retardée par un pied antérieur gauche manquant. Elle délogea d'un retroussis de babines les molosses et se posta près de son maître.

C'est donc vrai, s'étonna Louis-Charlemagne qui n'avait jamais vraiment donné foi à ces histoires d'alliance sulfureuse des Pibrac avec la race des loups. On leur prêtait aussi des affinités avec les chauves-souris, les scorpions, les vipères et plusieurs sortes d'araignées.

– Salutations, monsieur. Mon valet dit que vous voulez louer mes services.

– Hélas oui, maître Pibrac.

Le maréchal qui hésitait à se décoiffer pour un bourrel le fit pour quelqu'un qui lui donnait du monsieur.

De bonne taille, âgé d'une quarantaine d'années, se tenant bien droit, l'exécuteur avait le visage carré et le nez fort et convexe de ceux confiants en leurs capacités. Ses yeux vifs et bleus étaient surmontés de sourcils rapprochés qui lui conféraient un air réfléchi. Sa bouche ample avait des lèvres pleines un peu lasses. Il portait un habit où s'énuméraient pas moins de onze nuances de rouge. Son justaucorps à manches avec parements en ailes et pans formant jupe était vermeil, sa veste munie de poches qu'il boutonnait seulement à la taille comme on l'affectionnait sous la Régence était cinabre, tandis que sa culotte garance prise dans des bas de soie ponceau était retenue par une jarretière corail incrustée de rubis ; ses souliers cerise à bouts fins et carrés avaient de hauts talons incarnats et leurs boucles étaient recouvertes de porphyre. La dentelle de son jabot était pourpre et, si sa perruque à bourse restait brune, le sac contenant les cheveux était bordeaux.

La dernière fois que Louis-Charlemagne l'avait vu remontait à l'automne dernier. Le Troisième était venu à Racleterre officier – aux frais du tribunal religieux – sur Simon, le carillonneur de la Maison qui s'était défait lui-même. L'homme s'était précipité du haut du beffroi pour s'écraser quarante-cinq pieds plus bas sur les pavés en grès de la cour. Comme explication à son geste, il avait peint en rouge sur la grande cloche de bronze : BRAN À JÉSUS QUY PEU TOU MAY QUY FAYT JAMAY RYEN. Son cadavre avait été présenté à l'officialité qui l'avait jugé et condamné à être exposé la tête en bas au pilori. Son inhumation en terre consacrée étant prohibée, l'exécuteur l'avait brûlé *extra muros* et avait dispersé ses cendres au-dessus de la rivière afin que ne subsiste aucune trace de son passage sur terre et qu'il ne puisse pas être là au jour du Jugement dernier.

– C'est pour un enragé qu'il faut guérir si c'est encore possible, ou délivrer pour toujours si ça ne l'est plus, expliqua Louis-Charlemagne.

– Par quel animal a-t-il été denté ?

– Par une vache.

Le maître exécuteur chassa d'un revers de main une abeille, qui, le confondant sans doute avec un coquelicot géant, cherchait à butiner sa perruque. Louis-Charlemagne regarda cette main aux doigts longs et fins, aux ongles luisants et propres, coupés court : une main qu'on imaginait mal maniant la barre de rompage ou l'épée de justice.

– Où l'a-t-elle mordu ?

– A la main.

– Il y a longtemps ?

– Presque une lune.

Les valets les écoutaient, les bras croisés, l'air plus godelureaux que jamais.

– A-t-il déjà montré des signes d'hydrophobie ?

En signe d'ignorance, Louis-Charlemagne gratta son front qui ne le démangeait pas.

– Je n'entends point ce mot.

– L'eau lui fait-elle dégoût ?

– Depuis hier. C'est ce qui m'a décidé à venir vous louer.

– Votre homme est donc enragé et il est trop tard pour le sauver. Avez-vous une préférence sur la manière dont vous voulez qu'il soit délivré ?

Bon an mal an, le Troisième traitait une douzaine d'enragés. Ses services étaient généralement affermés par des petits seigneurs sans fourche, des consuls de Maison dans l'embarras, des associations de Voisins-Très-Inquiets, des familles éplorées. Certains, au nom de la tradition, réclamaient le classique étouffement entre deux matelas, d'autres favorisaient la crémation, l'empoisonnement, la noyade, la chaux vive.

– Je veux la plus charitable.

Les valets gloussèrent. Comme c'était la plus délicate à performer, c'était la plus onéreuse. Elle consistait à occire l'enragé d'un seul coup et par grande surprise afin qu'il ne se sache point mourir. Mais surprendre un individu continuellement sur ses gardes était le contraire d'une mission facile et réclamait un talent confirmé d'organisateur et d'improvisateur.

– Fort bien. Où demeurez-vous ?

– A Racleterre.

Les traits de l'exécuteur se plissèrent de contrariété.

– Navré, monsieur, mais ce bourg est trop loin et je ne puis m'éloigner de mon oustal en ce moment. Mille regrets.

Plongeant la main dans la poche intérieure de sa veste, Louis-Charlemagne exhiba une bourse aimablement gonflée.

– J'ai de quoi, maître Pibrac ! Quel que soit votre prix, je peux payer.

– Vous m'entendez mal, monsieur, mon épouse est proche de la délivrance et il ne me sied point de m'écarter d'elle pour autant de jours.

– Par Marie et son petit Jésus, je vous conjure, maître Pibrac, de vous occuper de mon fils avant qu'ils ne lui fassent le pire.

A bout d'arguments, il ajouta :

– Il se nomme Clovis Tricotin et c'est le père des épateurs de Racleterre.

L'exécuteur hocha la tête en prenant un air songeur. Il allait pour lui répondre lorsqu'il se ravisa et fit demi-tour, suivi de la louve, des molosses et des valets.

– Il s'en va maintenant, le vieux bonhomme, dit le valet au nez en trompette en refermant les vantaux qui tournèrent sans bruit sur leurs gonds.

Chapitre 25

Louis-Charlemagne marcha jusqu'au Dourdou et suivit la haie de peupliers et d'aulnes qui escortait la rivière jusqu'à Bellerocaille tout en empêchant les rives de s'éroder.

Comme il ne transportait aucune marchandise, il n'acquitta que le droit de péage du Vieux-Pont et passa librement l'octroi de la porte ouest. On ne pouvait être de Racleterre et se sentir à son aise à Bellerocaille où était née l'expression reprise depuis par tout le Rouergue : « 99 ânes et un Racleterrois font 100 bêtes. » La haine unissant les chevaliers Armogaste aux barons Boutefeux datait d'avant la première croisade et s'était fidèlement perpétuée à travers les contes et légendes narrés par les vieilles, les soirs d'hiver.

Place du Trou, Louis-Charlemagne trouva la Poste aux chevaux Calmejane, et, dans la cour, l'accélérée dételée. Le conducteur était à l'auberge *Au bien nourri*, dit le valet d'écurie.

Tricouillare était attablé devant une pinte de clairet et parlait haut. Il se tut en le voyant entrer : Louis-Charlemagne en déduisit qu'il faisait l'objet de la conversation – lui ou Clovis.

Certain d'être mal accueilli, il força sa voix pour déclarer d'une traite :

– Soiffer au plus vite votre flacon, car il nous faut partir pour Rodez sans délai.

Autant marcher sur la queue d'un chat qui dort.

– Sache qu'on ne m'ordonne point à moi, bougre d'ébahi ! Et puis maître Durif m'a dit jusqu'à Bellerocaille et pas jusqu'à Rodez. Et puis c'est le jour du Seigneur, alors moi maintenant, je bamboche et quand j'en aurai terminé, je repars pour Racleterre.

Le nom du bourg fit cracher quelques clients par terre.

Tricouillare était d'autant plus déterminé à suivre ce programme qu'il avait encore soif. De plus, il avait commandé un repas et il s'était trouvé un lapin, comme on désignait les voyageurs que les conducteurs indélicats n'inscrivaient pas sur leur registre. En payant moitié tarif, le fraudeur acceptait de voyager dans n'importe quelles conditions, de pousser dans les côtes et de quitter le véhicule avant l'entrée à Racleterre.

– Je vais de ce pas à la Poste, et si vous lézardez à m'y rejoindre, je partirai sans vous.

Pareils aux capitaines de navire, les conducteurs étaient seuls maîtres de leur véhicule. S'en prendre à cette prérogative était s'en prendre à l'essence même de leur fonction. S'asseoir sur leur siège, toucher aux rênes, faire avancer la voiture étaient aussi hasardeux que de piétiner un orteil de raffiné.

– Morbleu ! Touche à mon accélérée et je te donne le fouet jusqu'à l'os ! Aussi vrai que mon ancêtre en avait trois !

– Je suis ici avec l'aval de la Maison, insista Louis-Charlemagne, et c'est avec la sérénité de tout notre bourg que vous en prenez à vos aises. Si par votre faute je n'ai point de bourrel à temps, le Consul sera éclairé sur votre responsabilité, et nous verrons alors si vous n'en rabattez pas d'une toise.

Tricouillare répondit par un bruit pétaradant qui ne sortait pas de sa bouche.

– *Atrapa-lo ! Te lo dône !* s'exclama-t-il en patois.

Il y eut de nombreux rires.

– Ce Tricouillare, quelle heureuse nature ! dit quelqu'un.

Le conducteur vida son gobelet et lança à la cantonade :

– Oh éh ! Baille-moi une autre pinte et un jeu de trictrac. Qui veut jouer avec moi… et perdre ?

Le cœur saignant d'impuissance, Louis-Charlemagne cherchait un argument qui contraindrait ce mal embouché à lui obéir, lorsqu'un valet de la Poste aux chevaux Calmejane fit irruption dans la salle et avertit l'assistance d'une voix serrée :

– V'là l'Pibrac !

Ceux qui ne se figèrent pas tressaillirent. Les Pibrac ne venaient jamais *Au bien nourri*.

Justinien le troisième entra. Il était en habit de voyage lie-de-vin, il avait quitté sa perruque et portait sur ses cheveux ramenés en queue un tricorne rose rubéole. Une paire de pistolets d'arçon anglais à double canon tournant était glissée dans un baudrier couperosé auquel pendait déjà une rouillarde de Tolède à la coquille décorée d'une scène de duel entre hidalgos.

Le maître exécuteur était flanqué de Basile Plagnes, valet en premier depuis trente ans, et Honoré Plagnes son fils aîné, valet en second. Tous deux étaient en livrée tomate à parements noirs. Basile portait dans le creux de son coude un tromblon au canon évasé capable d'arroser les alentours de plombs de la taille d'un noyau de cerise sur un rayon de dix toises. Honoré tenait un fouet de conducteur en cuir tressé avec lequel il pouvait trancher une oreille, un doigt, voire un nez.

Les servantes se signèrent.

– Maître Calmejane m'a obligeamment prévenu que je vous trouverais ici, expliqua le Troisième à Louis-Charlemagne, ajoutant sans autre préambule : Seriez-vous affilié à la lignée de Childéric Tricotin qui fut maréchal à Racleterre il y a de ça quatre-vingt-onze ans ?

C'était si totalement inattendu que Louis-Charlemagne lui demanda de répéter. Le Troisième répéta. Derrière lui, ses valets jouaient à celui qui prendrait l'air le plus désagréable et ferait baisser le plus grand nombre de regards. Comme leur arrogance s'étoffait d'une réelle puissance physique, soutenue d'une non moins réelle puissance de feu, on se borna à les ignorer.

C'étaient eux qui, trois fois par semaine plus les jours fériés et les jours de marché, percevaient la havée, cet impôt si unique et si extraordinaire que seuls les bourreaux pouvaient le lever.

– Mon arrière-grand-aïeul paternel se nommait bien Childéric, et il a été maréchal place de l'Arbalète puis rue des Frappes-Devant, là même où se trouve présentement ma maréchalerie. Mais comment se fait-il que vous le connaissiez ?

L'exécuteur ébaucha un début de sourire qui provoqua un brouhaha médusé. Personne à ce jour ne pouvait se vanter de l'avoir vu se départir de son expression impavide et lisse comme du savon mouillé. Plus formidable encore il ôta son tricorne pour dire d'une voix affable :
– Je suis votre obligé, maître Tricotin, et si vous le voulez encore, nous partons pour Racleterre. J'aurai tout loisir de vous éclairer durant le trajet.

Comme dans un rêve (un cauchemar ?), Louis-Charlemagne le suivit jusqu'à une berline grenat à deux portes qui attendait sur la place, gardée par Arthur, valet en second, fils de Basile Plagnes et frère d'Honoré. Il était assisté de Gaspard Latudes, apprenti valet au nez en trompette, placé comme « nourri » par son père, le maître exécuteur du Vieux-Boucaux. Plus aucune trace d'insolence ne subsistait chez lui quand il sauta de la malle arrière pour déplier le marchepied et ouvrir la portière. Louis-Charlemagne monta à l'intérieur, consterné soudainement à la perspective d'être confiné plus d'un jour entier en tête à tête avec le bourreau de Bellerocaille.

Il choisit le sens de la marche et s'installa sur une banquette de cuir rembourrée et assez spacieuse pour accommoder deux autres voyageurs. Contrairement au velours capitonnant le carrosse aperçu plus tôt, l'intérieur était lambrissé d'acajou exhalant une odeur suave de cire d'abeille identique à celle émanant des fourches patibulaires. Justinien le troisième s'assit sur la banquette opposée et se débarrassa de son tricorne, de son baudrier, de la rapière et de ses pistolets, rangeant ces derniers dans des fontes fixées à la portière gauche. Celle de droite était munie d'une sacoche de cuir contenant plusieurs livres reliés, une nouvelle surprise pour Louis-Charlemagne qui imaginait mal le bourreau lisant après une journée consacrée à encarcaner, à pendre, à rompre, à brûler, à ébouillanter, à tourmenter...

Le Troisième ôta son justaucorps et le suspendit à une barre de bois fixée au plafond. Chaque fois que son regard croisait celui de Louis-Charlemagne, il grimaçait un petit sourire intimidé. Trop perturbé par ses propres émotions, le maréchal ne pouvait concevoir que le plus gêné des deux puisse être l'autre.

Les clients de l'auberge, le maître aubergiste, les filles de salle étaient sortis et regardaient les valets d'échafaud se répartir à leur poste sur la berline.

Arthur et Gaspard se postèrent dans la malle arrière, tandis que Basile s'asseyait sur le banc du conducteur et qu'Honoré sautait en postillon sur le cheval de tête. Le Troisième n'eut qu'à montrer sa main par la portière pour que la voiture s'ébranle pesamment sur les pavés bombés de la place du Trou. Le fouet d'Honoré retentit, les chevaux hennirent, Basile apostropha crûment tous ceux qui ne se garaient pas assez vite :

– Arrière, les fils de rien ! Arrière les traîne-sabots !

On se rangeait promptement, on tempêtait vertement, mais on ne s'émouvait pas outre mesure. Depuis un siècle que ça durait, « on » avait fini par s'habituer.

La voiture dévala la rue Paparel et franchit sans ralentir la porte ouest à une vitesse que seuls s'autorisaient les cochers du baron Ferdinand, et seulement lorsqu'il était à bord.

Le fouet cingla l'air chaud et lança les chevaux à l'assaut du Vieux-Pont qui enjambait déjà le Dourdou mille ans plus tôt.

– Arrière, crapauds ! Arrière, vermines racailleuses ! Hue ! Hue ! Hue ! beugla Basile d'une voix de tonnerre en engouffrant la voiture sur l'étroit passage en dos d'âne.

Maître Fraysse, le meunier du moulin de la Belle-Onde, n'eut que le temps de grimper précipitamment sur le parapet. Son chapeau à dix livres chut dans la rivière où le courant l'emporta pour toujours.

– VA AU DIABLE, PIBRAC, C'EST LE SEUL QUI VEUT D' TOI ! hurla-t-il, le poing tendu vers la berline qui dévalait avec fracas l'autre côté du pont.

Les rires satisfaits des valets lui répondirent.

Le Troisième décrocha une corne acoustique reliée à un tuyau qui disparaissait par un trou percé dans la cloison et dit dedans :

– Tu peux ralentir. Plus personne ne nous voit.

L'effet fut immédiat. La voiture adopta une petite vitesse et ne s'en départit plus jusqu'à l'oustal où un groupe de femmes et d'enfants attendait devant le portail ouvert. Ils étaient réunis autour d'une jeune femme au ventre gonflé, la seule assise dans un fauteuil. Le couple de molosses et la vieille louve à trois pattes étaient également présents.

La berline s'immobilisa à leur hauteur. Gaspard sauta à terre et ouvrit la portière. Louis-Charlemagne croisa le regard de l'exécuteur qui hésita avant de dire d'une voix neutre :

– Je n'ose point vous convier à me suivre, maître Tricotin. Je sais trop la puissance du préjugé qui nous sépare et je ne désire en aucune façon vous placer dans l'embarras… mais si cela vous chaut, ce sera un grand honneur de vous présenter mes gens.

– Tout l'honneur sera pour moi, s'entendit déclarer le maréchal en le suivant hors du véhicule.

Bientôt, il se décoiffait devant Adeline Pibrac, la mère du Troisième et veuve du Deuxième, puis devant Pauline, née Plagnes, son épouse grosse de plus de huit mois. Elle était parée de ses trois enfants, Bertille dix ans, Marion sept ans, Justinien deux ans, dauphin et futur Quatrième. Ils le dévisagèrent avec l'intérêt fasciné de ceux qui voient peu d'étrangers vivants.

Vint le tour des tantes Berthe et Lucette, les sœurs du Deuxième. La première était veuve de Guiseppe Amperla, l'exécuteur italien de Bardino-Vecchio dans les Pouilles, assassiné durant son sommeil par la mère d'un exécuté. La seconde était veuve de Horst Hackmesser, l'exécuteur en chef de Cologne qui, la nuit de ses noces, s'était brisé la nuque contre le montant du lit.

Puis ce fut le tour de Clarisse Plagnes, l'épouse de Basile, le valet en premier, et la mère de Pauline et d'Honoré et Arthur, les valets en second. Elle était flanquée de ses jeunes brus, Rose et Amélie, qui lui obéissaient au doigt, à la voix et à l'œil.

C'est avec la même fierté de propriétaire heureux que le Troisième conclut en lui présentant les molosses, Dante et Virgile, qui aboyèrent en entendant leur nom, et la vieille louve, Papatte, qui regarda désobligeamment ailleurs.

Basile et ses fils descendirent de la berline pour faire eux aussi leurs adieux. Louis-Charlemagne les vit s'embrasser et s'étreindre avec chaleur, s'étonnant derechef que de tels gens puissent aimer, et, plus surprenant encore, soient payés de retour : ce que leurs regards et l'émotion qui s'y lisait attestaient sans équivoque.

De garde à l'oustal, Eustache et Roques, valets de troisième classe et novices au même titre que Gaspard, étaient montés à la tour sud et regardaient avec envie ce dernier faire l'important dans la malle arrière, fou de joie d'être du voyage.

Le Troisième mit un genou à terre devant sa mère qui le bénit pour la route et lui remit ensuite une tarte aux pommes large comme une pleine lune. Quatre paniers en osier remplis de victuailles furent répartis dans la berline. Le fouet claqua, les chevaux s'ébranlèrent, les grelots grelottèrent.

La tarte chaude embauma la caisse et fit saliver Louis-Charlemagne malgré lui. Il s'émut en voyant l'attelage s'engager directement sur le grand chemin de Racleterre en faillant à la traditionnelle circonvolution du dolmen, sans laquelle tout déplacement devenait incertain. L'origine de la coutume se perdait dans les siècles et l'on s'y pliait depuis toujours, que l'on voyage à pied, à cheval, en carriole ou en berline à deux portes. Il crut à un oubli dû à l'émotion du départ.

– Faites excuse, maître Pibrac, mais votre conducteur a manqué de faire le tour.

Le Troisième, qui avait tiré du coffrage sous la banquette un plateau en noyer muni d'un pied, glissa ce dernier dans une rainure appliquée au plancher. Grâce à trois ingénieuses chevilles métalliques, le plateau se fixa sur le pied et une table parfaitement stable apparut entre eux.

– Il n'a point oublié. A part ralentir, Basile n'oublie rien. Souffrez d'apprendre que notre coutume est de ne pas faire de tour.

Il posa la tarte sur la table, puis il décrocha la corne acoustique et ordonna dedans :

– Retourne au dolmen.

Une fois revenu, l'exécuteur ouvrit la portière et dit aimablement :

– Je vous en prie, maître Tricotin. Je ne voudrais point que vous vous échauffiez la bile de ne pas l'avoir fait.

Louis-Charlemagne se dépêcha de faire le tour du monument, certain que les valets se faisaient violence pour ne pas ricaner. Quand il remonta dans la berline, l'exécuteur tenait un couteau à lame repliable dans la main droite et divisait la tarte en deux portions égales. Quelque chose était écrit sur le manche, mais encore une fois sa vue baissante lui interdit de le lire.

Oubliant la dramatique finalité de ce voyage, l'endroit où il se trouvait, et surtout avec qui, Louis-Charlemagne poussa un huuummm de plaisir dès la première bouchée. Sa conscience outragée lui expédia aussitôt la vision de Clovis dévasté par le fléau mais ne parvint pas à lui couper l'appétit. Il accepta même le gobelet d'argent plein de vin de Cahors que lui tendit son hôte et le but d'un trait tant il avait soif. Il ne dit point non à un deuxième gobelet qu'il vida d'un autre trait tandis que la voix orageuse de Basile retentissait.

– Disparaissez avant qu'on vous écrabouille, soliveaux de l'Aubrac !

La bouche pleine de tarte, Louis-Charlemagne vit par la portière un groupe de scieurs en long qui s'étaient jetés dans le fossé pour ne pas être bottéculés et qui pataugeaient maintenant en blasphémant horriblement.

Ils traversaient le bois Azémard quand le Troisième se décida à lui narrer comment, quatre-vingt-onze ans plus tôt, son grand-père Justinien premier avait été agressé, dépouillé et laissé pour mort en habit d'Adam et comment Childéric Tricotin l'avait découvert, recueilli, nourri et même vêtu.

Une expression de surprise illimitée embua le regard du maréchal-ferrant. Il revit le vieil homme au nez d'argent brandissant sa torche enflammée.

– Vous me dites que mon aïeul Childéric a reçu *chez lui* Pibrac Nez-en-moins ?

L'exécuteur esquissa un sourire triste à l'écoute du surnom.

– Si cela peut vous requinquer, sachez qu'il n'était pas encore commissionné. J'ajoute que mon grand-père estimait avoir contracté une dette envers votre ancêtre, et que cette dette, à ce jour, n'a toujours pas été acquittée.

– Pourquoi ne l'a-t-il point acquittée de son vivant ?
Le Troisième mima l'ignorance.

– Je ne sais. En revanche, il a dûment consigné cette dette dans son livre de raison et c'est en le consultant après votre passage ce matin que j'ai fait le rapprochement entre *notre* Tricotin forgeron et votre Tricotin sabotier et père des quintuplés.

Découvrir soudainement que son patronyme figurait depuis quatre-vingt-onze ans dans les archives des Pibrac de Bellerocaille à la rubrique « dette à rembourser » méritait une autre lampée de Cahors.

Chapitre 26

Le jour s'éteignait paisiblement quand la berline grenat ralentit non loin du monastère cistercien de Maneval et s'immobilisa sous un grand érable épanoui. Les chevaux s'abreuvèrent à la rivière et furent nourris d'un mélange d'avoine et de carottes qu'ils parurent apprécier. Gaspard trouva du bois, Arthur construisit un feu, Honoré cuisina le dîner dessus.

Désœuvré, Louis-Charlemagne s'approcha de Basile qui inspectait les paturons de la jument de tête et nota avec intérêt qu'elle était ferrée à l'espagnole. La tradition rouergate exigeait que l'on ferrât à la lyonnaise et seulement à la lyonnaise : pourtant ce fer était long, relevé, avec la branche du dehors forte et large qui le rendait lourd et embarrassant sur des routes aussi rudes que l'étaient celles du Rouergue.

Dans sa jeunesse, alors qu'il était encore tout feu tout flamme, Louis-Charlemagne avait tenté de convaincre les Racleterrois d'essayer le fer ibérique, tout aussi résistant que le lyonnais, mais plus léger et bien mieux adapté aux terrains raboteux. Il avait dû promptement renoncer, et il lui avait fallu plusieurs saisons d'efforts répétés avant de pouvoir regagner la confiance de la clientèle que sa lubie moderniste lui avait coûtée.

Il se pencha près de la jument et, après en avoir demandé la permission, il souleva le sabot qu'il trouva habilement raboté, avec son fer bien cloué d'aplomb et sans débordement.

– C'est certes point un maréchal de chez nous qui a pu vous faire un tel ouvrage.

Basile devait avoir reçu des consignes, car en lieu d'une insolence bien sentie il répondit courtoisement :

– C'est le maître.

Louis-Charlemagne ne cacha pas son appréciation.

– Ma foi, il ferre à point.

– Le maître sait TOUT faire, déclara sobrement Basile en se redressant d'une détente tandis que Louis-Charlemagne dut ménager ses reins en prenant appui sur ses cuisses.

Pourtant, ils étaient du même âge.

En veine de confidence, le valet lui désigna la berline :

– Il y a apporté onze modifications et il travaille à l'heure qu'il est à une douzième.

A l'intérieur du véhicule, le Troisième, besicles sur le nez et pipe au bec, gâchait de la feuille à un sol en dessinant et redessinant un nouveau système de suspension qui autoriserait deux ressorts de cuir supplémentaires aux quatre existants.

– Déjà tout pitchounet, on l'a vu quitter son berceau pour réparer la bascule.

Louis-Charlemagne hocha la tête.

– En effet.

Gaspard déploya sur l'herbe un épais tapis, Arthur le recouvrit d'une nappe blanche brodée d'un grand JP et disposa dessus deux assiettes et deux verres en vermeil. Honoré déclara le dîner prêt.

Debout devant la nappe abondamment garnie, mains jointes et nuque soumise, le maître exécuteur récitait le bénédicité lorsque l'accélérée Durif déboula au grand galop sur le chemin.

Louis-Charlemagne aperçut deux silhouettes à l'intérieur. Tricouillare qui chevauchait sur le cheval de pointe fit claquer insolemment son fouet dans leur direction. Déjà l'accélérée était passée, laissant un nuage de poussière qui retomba sans hâte. Basile eut un regard de regret vers son tromblon resté sur le siège, tandis que le Troisième terminait la prière et s'asseyait en tailleur sur l'un des coussins, faisant signe à son invité de l'imiter.

– Soupons, je meurs de faim.

Une main légère l'éveilla.

Louis-Charlemagne ouvrit les yeux. Le maître exécuteur de Bellerocaille lui souriait affablement. Il faisait jour et la berline roulait bon train. Au paysage de ronces et de genêts défilant par la portière, il sut qu'ils avaient dépassé Tras-la-Carrigue et qu'ils approchaient des terres de l'abbé du Bartonnet. Si la berline conservait cette allure, ils atteindraient Racleterre avant tierce. Il songea à Clovis et sa gorge se serra. Comment avait été sa nuit ?

Le Troisième lui montra le plateau de victuailles et la corbeille de fruits en l'invitant à se servir. Louis-Charlemagne se contraignit sans mal à y faire honneur, trouvant particulièrement goûteux le pâté de cailles farcies aux langues de rossignol qu'il mangea avec une forte envie de pleurer. Comment pouvait-il se montrer si mâche-dru alors que ce soir, au plus tard demain, cet homme si attentionné et courtois allait trucider son fils ? D'ailleurs, le maître exécuteur consacra les heures suivantes à le questionner sur Clovis, sur les traitements de sa blessure (il approuva les cautérisations et haussa les épaules aux noix pilées comme aux autres onguents, à l'exception de l'eau d'arquebusade qui, si elle ne guérissait pas, avait le mérite d'endormir un temps les douleurs), sur la fréquence des accès, sur son attitude pendant qu'il les subissait. Demeurait-il conscient ? Perdait-il la raison ?

Suivant ses indications, il traça d'une main décidée un plan de l'échoppe, une perspective de la maison, de la cour, des rues parallèles, et aussi des toits. Louis-Charlemagne évita de le questionner sur la façon dont il comptait s'y prendre.

Le Troisième l'interrogea ensuite sur les quintuplés et sur les circonstances exactes de leur naissance (il existait de nombreuses versions, certaines fort désobligeantes), et sur cette histoire de collier de chat. Il était curieux de tout et semblait déguster chacune des réponses en prenant une mimique intéressée qui flattait son interlocuteur et l'incitait à en dire plus.

Mis en confiance, Louis-Charlemagne trouva l'audace de poser lui aussi quelques questions, sur les fers à l'espagnole entre autres.

– C'est mon grand-père qui m'a enseigné à ferrer. Voyez-vous, maître Tricotin, quand on est ce que nous sommes, il est souhaitable de ne jamais dépendre du bon vouloir d'autrui.

Il osa même s'informer sur le nez de Nez-en-moins. Le Troisième parut amusé.

– Il disait que c'était un accident survenu dans sa prime enfance et dont il n'avait conservé aucun souvenir. Il n'en a jamais fait un secret… Je vous sens sceptique, maître Tricotin.

– Si c'était le cas, pourquoi tant de versions ?

L'amusement de l'exécuteur fit place à de l'amertume.

– Mais parce que personne n'est jamais venu le lui demander ! Personne ne vient jamais nous demander quoi que ce soit. Vous-même, sans ces circonstances extraordinaires, m'auriez-vous seulement adressé la parole ?

Louis-Charlemagne regarda le plancher. Rien n'était plus vrai.

– C'est à cause de votre fonction, c'est à cause que vous donnez la mort, et qu'il est dans la nature de tout homme honnête de fuir la vue de celui qui occit.

– Mais je ne tue que pour vous, maître Tricotin ! s'exclama le maître exécuteur en montrant la paume de ses mains. Je ne tue que pour votre sécurité ! Pourquoi ne vous en prenez-vous donc pas aux juges ? Ce sont eux qui donnent vraiment la mort, moi, je ne fais qu'obéir, je ne fais qu'EXÉCUTER leurs sentences.

Sa voix avait perdu de son amabilité, ses yeux s'étaient embués de larmes.

– Tout le monde est pour l'exécution et contre l'exécuteur. Voilà qui n'est guère équitable, vous en conviendrez.

Il soulignait ses phrases d'un hochement de tête convaincu.

– Pourtant notre importance est capitale, et je pèse mes mots.

Louis-Charlemagne se donna une contenance en fouillant dans sa besace à la recherche de sa bouffarde.

– Vous en voulez ? C'est du Vrai Pongibon.

Le Troisième accepta, sortit une pipe en os et fournit les allumettes, précisant qu'elles n'étaient pas de contrebande mais fabriquées à l'oustal.

Tressautant sur le chemin défoncé par les ornières, la berline arriva en vue de la vaste et très profonde forêt de Saint-Leu.

Chapitre 27

L'attelage peina pour arriver en haut de la côte du Bossu d'où se découvraient le causse, le Dourdou, le pont Saint-Benoît qui l'enjambait, et, dans une boucle, Racleterre tapie derrière son épaisse chemise de granit et dominée par le donjon des Armogaste.

Basile laissa les chevaux souffler un moment. Gaspard en profita pour défaire leurs grelots et les ranger dans le caisson sous le marchepied. Le Troisième passa son justaucorps et son baudrier. Avant de coiffer son tricorne, il vérifia la bonne ordonnance de ses cheveux châtains liés en queue par un catogan de soie pourpre.

Tricouillare avait dû claironner leur arrivée car les créneaux et les fossés grouillaient de populaire. Louis-Charlemagne s'éloigna de la portière et s'adossa profondément dans la banquette, les joues brûlantes tout à coup.

Les maîtres exécuteurs étant exemptés de la taxe sur les voitures étrangères à la châtellenie, les archers de la porte des Croisades laissèrent s'engouffrer la berline dans Racleterre.

– Arrière, vieilles biques à bouc ! tonna Basile à une douzaine de femmes du Ségala qui, le chapeau à la main, allaient se louer place de la Maison.

Ils avaient remonté une partie de la rue Jéhan-du-Bas et allaient s'engager dans la Jéhan-du-Haut quand Louis-Charlemagne comprit enfin ce qui n'allait pas. Le trafic était anormalement fluide, et cela n'aurait pas dû être si la rue des Afitos était barrée par le guet. Et si la rue des Afitos n'était plus barrée…

– Dites à votre valet de prendre à main gauche et de passer rue des Afitos.

– Je ne le peux. Je dois d'abord me présenter à la Maison. De plus, il n'est point conseillé d'alerter votre fils avec notre berline, c'est pour ça que j'ai fait ôter les grelots.

– Hélas, j'ai tout lieu de croire que nous arrivons trop tard.

Il lui fit part de ses craintes, et la présence dans la cour de la Maison de plusieurs chevaux d'officiers du Royal-Navarre gardés par leurs ordonnances accentua ses pressentiments.

Vêtu de poussière, Honoré démonta de la jument de tête et s'épousseta à grandes claques. Tout aussi empoussiérés, Arthur et Gaspard l'imitèrent. Seul Basile demeura sur son siège de conducteur à tripoter son tromblon en lançant des rictus édifiants vers les ordonnances, un sergent et deux caporaux moustachus, qui avaient interrompu leur bavardinage pour afficher cet air suffisant et inhérent à tout militaire en présence de civils.

Basile prit dans sa bourse à balles un plomb de la taille d'un gros petit pois et le lança vers eux d'un geste désinvolte mais très étudié. Le plomb rebondit sur le pavé et roula jusqu'aux bottes de l'un des caporaux.

– Si vous vous demandiez quel calibre affectionne mon tromblon, vous voilà édifiés, faces de bran à moustaches !

Entre-temps, Louis-Charlemagne et l'exécuteur de Bellerocaille entraient dans le hall. Ce dernier arborait de nouveau sa rapière, ses deux pistolets d'arçon anglais, et surtout son air de bien connaître leurs usages.

L'appariteur contourna sa table avec précipitation pour venir à leur rencontre.

Le consul les reçut sans attente dans la grande salle. Louis-Charlemagne devina que son entrevue avec les officiers du Royal-Navarre était difficile à en juger aux yeux trop brillants et aux visages congestionnés par le mécontentement de chacun.

Sans présenter son monde, le consul Puigouzon marcha sur le maréchal la main droite sur le cœur et lui déclara d'une voix vibrante :

– Sachez d'abord, maître Tricotin, que la Maison comme son assemblée ne sont en rien responsables de l'odieuse trucidation de votre fils.

C'est ainsi que Louis-Charlemagne apprit la mort de Clovis, survenue la veille et dans des circonstances à maudire Dieu pour avoir laissé faire une chose pareille.

Des bas-officiers de la 4e compagnie du Royal-Navarre, cantonnés à Roumégoux, avaient profité d'un congé pour visiter leurs camarades de la 6e compagnie, cantonnés, eux, à Racleterre. Il s'était ensuivi une formidable et prévisible beuverie qui s'était déplacée de tavernes en auberges, laissant derrière elle à chaque transfert les éléments trop ivres. Bientôt il n'en resta qu'une poignée, six exactement, sur qui le vin semblait n'avoir aucune influence. Ils échouèrent au coucher du soleil à l'auberge de la Poste aux chevaux Durif et commandèrent de l'eau-de-vie. Parmi eux se trouvait le sergent-major Lentier, ce même bas-officier qui avait pistolé Clarabelle sans descendre de son cheval.

Qui eut l'idée, lequel des six prit l'initiative et entraîna les autres, qui jeta la première pelletée, ne fut point établi lors de l'enquête menée ultérieurement par le procureur royal de Millau. Il n'en demeura pas moins qu'après avoir neutralisé les gardes de la rue du Lop, les bas-officiers s'introduisirent dans la cour du sabotier et l'occirent atrocement. Non sans résistance de Clovis puisque deux militaires périrent : le sergent-major Lentier, d'un coup de sabre à l'entrecuisse qui l'avait saigné à blanc en quelques instants, et un sergent alsacien de la 4e compagnie qui, apparemment, s'était brisé la nuque en tombant de l'escalier menant aux combles.

Le point de vue des capitaines de compagnie sur cette détestable affaire était « clair et net ». Leurs hommes méritaient des louanges pour avoir pris l'initiative de débarrasser bénévolement le bourg de la terrible menace que faisait peser cet enragé. Des louanges, mais aussi une prime, calculée à l'aune du danger encouru durant l'opération et du préjudice subi.

Le consul était d'un tout autre avis et disposait d'une autre version. Clovis aurait été encore vif lorsque les bas-officiers avaient comblé le puits dans lequel ils l'avaient jeté.

– A ma connaissance, il n'existe point de mort plus

angoisseuse que celle d'être enterré vif, commenta le Troisième, ouvrant la bouche pour la première fois.

Si personne ne lui répondit, personne ne le contredit. C'est seulement lorsqu'il ajouta d'une voix égale que les coupables d'une telle rudesse méritaient un châtiment identique que les capitaines explosèrent telles des saintes barbes surchauffées.

– Taisez-vous donc, monsieur ! On ne vous a point carillonné et nous n'avons que faire de votre avis ! Crénom de biscaillon !

Sans se formaliser, le maître exécuteur opina du menton et sortit de la salle sans hâte et sans refermer la porte derrière lui.

– Qui est donc ce vilain oiseau rouge ? s'enquit le capitaine.

– C'est maître Pibrac, le bourrel des Boutefeux, répondit sèchement le consul.

Le visage de l'officier s'empourpra en entendant qu'il venait de donner du monsieur à un infâme boucher d'hommes. Il s'était laissé abuser par son épée, par la coupe anglaise de son habit de voyage, mais surtout par son maintien et sa manière posée de s'exprimer. Pourtant, la rougeur généralisée du vêtement aurait dû l'alerter, mais à Paris, d'où il était originaire, le bourreau n'était plus astreint à la monochromie et se présentait sur l'échafaud en habit de bourgeois prospère.

– Où est mon fils ? finit par marmonner Louis-Charlemagne, encore sous le choc.

Le consul détourna la tête pour répondre qu'il était là où on l'avait jeté.

– Je subodore cependant que les vôtres s'en occupent présentement.

Quand il quitta la salle, sans refermer la porte lui non plus, il entendit le même capitaine demander de sa voix rogue :

– Et qui est ce croquant ?

Il descendit l'escalier en imaginant Clovis se défendant seul contre la soldatesque. Personne n'était donc venu à son secours ?

Le Troisième l'attendait dans la cour où Gaspard replaçait les grelots au poitrail des chevaux.

– Si un jour vous pensez que nous pouvons vous être utiles, n'hésitez point, maître Tricotin, car nous sommes toujours votre obligé. Et ceci reste vrai pour qui que ce soit de votre lignée.

– Alors, berlinez-moi jusqu'à la rue des Afitos. J'ai trop mal au cœur pour m'y rendre à pied.

Le visage de l'exécuteur s'anima, ravi de pouvoir se rendre utile.

– Enseignez la direction à Basile et montez, je vous prie.

Les valets reprirent leur poste sans jamais tourner le dos aux ordonnances qui les foudroyaient du regard et n'osaient faire plus. La berline leur passa devant à les frôler, les obligeant à reculer. Alors Basile déchargea son tromblon vers le ciel. Les chevaux des officiers tressaillirent en tirant vigoureusement sur leur longe, renversant l'une des ordonnances qui cria en tombant sur le coude.

L'attelage franchissait le porche de la Maison quand les plombs retombèrent en grêle métallique sur les pavés. Au bruit, on sut que l'un d'eux venait de traverser un toit et briser une lauze au passage.

– Faites excuse, c'est parti tout seul, lança-t-il à la cantonade sur un ton proclamant le contraire.

L'arrivée rue des Afitos et la descente de Louis-Charlemagne de la berline des Pibrac firent sensation : toute la rue ouït avec stupeur le bourreau lui dire d'une voix affable :

– Je vous enjoins vivement de vous en aller plaindre auprès du procureur royal. Aucun de ces butors qui ont occis votre fils ne sont commissionnés exécuteurs, aussi s'agit-il d'un assassinat avec préméditation, pas moins.

– Arrière, cruels déchets ! Arrière, ordures sans os ! tonna Basile.

Son fouet cingla l'air. Les chevaux hennirent. Les gens s'écartèrent vivement.

Les fenêtres et la porte de l'échoppe étaient murées : l'enseigne montrait des traces de balles. Les cinq paires de sabots miniatures qui pendaient dessous avaient disparu.

Louis-Charlemagne s'en fut rue du Lop où le mur de

briques bouchant la porte de la cour était percé d'une brèche crûment ouverte à la pioche. Il s'y faufila en accrochant son justaucorps aux esquilles hérissant le trou dans la porte.

L'épaisseur du mur, comme celle du battant, indiquait qu'il avait fallu aux agresseurs plus qu'un long moment pour en arriver à bout. Et que penser du vacarme? Pourquoi le guet posté rue des Afitos n'était-il point intervenu?

La cour était animée. Caribert, aidé de Félix Camboulives son père-grand tanneur, de Petit-Jacquot et de Culat, fixait un treuil et une poulie à la margelle du puits. Non loin, un grand trou signalait par sa taille la quantité de terre pelletée dans le puits par les malfaisants.

Caribert étreignit son père.

– Ils l'ont tué comme on ne tuerait pas un loup enragé.

Il renifla pour refouler les larmes qui coulaient dans son nez.

– Je sais, le consul vient de me le dire.

– Ah oui ! s'exclama Caribert d'une voix très forte. Il vous a dit aussi que toute la rue est complice ? Il vous l'a dit, ça, le consul ?

– Il ne m'a point conté une chose pareille. Mais pourquoi tu brailles autant? Je ne suis pas devenu sourd en deux jours.

– C'est pour qu'ils m'entendent.

Il eut un geste englobant les habitations entourant l'échoppe.

– C'est pour qu'ils sachent TOUS qu'il va y avoir une enquête et qu'ils seront TOUS punis !

Caribert hurla ses derniers mots, attirant hors de la cuisine Jeanne, Adèle et Marie Camboulives en robes de grand nettoyage. Elles récuraient l'entière maison comme si la peste y avait habité.

Louis-Charlemagne embrassa son épouse sans un mot, le regard fixé sur le puits. Un peu plus tard, il songea à prendre des nouvelles de Charlemagne.

– Il va bien, mais y peut plus jaser, vu qu'il a la langue toute gonflée dans la bouche.

– Et Apolline ?

– Elle est toujours alitée. Pourtant maître Perceval la saigne deux fois par jour, mais rien n'y fait.

– Que dit maître Floutard de tout ça ?

Caribert répondit à la place d'Adèle.

– Il est si fort marri de ce qui s'est passé qu'il est parti au lever du jour pour Millau dire sa plainte à monsieur le procureur du roi.

Louis-Charlemagne approuva. Son regard se posa sur la cuisine qu'il apercevait par la porte ouverte. Il s'approcha pour être certain que ses yeux vieillissants ne le trahissaient pas.

– Crénom de macarel !

Tout ce qui avait pu être brisé, déchiqueté, fracassé, égrugé, pulvérisé, l'avait été avec un acharnement évoquant les Huns, les Vandales, les Wisigoths, le quatrième cercle de l'Enfer.

– Crénom de macarel ! répéta-t-il en enjambant ce qui avait été le garde-manger.

La porte donnant sur l'atelier était arrachée de ses gonds et réduite à l'état de petit bois pour le feu. Il entra dans l'atelier entièrement saccagé.

– Faut-il qu'ils soient devenus fous furieux pour se livrer à… à… à ça !

Une flaque de sang séché brunissait le bas de l'escalier, là où le sergent de la 4e compagnie s'était rompu le cou. Un seau, une brosse et une serpillière témoignaient qu'une tentative pour la faire disparaître était en cours, mais le bois du plancher, en buvant la liqueur vitale, s'en était imprégné sur un pouce de profondeur.

La mare de sang laissée par le sergent-major Lentier souillait, elle, le devant de la cheminée de la salle commune. Les pieds de la table comme les montants du lit étaient brisés, le matelas éventré, les rideaux en charpie, le mobilier était émietté. Le vaisselier n'existait plus, l'armoire itou, son contenu était en lambeaux épars sur le sol.

– Arrêtez-vous, malheureuses ! s'écria-t-il soudain. Ne touchez plus à rien. Que tout demeure en l'état jusqu'à la venue de la justice royale. Qu'elle apprécie la fureur bestiale de ces militaires carnageurs.

Il fallut lui dire que seul Clovis était responsable des ravages. Adèle s'en chargea.

– Il a commencé à tout casser le soir de votre départ. On l'entendait s'agiter en poussant des cris qui me donnent encore la chair de poule rien que de vous les redire.

Elle montra ses avant-bras aux poils dressés.

– Le pire c'est qu'il est mort sans les derniers sacrements, geignit Jeanne en cherchant quelque chose pour s'asseoir.

Tout étant broyé, elle demeura debout.

– Qui sait maintenant où peut errer son âme ?

– Je prie et je continuerai jusqu'à ce que les damnés qui lui ont fait ça soient roués comme ils le méritent.

– Maître Pibrac dit qu'on devrait les enterrer vifs eux aussi.

Le nom de l'exécuteur altéra la physionomie des trois femmes.

– Sachez qu'on raconte partout qu'au lieu de vous hâter vous pique-niquiez au bord de la draille en sa compagnie.

– C'est Tricouillare qui venime ainsi. Il nous a dépassés pendant que les chevaux se reposaient.

– Oui da, mais pourquoi ne pas être rentré avec lui dans l'accélérée ?

– Parce que maître Pibrac m'a convié à partager sa berline.

– Doux petit Jésus ! Tu n'étais point tenu d'accepter, s'émut sa femme d'une voix plaintive.

Reluctant à dévoiler devant Adèle Floutard les conditions particulières qui l'avaient amené à voyager en compagnie du Troisième, il ne répondit pas. Il rejoignit les autres dans la cour et les aida à assujettir le treuil.

Profond de trente pieds, à sec depuis un siècle, le puits était comblé sur une dizaine de pieds, peut-être plus. Décidément, les assassins n'avaient pas lésiné sur les pelletées.

– Pourquoi tu as traité la rue de complice ? demanda-t-il à Caribert qui enfla aussitôt la voix.

– Où pensez-vous que ces militaires ont trouvé leurs pioches pour briser le mur et la porte ? Et les pelles pour creuser ce trou ?

– Moi, j'ai ouï dire au *Lapin qui rote* que des compères

et des commères de la rue étaient si travaillés par la peur d'être mordus qu'ils ont payé les militaires pour faire ce qu'ils ont fait, surenchérit Petit-Jacquot, qui avait aimé Clovis comme le père qu'il n'avait point connu.

Il savait aussi que désormais l'avenir de l'échoppe reposait sur lui, et cela jusqu'au jour où l'aîné Clodomir aurait obtenu sa maîtrise. Une éventualité d'autant plus éloignée que le gamin montrait de très petites dispositions au travail du bois.

– Et malgré tout ce chahut, personne n'est venu le secourir, poursuivit Caribert. On dit qu'il les suppliait de l'épargner et que sa voix résonnait si fort qu'on l'entendait de partout.

Chapitre 28

Il fallut cinq heures d'un travail épuisant pour retrouver Clovis. Ses yeux étaient ouverts, sa bouche pleine de terre. Les cheveux, la peau, les vêtements portaient des traces de suie donnant à croire qu'il s'était réfugié un temps dans la cheminée. Ils retrouvèrent également son sabre, brisé en deux endroits. En revanche, son anneau d'oreille ainsi que le lobe auquel il était suspendu manquaient et ne furent pas retrouvés.

Une dérogation de la Maison fut nécessaire pour que la dépouille ne soit pas crématisée hors les murs et ses cendres dispersées dans le Dourdou. Le consul et son assemblée exigèrent toutefois que le corps soit serré à l'intérieur d'un cercueil aux interstices colmatés à la cire de façon que rien ne puisse jamais s'en évader.

Clovis fut enterré dans le carré familial du cimetière Saint-Benoît où reposaient déjà quatre générations de Tricotin. Caribert ayant claironné partout que la présence des voisins de la rue des Afitos serait considérée comme un outrage supplémentaire et traité comme tel, l'assistance se limita à la famille (minus Baptiste Floutard voyageant, et Apolline toujours au fond de son lit), aux Culat et à Laszlo Horvath qui avait ciré ses bottes pour l'occasion.

Après la conclusion du vicaire (« Car celui qui a souffert dans sa chair sera lavé du péché »), les quintuplés firent la ronde et se mirent à danser, marquant lourdement la mesure en retombant sur leurs sabots ferrés, levant tantôt la jambe, tantôt l'autre en claquant des mains au-dessous du jarret, poussant d'étranges petits cris pointus, pour finalement entonner d'une seule voix cristalline dépourvue de toute joyeuseté :

Remuons bien, remuons bien
Pendant notre jeunesse
Remuons bien
Cependant qu'il est temps
Car plus tard en notre vieillesse
Regretterions les plaisirs que perdrions
Remuons bien, remuons bien.

Danser et chanter à un enterrement fut mal perçu. On se souvint des violences commises sur le régent Vessodes, et, plus récemment, sur le comtois de maître Durif. D'aucuns les soupçonnèrent à haute voix de porter la guigne. D'autres rappelèrent qu'ils étaient nés sous les mauvais augures d'un très sanguinaire duel.

La longue enquête du procureur royal se conclut par un bref procès. Les accusés déclarèrent avoir bien agi et entendaient mal qu'on leur cherchât des poux pour une si petite affaire.

Le verdict qui les décréta vierges de toute méchanceté ne surprit que ceux qui ignoraient encore que le colonel propriétaire du Royal-Navarre, le marquis Ventavon de Lespluchet, avait un entregent remontant jusqu'à l'Œil-de-bœuf.

Le tribunal condamna Baptiste Floutard, l'instigateur de la plainte, à débourser les épices de la chicane et à verser à la caisse du régiment une amende de mille livres tournois à compter en une seule fois.

Au nom du bourg, de la Maison et de la réconciliation avec les militaires, le consul Puigouzon se désolidarisa du maître vidangeur-gadouyeur.

– Entendez-nous, maître Floutard, il n'y a rien de personnel dans notre attitude, mais monsieur le ministre de la Guerre a été lumineusement clair dans ses exigences : ou bien nous nous soumettions au jugement, ou bien il nous expédiait deux compagnies de cavalerie en lieu d'une et pour un cantonnement à la durée ILLIMITÉE.

Floutard fit appel auprès du parlement de Toulouse, perdit son appel et fut condamné à débourser mille livres supplémentaires. Il paya. Mais comme il fallait vingt sols pour une livre, douze deniers pour un sol, et un demi-denier pour une obole, il paya avec neuf cent soixante mille de ces dernières, toutes en cuivre, et d'un poids total d'une tonne et demie qu'il entassa dans ses cuves d'aisance – sans juger nécessaire de les laver avant – et qu'il déversa un matin sur le seuil du cantonnement de monsieur le trésorier-payeur du Royal-Navarre. Celui-ci se plaignit à son colonel-marquis, qui protesta auprès de ses hautes protections versaillaises, qui, à leur tour, et *via* les services de monsieur l'intendant royal, réprimandèrent l'autorité consulaire de Racleterre.

L'effet de ces démarches fut immédiat. La révocation du mandat de quartenier et l'exclusion de l'assemblée de maître Floutard furent votées à l'unanimité.

Durant les semaines qui précédèrent ces événements, des bas-officiers du Royal-Navarre vinrent régulièrement place de l'Arbalète aiguiser leur sabre contre la pierre de la fontaine tout en lançant des regards ferrailleurs vers les établissements Floutard.

Ce dernier se le tint pour dit et fit le dos rond. Mais il entretint par-devers lui un nombre considérable d'arrière-pensées vengeresses qui ne disparurent que plusieurs années plus tard, lorsque, devenu président du Comité de Salut public de Racleterre, il put enfin les assouvir sans exception.

Montée sur son âne rouquin, Lacroque entra dans le bourg par la porte des Croisades et ignora l'octroi qui la laissa faire. Ceux qui n'avaient jamais vu de maîtresse sorcière en furent pour leurs frais, car rien dans sa matelote, dans son cotillon, dans son tablier du dessus ou dans ses sabots ne la distinguait d'une autre paysanne. Sauf peut-être qu'elle ne portait pas de coiffe et qu'elle allait chevelure au vent. Et puis il y avait aussi cette chose à longues pattes qui gigotait sur la poitrine. Ceux qui s'approchèrent suffisamment découvrirent une épeire noir et jaune retenue à la serge du corsage par une fine épingle d'argent traversant de part en part son abdomen rebondi. Lacroque portait toujours quelque chose de mourant lorsqu'elle venait au bourg.

L'étonnement surmonté, chacun voulut connaître sa destination, car il devait y avoir grande nécessité pour qu'elle osât se déplacer ainsi en pleine lumière, sans son bouc, ni même son balai.

On la suivit à distance et en silence (un mauvais sort était vite jeté), et quand on la vit traverser la place de l'Arbalète et franchir le porche des Floutard, on en déduisit que l'état d'Apolline avait empiré.

Lacroque et son âne rouge réapparurent moins d'une heure plus tard. L'araignée ne bougeait plus que par instants. Quelques femmes osèrent questionner la maîtresse sorcière, mais elle fit la sourde oreille.

A peine était-elle hors du bourg que percèrent les soupçons qui couvaient, pareils à une furonculose. La peur était de retour, et, à l'instar de la rage, elle était hautement contagieuse.

La Maison reçut la visite d'une importante délégation de citoyens exigeant – la plupart en patois – que la « femme de l'enragé Tricotin » soit médicalement examinée afin qu'on tirât au clair la nature exacte du mal qui lui faisait garder la chambre depuis si longtemps.

Le consul manda le docteur reçu Izarn chez les Floutard, assisté de quatre hommes du guet et du greffier Gabriel Pillehomme, que tout le monde plaignait depuis qu'il avait marié Élodie Clochette, la chambrière de la châtelaine.

Floutard sermonnait les quintuplés sur leur oisiveté inouïe lorsqu'on l'avertit de l'arrivée du médecin et de son escorte. Il se porta à leur rencontre et les accueillit sans étonnement, les guidant lui-même dans la chambre enténébrée où se mourait sa fille. La mauvaise odeur sucrée qui empuantissait l'air confiné informa Izarn avant même qu'il se soit approché du lit : la vue du bras droit d'Apolline, gangrené jusqu'à l'épaule, fortifia son diagnostic olfactif.

– Il est trop tard maintenant, même pour lui ablationner le bras, certifia-t-il avec une grimace qui plia les ailes de son petit nez. Vous avez trop attendu, maître Floutard.

Floutard resta muet. C'était à quelques nuances près ce

que Lacroque lui avait annoncé ce matin. Elle, en supplément, lui avait pointé du doigt l'une des incisions de saignée pratiquée par la lancette de maître Perceval et l'avait dénoncée comme source originelle du pourrissement généralisé.

Le docteur Izarn proposa tout de même d'administrer à Apolline un lavement qui, admit-il honnêtement, ne la ressusciterait pas mais aurait la bonté de lui débarrasser fort convenablement la tripe maîtresse, un agrément que même une agonisante était en mesure d'apprécier.

Floutard perdit une partie de son calme froid.

– Merci bien ! Veuillez vider cette chambre, monsieur le limonadier de postérieur, votre présence n'y est plus indispensable.

Mortifié de s'entendre ainsi brocardé, Izarn se rebiffa :

– Souffrez que je fasse litière de vos vils outrages, et souffrez aussi d'apprendre que je resterai ici le temps qu'il me chantera d'y rester. Et puisque vous le prenez de si haut, monsieur le marquis de Cagadou, je m'en vais vous examiner itou, ainsi que les enfants. Après tout, comme eux, vous avez été en contact avec leur père le jour où son fléau s'est déclaré.

L'allusion à ses perruques poudrées et à sa chaise à porteurs de marquis déclencha une ondée sanguine qui empourpra ses joues et son front. Pourtant, il prit sur lui-même de se laisser examiner sans plus broncher. Il tira la langue quand on le lui demanda et se laissa abaisser les paupières et scruter le blanc de l'œil. Il en fut autrement quand Arsène et Véron rapportèrent les quintuplés trouvés dans la grange où ils jouaient à Roland à Roncevaux. Charlemagne était tout naturellement Charlemagne, Clodomir était Roland, Pépin jouait Durandal, tandis que Clotilde et Dagobert réunis personnifiaient la perfide armée sarrasine.

Quand ils comprirent ce que voulait d'eux le médecin, ils échangèrent quelques mots en lenou, puis l'aîné dit « non ». Ils tournèrent alors les talons tous les cinq en même temps et détalèrent dans la grange où il fut impossible de les déloger avant l'heure du souper.

Apolline expira au matin de la Saint-Laurent et fut inhumée le lendemain dans le carré Tricotin, à côté de Clovis. Cette fois, les quintuplés restèrent immobiles et silencieux, se contentant de suivre du regard la bière que le bedeau-fossoyeur et ses aides descendaient dans la fosse à l'aide de cordes. Présents lors des derniers instants de leur mère, ils avaient assisté au spectacle de la Mort dans ses œuvres et en gardaient un souvenir malaisé.

Apolline disparue et Petit-Jacquot ne disposant pas des fonds nécessaires pour s'établir, Floutard vendit la maison de la rue des Afitos, et la vendit mal compte tenu de ce qui s'y était passé. Le nouveau propriétaire, un maître sabotier neveu d'Aristide Lamberton, colmata le puits et rasa la margelle afin que nulle trace visible n'en subsiste. Possédant déjà ses compagnons et apprentis, il convia Petit-Jacquot à déguerpir sans autre formalité.

On vit alors l'infortuné traîner dans les auberges, jouer au brelan et au lansquenet, s'enivrer, s'endormir n'importe où, se réveiller pareil. Un jour il disparut, et personne ne se soucia de savoir dans quelle direction.

S'autoproclamant tuteur des cinq orphelins, Baptiste Floutard réunit un conseil des familles Tricotin et Camboulives durant lequel il exprima son intention de les séparer.

– Ensemble, ils sont bons à rien et mauvais à tout. Ils se rebèquent sans pudeur et n'en font qu'à leur caboche. En outre, il y a maintenant ces rumeurs qui les accusent de porter le guignon.

Louis-Charlemagne fut seul à contester cette séparation qu'il jugeait prématurée.

– C'est trop tôt. Ils vont être misérables de ne plus être ensemble.

– Au contraire, plus nous attendrons et plus ce sera difficile. L'eau qui croupit se corrompt vite. Et puis, faites excuse, maître Tricotin, mais vous trouvez convénient qu'à leur âge ils ne veulent rien faire et mangent pour dix ? Vous trouvez admissible leur baringouin de sauvage ?

Et qu'ils dansent et chantent à l'enterrement de leur père ? Sans parler du reste.

Il fut décidé que Floutard conserverait l'aîné Clodomir et le préparerait à sa succession. Pépin et Charlemagne iraient chez les Tricotin apprendre le dur mais fier métier du fer et du feu, tandis que Dagobert et Clotilde seraient accueillis chez Félix Camboulives, leur oncle tanneur qui habitait en aval du Dourdou, loin des narines délicates du bourg.

Afin d'atténuer la brutalité de ce démembrement, on convint de les réunir pour leur anniversaire, pour les Pâques, pour celui de la Toussaint, pour la Noël, et aussi chaque dimanche pour la grand-messe.

Restait à prévenir les intéressés, et d'abord à les localiser, car ils s'étaient une nouvelle fois évaporés. Lorsqu'ils réapparurent, à l'heure du repas, hirsutes, réjouis, puant le chien mouillé, ils répondirent par des sourires niais quand on leur demanda d'où ils revenaient. Comme leur grand-père insistait avec autorité, Clodomir répondit :

– On était avec tonton Laszlo. Il nous enseigne l'épée. Il dit qu'on est doués.

– Zurtout moi, précisa Charlemagne.

Depuis qu'un bout de langue lui faisait défaut, il zozotait et il ne faisait pas bon s'en gausser.

L'annonce de leur future séparation les laissa indifférents. Ils bâfrèrent avec appétit, reprenant de tous les plats, puis, comme chaque soir avant de s'endormir, ils firent cercle autour de Clotilde qui lut un chapitre de *La Véridique Histoire de Walter l'Anglois, Seigneur des Malebêtes et Véridique Terreur de la Forêt de Saint-Leu-en-Rouergue*, l'un des livres de leur père qui avait échappé à la destruction.

Chapitre 29

Les premiers à partir furent Dagobert et Clotilde.

Leur grand-oncle Félix Camboulives vint les chercher dans sa charrette où ils rangèrent leurs maigres possessions. Les bras croisés, les trois autres observaient ces préparatifs en silence.

Comme ils demeuraient bouche cousue au moment du départ, leur grand-père Baptiste s'étonna :

– Vous ne vous dites point au revoir ?

Ils le dévisagèrent brièvement, puis Clodomir lança à Dagobert et Clotilde un *« Figachon toc perette amaradac »* qui leur tira un large sourire. Floutard demanda la traduction et reçut l'habituelle réponse en forme de haussements d'épaules.

Puis ce fut au tour de Pépin et Charlemagne à suivre Caribert rue des Frappes-Devant et à s'installer au-dessus de la maréchalerie.

Seul avec l'aîné Clodomir, Floutard entreprit de lui expliquer sommairement l'étendue de ses richesses. Il lui fit admirer le plan à l'huile de Racleterre, il énuméra le nombre de ses entreprises et lui révéla quelques-uns de ses projets, insistant particulièrement sur celui dans lequel il devenait son héritier.

– Mais pour ce faire, il va de soi qu'il faut te débourrer l'esprit quelque peu. Aussi, et malgré le coût, je m'en vais te louer à l'année un Briançonnais à trois plumes.

Les maîtres d'école itinérants avaient pour coutume de ficher dans leur coiffe une à trois plumes d'oie selon leurs lumières. Une plume indiquait qu'ils enseignaient l'écrit, deux plumes, l'écrit et le calcul, trois plumes, l'écrit, le calcul et la lecture. De tous les enseignants mercenaires qui parcouraient la province, les Briançonnais étaient réputés pour la bonté de leur enseignement.

Floutard l'emmena ensuite aux écuries puis dans la remise aux tombereaux. Il s'arrêta devant un véhicule auquel il manquait une roue.

– Tu vois, Clodomir, c'est avec lui que j'ai débuté. J'étais seul à cette époque et j'avais juste une corde, un seau, une perche pour déboucher, et comme bac à vidange j'avais un vieux tonneau qui fuyait.

Il montra la vaste remise et la flotte de vingt tombereaux.

– Réalises-tu seulement l'occasion admirable que le destin te manifeste ?

– J'ai un peu faim, répondit Clodomir en lui souriant aimablement.

Le gamin s'éclipsa juste après vêpres. Comme il n'était pas revenu au coucher du soleil, ni même à l'heure du souper, Floutard ordonna l'attelage du cabriolet, passa une redingote couleur péché mortel (vert pomme) et partit à sa recherche. Il arrivait rue des Deux-Places lorsqu'il reconnut le maréchal et Caribert sur leur vieille carriole.

– On venait voir si Charlemagne et Pépin étaient avec l'aîné, dit Louis-Charlemagne, devinant la réponse du maître vidangeur-gadouyeur avant qu'il ne l'ait formulée.

– Et moi, je venais chez vous en pensant l'inverse.

– Alors c'est qu'ils se sont enfuis, crénom de macarel !

– Mais pour aller où ?

– D'abord retrouver les autres à la tannerie. Après, ma foi, Dieu seul sait ce qu'ils ont pu décider.

– Ils ont donc déjà quitté le bourg, admit Floutard.

Ils s'en assurèrent en se véhiculant jusqu'à l'octroi de la porte des Croisades.

– Oui da, à l'heure de la fermeture des huis, j'en avions vu passer deux, peut-être trois, j'savions plus, répondit le sergent avant de refuser catégoriquement d'ouvrir les portes sans un laissez-passer de la Maison.

– Ils n'iront pas loin, pronostiqua Floutard. Ce ne sont que des moutards, après tout. Demain matin, j'organise une battue et je les ramène avant le couchant.

Il tint parole et réunit huit de ses gens qu'il monta sur des chevaux loués à la Poste Durif. Accompagnés de Caribert sur Favorite, ils sortirent du bourg dès l'ouverture des portes et retrouvèrent la fratrie à deux lieues sur le grand chemin de Rodez, progressant à la queue leu leu, telle une meute de louvarts en déplacement. Charlemagne, armé d'un bâton long comme un épieu, avançait en tête, Clodomir fermait la marche. Pépin, des cailloux plein les poches, portait le baluchon de Dagobert. Clotilde avait revêtu de vieux habits à son frère qui lui seyaient bien.

C'est elle la première qui aperçut les poursuivants et donna l'alarme. Ils tentèrent de fuir à travers champs, mais les haies bordant le chemin étaient trop touffues pour être traversées.

Ils rentrèrent en croupe et leur grand-père n'eut point l'heur d'ajouter à leur déconfiture en les ligotant.

La fratrie comparut devant un tribunal familial constitué des membres représentatifs des familles Floutard, Tricotin et Camboulives.

– Et vous alliez où ainsi, petits malandrins ?

– A Paris.

Même Floutard ne put s'empêcher de sourire.

– Et y fabriquer quoi à Paris ?

Il fallut agiter dans leur direction un fouet à mulet pour que Charlemagne daignât répondre.

– Nous enrôler dans les housards.

Les sourires devinrent rires.

– Rien que ça ! Bigreli bigrelou. Et en quel honneur, je vous prie ?

– Pour rezter enzemble.

Leur choix était la conclusion d'un débat collégial qui les avait agités. Deux communautés seulement étaient susceptibles de les accueillir sans les séparer. Dagobert préférait la religieuse, Clodomir et Pépin la militaire. Charlemagne aussi, mais à la condition que ce soit dans la cavalerie.

– Et elle, qu'en auriez-vous fait ? ironisa Floutard en montrant Clotilde à nouveau dans les vêtements de son sexe.

La question les étonna. Ils ne la comprenaient pas.

– Maître Laszlo ne vous a donc jamais dit, petits innocents, qu'il n'y a point de garce chez les militaires ? Pas plus d'ailleurs qu'il y a des housards de onze ans hauts comme trois pommes sans queue.

Ces obstacles, en apparence insurmontables, ne leur avaient pas échappé, aussi avaient-ils prévu une parade.

– On aurait été implorer notre bon roi qui peut tout et qui nous connaît puisqu'il a dit notre nom.

Clodomir faisait allusion à la lettre de félicitations exposée au mur de la Maison. Leur père la leur avait souvent montrée, les soulevant les uns après les autres dans ses bras pour qu'ils puissent admirer de plus près leur nom en compagnie du royal paraphe.

– Il ne vous aurait point audiencés puisqu'il est mort au printemps et que c'est un nouveau roi que nous avons à Versailles, rappela Floutard qui cachait mal son amusement.

– Ce nouveau roi nous aurait audiencés, car nous avons de quoi, répliqua Clodomir en tapant du talon sur le plancher pour montrer son assurance.

– Et qu'est donc ce « de quoi » ?

L'aîné sortit de son baluchon la lettre de félicitations royales, dévoilant ce faisant que, sous les dehors de la naïveté la moins suspecte, ils étaient capables de la préméditation la plus réfléchie. Le cadre avait disparu, le parchemin avait été roulé pour faciliter son transport.

– C'est Clotilde qui y a pensé, expliqua-t-il à l'assistance éberluée, point pour la dénoncer, mais au contraire pour la créditer d'une fière idée.

– Il ne manquait plus que ça ! Des bricons maintenant ! s'écria Floutard, chez qui toute trace d'amusement s'était effacée.

Il avait eu son compte d'anicroches avec les autorités consulaires et n'en voulait point d'autre (il regrettait son procès et trouvait que son honnête indignation lui avait coûté cher).

– Il faut la restituer à la Maison au plus vite, sinon cet assuré lunatique Puigouzon est capable de vous déclarer tous les cinq dûment atteints et convaincus de vol.

Le tribunal familial décida de conserver les mêmes dispositions, mais ils seraient désormais tenus sous haute surveillance, et ils perdaient le privilège de disparaître et réapparaître à leur guise.

– Nous, on veut rester ensemble, c'est tout ! plaidèrent-ils d'une seule voix.

– Vous vous retrouverez tous les dimanches, et durant les fêtes, ce qui est bien suffisant. La vie n'est point une amusette, il est temps que vous vous rendiez utiles !

Les poussant devant eux, Floutard, Louis-Charlemagne, Caribert et l'oncle Félix les conduisirent jusqu'à la Maison. L'accueil fut hivernal.

Suivant les ordres reçus en chemin, l'aîné remit le parchemin au consul en courbant humblement le dos. Puigouzon le refusa d'un geste désobligeant de la main.

La disparition du cadre avait été remarquée la veille, leur dit-il en regardant ailleurs, et si rien n'avait été entrepris pour le retrouver, c'était que son retour sur le mur de la salle de délibération n'était plus souhaité par l'assemblée. Le nom de Tricotin, fût-il accolé à celui du roi, n'était plus en bonne odeur à Racleterre. Il n'y avait plus qu'à se retirer, ce qu'ils firent en silence.

Soulagée de s'en tirer à si bon compte, la fratrie se précipita hors de la salle et descendit l'escalier en glissant sur la rampe.

Un cabriolet aux armes des Armogaste attendait devant le porche au léopard de pierre. Élodie Pillehomme (née Clochette) se pencha par la portière et déclara de sa voix haut perchée que dame Jacinthe, fort contristée de ne pas avoir été consultée lors de la distribution des quintuplés, exigeait le sien sur l'heure.

– Vive Dieu ! Et pour en faire quoi ? s'exclama le maréchal en pâlissant.

Charlemagne était son préféré.

– Dans sa grande charité, ma bonne maîtresse désire l'installer au château afin qu'il bénéficie d'une éducation digne d'un filleul de noble dame. Vous ne voudriez point le priver d'une telle gratification ?

Le soir même, dame Jacinthe baignait Charlemagne, le vêtissait en petit page et l'installait sur un matelas, dans un cagibi jouxtant sa chambre. Le réduit était déjà occupé par sa chaise d'affaire, son pot de chambre et son bassin à cracher.

Le garçon, qui n'avait jamais dormi seul et ignorait la solitude, se morfondit un long moment sur sa paillasse avant de se calmer. Attendant que sa marraine se soit endormie, il quitta la chambre sur la pointe des pieds pour tenter de sortir du château. Mais le pont-levis était levé et la poterne verrouillée à triple tour.

Le lendemain matin, dame Jacinthe reporta sa disparition et ordonna une fouille générale pour le retrouver. Ce fut le premier piqueur Quentin Onrazac qui le découvrit. Il était endormi en boule dans le grand chenil, parmi la meute des redoutables hybrides, des fauves issus de croisements hautement instables entre louves et mastifs de haute lignée : pire n'était disponible qu'en Enfer.

Sans éveiller Charlemagne, le piqueur fit appeler le chevalier qui s'étonna du spectacle. Le garçon dormait quasiment collé contre Quinteux, le chef de meute, le plus irascible.

– Tu ne les as donc point entendus aboyer ? C'est donc vrai ce qu'on dit que tu deviens sourd !

Les traits du piqueur prirent une expression aussi peinée qu'indignée. Certes son ouïe déclinait mais pas au point de ne pas entendre un aboi.

– Que nenni, monsieur le chevalier, que nenni. Sur la truffe de Sans-Pareil qu'aucun n'a donné de la voix.

Sans-Pareil était son meilleur limier, un Saint-Hubert blanc et noir de l'abbaye d'Andain qui n'avait pas son égal pour chasser à vent comme à terre, par temps de pluie comme par temps de neige.

– Ils sont près de cent chiens ici. Un inconnu entre et tu veux me faire accroire qu'aucun n'a aboyé ?

– Il a le don, monsieur le chevalier, et si l'on en croit votre débourreur, il l'a avec les chevaux itou, répondit Onrazac à contrecœur, songeant à son fils Blaise qui en était si totalement dépourvu.

Pour sûr qu'en l'utilisant comme page quatre années durant, dame Jacinthe l'avait gâché aussi sûrement qu'on gâche une pêche à trop la tripoter.

Il fallait prendre un plaisir passionné à chasser pour être un bon piqueur, sans cela, il n'y avait pire métier. Or Blaise préférait se lever aux hautes heures et bâcler les soins aux chiens pour courir plus vite faire le beau rue Trousse-Vache, dans le très crapoteux *A la dalle en pente*, un cabaret à putasses où l'on jouait gros au lansquenet, à la bassette et au pharaon.

Bien qu'il ait vingt ans sonnés, il était toujours incapable d'apprendre par cœur les noms de chaque chien et encore moins de les reconnaître de poil. Comme il ne savait toujours pas distinguer un « plateau » (excrément du cerf) d'une « maquette » (excrément du chevreuil), une « laissée » de loup d'une « laisse » de sanglier, il avait cessé de faire le bois avec son père et se contentait de s'entraîner à souffler dans sa trompe.

Le premier piqueur n'ignorait pas que si le chevalier continuait d'emmener son fils à ses laisser-courre c'était uniquement parce qu'il flattait son équipage en sonnant admirablement les fanfares.

– Réveille-le et baille-le à ma dame avant qu'elle ne nous en fasse une colique cornue. Elle le veut pour je ne sais quelle fadaise.

Onrazac déplia son fouet qu'il portait coincé sous le bras et le détendit d'un geste net et précis. La flotte de cuir claqua. La mèche cingla la main du garçon endormi qui se redressa vivement en poussant un retentissant AHOUILLE !

Les meutes s'agitèrent dans leur enclos.

– Qui t'a mandaté pour entrer ici ?

Le chevalier se mit à mordiller sa lèvre inférieure, signe de perplexité.

Charlemagne ne lui répondit pas. Il préféra frotter le dos de sa main où la lanière de cuir tressé avait laissé une marque qui rougissait à vue d'œil.

Le fouet claqua. La mèche cingla cette fois l'hélix de son oreille gauche. Quentin Onrazac aurait pu aisément la trancher au ras. Il avait sept ans quand son père lui avait offert son premier fouet en lui serinant que les chiens de meute n'obéissaient qu'au fouet et rien qu'au fouet. Il disait aussi qu'un piqueur était devant une meute comme devant un orchestre. Le fouet était sa baguette.

La douleur à l'oreille fut comme si un tison embrasé l'avait atteint. Il poussa un tel cri rageur que les hybrides se couchèrent sur le ventre au fond de l'enclos, l'échine frémissante, les oreilles aplaties, la queue rabattue. Le chevalier n'avait jamais vu pareille chose.

– Tu réponds quand sa seigneurie te parle, gronda le piqueur en faisant claquer son fouet dans l'air en guise de point d'exclamation.

Charlemagne s'empressa d'obéir, les yeux emplis de larmes.

– Ze zuis entré, z'est tout.

S'il n'avait pas eu si mal à l'oreille et à la main il aurait croisé les bras sur la poitrine et aurait pris son air malandrin.

– Les chiens ont-ils donné de la voix ? vérifia le chevalier.

Le premier piqueur fit la figue. Sa parole aurait dû suffire.

– Et pourquoi ils auraient aboyé ?

– Ils ne te connaissent point.

Charlemagne haussa les épaules.

– Moi, les siens me connaizent touzours.

Il énonçait un fait, rien d'autre.

– Tu t'es brûlé la langue pour causer pareillement ? se gaussa Onrazac.

Charlemagne saisit une poignée de paille de la litière, cracha dessus et la lança sur le piqueur qui l'évita. Le fouet de vénerie claqua derechef. Une vive douleur brûla l'oreille droite de Charlemagne. Il ne cria pas mais l'effort qu'il fit pour s'en empêcher empourpra son visage. Il palpa son oreille et ramena ses doigts tachés de sang. Il les tendit à Quinteux qui s'approcha et les renifla avant de les lécher bien proprement.

Le chevalier et son premier piqueur échangèrent un regard incrédule.

– Ma dame te demande. Rejoins-la et sois-lui désormais soumis et docile, sinon ce sera le cachot, avertit le chevalier avec un geste vers le donjon.

Charlemagne sortit du grand chenil le dos raide, les poings serrés, l'oreille comme en feu.

Chapitre 30

Comme il était hors de question que le filleul de la châtelaine continue à fréquenter le Temple du Savoir, on confia la charge de son éducation au père Gisclard. Le chapelain n'eut guère de succès. Les « Osez penser par vous-même » du mécréant chicaneur Pagès-Fortin semblaient en avoir fait une désolante mécanique à questions, les unes plus fallacieuses que les autres : « Et que faizait donc Mezire Dieu avant la créazion ? Et comment la zainte famille pouvait-elle être auzi pauvre puizque les Rois mazes leur avaient baillé tous zes cadeaux bien coûteux ? Et où étaient donc les nobles à l'époque d'Adam et Ève ? »

Quelques semaines suffirent pour que dame Jacinthe se désintéresse de son mauvais page et renonce à lui apprendre à la servir à table, à faire la révérence sans gaucherie, à porter sa traîne avec aisance – même dans les escaliers –, à l'éventer avec modération, à présenter élégamment le vase de nuit ou le crachoir.

Dame Jacinthe l'aurait volontiers restitué aux siens si elle n'avait craint la réprobation publique.

Le petit personnel n'aimait pas Charlemagne, qui le leur rendait sans avarice, en piquant des colères inouïes si on se morguait de son défaut de langue, ou si on lui refusait un rabiot de soupe. On s'accordait à le trouver fort grognon pour ses onze ans. Toujours sale, même quand il était propre, il était fringaleur comme cinq et affligé de la détestable manie de disparaître sans préavis.

On le débuchait dans l'écurie avec les chevaux, ou sur la terrasse du donjon à nourrir les choucas des mâchicoulis, ou sur le chemin de ronde en grand bavardage avec les freux dont il imitait les croassements à s'y tromper. Les jours de laisser-courre, il se postait dans l'échauguette de la tour sud et attendait le retour des chiens en observant les allées et venues sur la place Royale. Il s'adonnait à la rêverie en songeant aux siens tout proches. Il les imaginait faisant ceci ou cela, il se voyait le faire avec eux, comme avant quand il leur suffisait de se laisser vivre, quand tout ce dont ils avaient besoin leur était baillé. La fratrie formait alors un cocon protecteur, avec les parents en second cocon, tel un fruit à double écorce, telle une muraille à double manteau.

Les raisons données à leur séparation continuaient à lui échapper et à le révolter tout rouge. Grand-père Baptiste figurait désormais sur la liste de ses « ennemis mortels », en bonne place au côté des piqueurs père et fils, de Martial et de monsieur Anselme qui l'avait récemment traité de graine de Pibrac pour avoir rechigné à lui céder le pas dans l'escalier.

Chaque soir avant de s'endormir, il se donnait du bon temps en échafaudant différentes manières de se revancher. Comment sortir du château, rejoindre la fratrie, partir pour Versailles rencontrer le roi, devenir housard comme tonton Laszlo, ou peut-être riche et puissant comme le chevalier Virgile-Amédée ?

Dès que la meute et l'équipage débouchaient de la rue des Deux-Places et se dirigeaient vers le château, Charlemagne pouvait dire à leur allure si la chasse avait été fructueuse ou pas. Les chiens rentraient toujours harassés, souvent mouillés jusqu'aux oreilles, parfois blessés. Il fallait les inspecter un à un, les sécher, leur servir une mouée chaude. La besogne était telle que piqueurs et valets, harassés eux aussi, ne trouvaient rien à redire lorsque le garçon les rejoignait dans le grand chenil et offrait son assistance. Il n'avait pas son pareil pour approcher les plus grognards et dénicher les tiques, les puces, les sangsues ramenées du bois. Cette facilité forçait l'admiration du chevalier qui, pourtant, en était parcimonieux.

Charlemagne excellait à reconnaître l'humeur de presque tous les animaux en se mettant spontanément à leur place : seuls les reptiles et les insectes lui résistaient parfois.

Dame Jacinthe l'expulsa de son cagibi le jour où elle découvrit avec horreur qu'il y élevait une portée de *rattus rattus* (des noirs aux grandes oreilles roses presque translucides et à la longue queue écailleuse et blanche). Les ratons furent livrés à Martial qui les brûla vifs.

Charlemagne dormit quelque temps chez Laszlo jusqu'au jour où le chevalier Virgile-Amédée lui ordonna d'installer sa paillasse dans la soupente de la chiennerie et d'y débuter son apprentissage de petit valet de chiens au salaire de douze livres annuelles (un grand valet en gagnait vingt-cinq, un premier piqueur quatre-vingt-trois, tandis que le vicaire de Saint-Benoît n'en recevait que cinquante, et le régent du Temple du Savoir quarante).

Avant de se décider, Virgile-Amédée avait consulté son piqueur.

– Tu m'accorderas, mon bon Quentin, qu'il serait insensé de ne point en profiter. Je n'ai pas souvenir d'avoir rencontré quelqu'un d'aussi naturellement doué. Je doute que même Hector aurait pu se faire admettre aussi vite chez les hybrides.

Hector était le célèbre premier piqueur du baron de Guibonnet de Salmiech, un grand veneur des environs de Réquista qui possédait pas moins de huit meutes, dont une composée exclusivement de lévriers, la race canine la plus sauvage, la plus égoïste, la moins caressante de toutes.

Quentin Onrazac se tenait toujours sur ses gardes quand le chevalier lui donnait du « mon bon ».

– Ne dirait-on pas qu'il a conclu un pacte avec toute la gent animale ? L'as-tu déjà entendu converser avec les freux des châtaigniers ? Ou avec les choucas du donjon ? Ils viennent lui manger dans la main. Et Dieu sait pourtant qu'ils ne sont point liants.

La rumeur actuelle dans la mesnie l'accusait d'avoir fait alliance avec les rats du château, au grand dam du concierge qui, dans ses attributions, avait celle de les exterminer jusqu'au dernier.

– Adécertes, monsieur le chevalier, adécertes, mais c'est son caractère qui pose problème. Il est aussi souple qu'un verre à lampe. C'est le contraire d'un obéissant. En plus, il *joue* avec les chiens.

L'une des premières leçons de chenil recommandait de ne jamais s'amuser avec les animaux, *sinon, ils se diront vos cousins.*

Virgile-Amédée montra du doigt le fouet que le piqueur ne quittait jamais.

– A toi de l'amollir, mon bon, il est encore assez jouvenceau pour ça. Enseigne-lui à développer son don et fais-nous-en le meilleur grand valet de chenil du Rouergue.

Le visage aux traits marqués d'Onrazac se rembrunit. Il entrait dans sa cinquante-quatrième année, son ouïe baissait, et, depuis peu, sa vue aussi. Sans oublier ses reins qui, les jours pluvieux, lui tiraient mille grimaces. Bientôt il devrait céder sa fonction. Or les premiers piqueurs étaient toujours choisis parmi les meilleurs grands valets, ce que Blaise n'était et ne serait jamais.

Le chevalier songerait-il à faire de ce petit merdaillon, de ce fils de sabotier de rien du tout, le futur premier piqueur des Armogaste ?

– Je compatis avec ton désarroi, mon bon Quentin, mais tu sais bien que ton Blaise n'est qu'un bon à rien qui ne sait que sonner, déclara le chevalier en montrant qu'il lisait clair dans l'esprit de son domestique. Tandis que lui, c'est autre chose.

Il refusait d'appeler Charlemagne par son prénom. Il disait « il », « lui » ou « l'autre » et trouvait fort déplacé qu'on ait pu donner un nom d'empereur à si petite roture.

En grand habit de veneur vert à parements rouges galonnés d'argent, en bottes à chaudron et tricorne galonné comme l'habit, le chevalier Virgile-Amédée assistait à la bénédiction de ses meutes par l'abbé du Bartonnet à l'œil attendri par le tableau.

La messe célébrée le jour de la Saint-Hubert était l'unique de l'année où l'on autorisait les bêtes à pénétrer dans l'église. Les Onrazac père et fils les avaient alignées couplées devant l'autel et les maintenaient en paix à coups de fouet qui résonnaient sous la voûte. Les chiens frémissaient d'abois retenus. Les piqueurs veillaient à ce qu'aucun ne divague dans la nef. Bien qu'ils aient fait leurs ébats plus tôt, il y avait toujours le risque que l'un d'eux se vide aux pieds d'un saint, d'une colonnade ou d'un bénitier.

L'office touchait à sa fin quand Martial arriva du château pour annoncer au chevalier le trépas de son père.

– Dame Cécile dit qu'il s'est éteint comme on souffle une chandelle. Paix à son âme.

Que le vieil Armogaste ait choisi le jour de la Saint-Hubert pour passer n'étonna personne.

Ses obsèques eurent lieu cinq jours plus tard. A l'instar de ses ancêtres veneurs, il fut cousu dans la nappe d'un grand dix-cors, un linceul très distingué réputé de surcroît imputrescible. Tous les seigneurs des environs assistèrent à ses obsèques, du petit hobereau trop pauvre pour entretenir un chenil et qui se contentait d'un unique faucon au maître d'équipage propriétaire de deux cents chiens du même « pied ».

L'inhumation eut lieu dans l'église Saint-Benoît, sous une dalle du transept réservée aux seigneurs de Racleterre depuis deux siècles et demi. Une fanfare composée des meilleurs sonneurs et formée en haie sur le parvis sonna au passage de la dépouille mortelle. Blaise se tailla un franc succès en donnant une version enlevée de *La Mort du veneur le soir au fond des bois* suivie d'un magistral *Saint-Pierre, ouvre ta porte* qui tira quantité de larmes à l'assistance.

Chapitre 31

Avril 1775.

Le grand chenil abritait quatre meutes séparées les unes des autres par des barrières de bois peintes en vert et rouge. Deux étaient créancées au loup et seulement au loup, une au sanglier et seulement au sanglier, une au cerf et au tout-venant. Les chiens dormaient sur des bat-flanc de planches couverts de paille, le sol pavé de tomettes était fait en pente, avec une rigole au milieu pour l'écoulement des eaux et des urines.

Un équipage de vénerie était d'abord un élevage de chiens. Un chien courant chassait environ cinq années consécutives, il fallait ainsi renouveler les meutes d'un cinquième de leur effectif tous les ans. Le chevalier possédait pour cela huit lices portières dont il tirait race. Il leur avait construit une chiennerie accolée au grand chenil et où chacune disposait de son propre caisson pour y faire ses petits. Elles ne chassaient pas et étaient libres de leurs mouvements dans le château.

Il existait deux autres petits chenils : un pour les limiers et les chiens d'arrêt, l'autre pour les meutes de passage. Le gouvernement de ces quatre chenils, des cent trois chiens et des cinq grands et petits valets qui en avaient l'entretien, relevait du seul premier piqueur Quentin Onrazac, seul maître après le chevalier et Dieu.

Charlemagne partageait la petite soupente de la chiennerie avec le robuste La Fouine. Agé de quinze ans environ, il était le fils d'un piqueur de l'ancien seigneur Évariste tué d'un coup d'andouiller de grand-vieux-cerf reçu au moment de l'hallali sur pied.

Avant d'accompagner les meutes à leurs ébats près du Dourdou, avant de faire le bois avec un limier, avant de pouvoir suivre un laisser-courre, un petit valet devait apprendre à laver à grandes eaux le sol des chenils, à changer les litières, à remplir les abreuvoirs, à débarrasser le promenoir des laissées, à cuisiner la mouée, à laver les mangeoires, à supporter sans broncher les houspillages de chacun.

Charlemagne bronchait. Il voulait bien courir avec les chiens, il voulait bien les soigner quand ils étaient malades, les réconforter (en lenou) quand ils étaient tristes ou les apaiser quand ils étaient d'humeur pillarde, mais il n'avait cure de récolter leurs ordures, d'éponger leur pisse ou de récurer leurs auges. Il aimait les chiens parce qu'ils lui rendaient son amour sans avarice et que se trouver au milieu d'une meute lui procurait un sentiment réconfortant qu'il n'avait connu que dans la fratrie.

– Ze ne zuis point leur zerviteur, moi, z'est tout.

Ce « moi » lui valut une gifle du premier piqueur qui l'étourdit et lui fit apercevoir des lucioles bien que ce ne fût point leur saison.

Le lendemain à l'aube, jour de laisser-courre, Charlemagne s'évadait du château en se mêlant à la meute des hybrides, courant à quatre pattes parmi eux. Il parvint à franchir le pont-levis et à déboucher sur la place Royale avant d'être aperçu.

Le chevalier Virgile-Amédée mortifia son piqueur en le brocardant devant son fils et les valets.

– Mordieu, Quentin, tu deviens bigle ! Tu as un chien de trop dans ta meute et tu ne t'en rends même pas compte !

Se sachant découvert, Charlemagne se redressa et courut tel un dératé jusqu'à l'église Saint-Benoît dans laquelle il fit irruption en criant à pleins poumons :

– Ze demande le droit d'asile !

Il savait la chose possible pour l'avoir entendu lire dans un roman de chevalerie par leur bon père Clovis. Il oubliait seulement que le récit se déroulait au Moyen Age.

Quand le vicaire et le bedeau prétendirent le saisir aux

épaules, Charlemagne se dégagea en les traitant de félons, puis il fonça vers la première issue en vue – une petite porte voûtée donnant sur l'escalier du clocher – et s'engouffra à l'intérieur. Il grimpa les marches quatre à quatre jusqu'à une échelle posée contre une trappe ouverte. Il l'escalada et atteignit le sommet du clocher, là où étaient les trois cloches. Le plancher branlant était jonché de vieilles plumes de chouette, de diverses chiures d'oiseau, de crottes de trotte-menue.

Il tira avec effort la lourde échelle à lui, rabattit violemment la trappe et coinça l'échelle dessus. Se penchant par l'ouverture en arcade donnant sur la place Royale, il cria fort :

– Ze veux mes frères !

Son goût pour la précision lui fit rajouter tout aussi fort :

– Ze veux ma zœur auzi !

C'était la première fois qu'il découvrait le bourg dans son ensemble. Le point de vue l'épata. Racleterre était rond comme une citrouille, bien clos derrière son épaisse ceinture de granit.

– Clodomir, Pépin, ze zuis là, caramba ! hurla-t-il en direction de la place de l'Arbalète, puis de la rue des Frappes-Devant.

Les porteuses de seaux et les livreurs de fagots qui traversaient la place s'immobilisèrent. Plusieurs têtes se levèrent vers le clocher.

– Ze veux mes frères ! leur hurla-t-il en agitant son poing fermé.

Il était vraiment très mécontent.

Le vicaire, le bedeau et le premier piqueur, qui étaient arrivés au niveau inférieur et ne pouvaient aller plus loin, tempêtaient sur tous les tons pour exiger le retour immédiat et sans condition de l'échelle.

– Pour me faire encore fouetter ou ziffler en pleine figure, merzi bien !

Il mit ses mains en porte-voix et hurla :

– Clodomir ! Pépin ! *YACOTIN FIGAPON VITOU VITOU*.

Puis, il fit ce qu'il aurait dû faire depuis le début : il sonna les cloches.

Il tira sur la demi-roue actionnant le bourdon, la plus

grosse des trois. Le lourd battant oscilla, prit de l'élan et heurta le métal. Dès le premier coup, Charlemagne se retrouva totalement assourdi et bientôt le vacarme fut tel qu'il couvrit les protestations outragées du vicaire et du bedeau.

Ce matin-là, l'aîné Clodomir assistait en bâillant au rapport des chefs d'équipe réunis autour de son grand-père et du plan de Racleterre. La journée commençait à peine et déjà il s'ennuyait comme un quignon de pain oublié derrière un meuble. Il n'entendait rien à ce qui se racontait et n'avait cure d'essayer. Il préférait réfléchir à une occasion de s'éclipser et de rejoindre Pépin rue des Frappes-Devant. Peut-être iraient-ils encore rôder aux alentours du château pour apercevoir leur frère.

Clodomir vivait mal lui aussi cette quadruple amputation et ne comprenait pas pourquoi on s'obstinait à être si contrariant envers eux. A l'exception des trois heures quotidiennes qu'il passait avec le maître briançonnais, il devait se tenir auprès de son grand-père et être attentif à recevoir son précieux enseignement. Un enseignement basé sur une multitude d'anecdotes illustrant les principes appliqués au développement de sa prospère entreprise de vidange, mais aussi à l'organisation et à l'écoulement de sa production mixte de cagadou et de poudrette.

– En ce qui concerne cette dernière, retiens bien, Clodomir, que, d'un point de vue strictement économique, il n'existe aucune autre industrie où tu es payé pour te procurer ta matière première.

Quelquefois, Floutard l'emmenait sur le balcon surplombant la place de l'Arbalète et lui montrait la foule qui allait et venait.

– Dis-toi bien que, chaque fois qu'un habitant de ce bourg se soulage, il nous enrichit. Tous, sans exception, même les constipés qui nous morguent tant.

Quand les premiers sons de cloche retentirent, Clodomir se curait le nez d'un air inspiré, ignorant son grand-père qui montrait sur la carte à ses chefs d'équipe les rues à embouteiller.

Floutard s'interrompit en fronçant les sourcils.

– C'est la Saint-Benoît, dit Filobard, l'oreille tendue tel un chien d'arrêt.

Ces carillons désordonnés ne correspondaient à rien de connu. Ce n'était pas les mâtines, ni le tocsin, ni le glas, ce n'était pas non plus les vêpres, ni un mariage, ni un baptême. C'était n'importe quoi et ça allait en empirant.

– On dirait que le bedeau a trop bu de vin de messe, proposa Duganel, le chef d'équipe du quartier nord.

Le pouvoir des cloches était tel que l'entière population apparut aux fenêtres en fronçant les sourcils. Faire donner les cloches était strictement réglementé. De la grande volée au court tintement, chaque sonnerie répondait à un code auditif répertorié et connu de tous depuis des siècles. Un bourg sans cloche aurait été considéré comme un aveugle sans bâton.

Sans s'expliquer pourquoi il pouvait en être aussi certain, Clodomir sut que c'était Charlemagne. Bondissant vers la porte, il s'élança dans le couloir et dévala les escaliers la tête baissée façon taureau, tout dans son attitude prévenant que rien ne l'arrêterait.

Au même instant, rue des Frappes-Devant, Pépin surgissait de la maréchalerie Tricotin et courait ventre à terre vers la place Royale, un ferretier dans les mains. Lui aussi avait spontanément identifié l'auteur de ce fantastique boucan, et il accourait.

Au même instant, à la tannerie Camboulives, Dagobert et Clotilde s'exclamaient d'une seule voix :

– C'est Charlemagne !

Avant que l'oncle Félix ait pu s'interposer, ils trottaient sur le grand chemin de Racleterre, telles deux souris poursuivies par un chat. Comme à son habitude, Clotilde avait retroussé sa robe haut sur les cuisses pour courir plus vite.

– Revenez, mes enfants, quelle mouche vous pique ? cria en vain l'oncle Félix qui pressentait des ennuis compliqués.

Les compagnons tanneurs interrompirent leur besogne pour tendre l'oreille vers le bourg.

– C'est le carillon du beffroi, dit l'un d'eux.

– Nenni, c'est celui de la Saint-Benoît, dit un autre.

Quand Dagobert et Clotilde arrivèrent porte des Croisades, le sergent de l'octroi toupillait nerveusement d'un battant à l'autre en guettant le retour de l'archer parti aux nouvelles. Il s'inquiétait de ne rien comprendre à ces sonneries désordonnées. Fallait-il fermer les portes ? Fallait-il interdire d'entrer ou fallait-il empêcher de sortir ?

Dagobert et Clotilde montèrent la rue Jéhan-du-Bas puis s'engagèrent dans la rue des Afitos. Ils passèrent devant l'ancienne saboterie Tricotin sans un regard pour la façade repeinte, la nouvelle enseigne et le nouveau propriétaire, qui, comme tout le monde, était sur le pas de l'échoppe à s'interroger sur ce qui pouvait occasionner un pareil chahut. Il reconnut les deux Tricotin et se demanda où ils s'en allaient d'un si bon pas.

Le premier à apparaître sur la place fut Clodomir.

Charlemagne sourit en le voyant débouler de la rue des Deux-Places, poursuivi par tous les chefs d'équipe de grand-père Baptiste.

Clodomir vit son frère au sommet du clocher. Il poussa un cri joyeux qui se noya dans le vacarme des cloches. Toujours tête baissée et poings serrés, il fonça en zigzaguant entre les gens attroupés sur le parvis et réussit à s'introduire dans l'église malgré les bruyants « Empêchez-le, bon sang de bonsoir » des gadouyeurs-vidangeurs.

Pour le garçon, la situation était limpide : il rejoignait son frère, et gare à qui s'interposerait.

Ses poursuivants s'arrêtèrent à l'entrée de la nef, hésitant à courir à l'intérieur d'une église.

Apparemment dépourvu de ce genre de scrupule, Clodomir franchit sans ralentir la petite porte voûtée et grimpa précipitamment l'escalier menant au clocher où la situation devenait critique pour Charlemagne.

Le bedeau et le vicaire en étaient partis. Le premier en quête d'une autre échelle, le second prévenir l'abbé des raisons de ce désordre campanaire.

Restait Quentin Onrazac qui avait été rejoint par son fils Blaise. Ils avaient réquisitionné un long banc de prière et s'en servaient de bélier contre la trappe. Tenant chacun un côté du banc, ils harmonisaient leur action en poussant des OH, HÉ, OH ! sonores. Chaque coup faisait violemment tressauter le plateau de la trappe sans l'ouvrir.

– Sors de là, canaille, ou, sur Dieu, je t'enfume comme un blaireau ! menaçait Blaise d'une voix effrénée.

Clodomir fit irruption dans l'étroit local et lui sauta dessus en gueulant un confondant :

– *Garati tapec.*

Totalement sourd, Charlemagne n'entendit pas.

S'agrippant à deux mains au bras du piqueur, Clodomir le mordit à pleines dents au poignet.

Blaise cria en lâchant le banc. Son père fit un écart pour éviter de le recevoir dessus, ce faisant, il heurta du dos l'un des quatre piliers soutenant le plafond. Celui-ci craqua sans se rompre, ébranlant ce qui était aussi le plancher où se tenait Charlemagne. Il eut un glapissement de surprise. Les cloches s'interrompirent. Pendant un instant, le silence fut tel qu'on l'entendit.

Hors de lui, les traits congestionnés par la fureur, Blaise se rua sur Clodomir et se mit à le battre comme on bat un tapis très poussiéreux.

Braillant de douleur, le garçon se débattit en agitant frénétiquement les mains et les pieds.

Visiblement excédé, Quentin Onrazac écarta brutalement son fils, saisit Clodomir par les cheveux et par le fondement et le jeta le plus loin possible dans l'escalier.

Le bedeau qui revenait avec une échelle trouvée dans la sacristie le reçut dans les jambes. Fauché comme une quille, il lâcha l'échelle, bascula en arrière, rebondit contre le mur, tomba lourdement sur les marches avec un grand cri. Il dut se mordre la langue pour s'empêcher de blasphémer.

Clodomir se releva bravement. Il avait mal au genou, à la hanche, au cou, à l'épaule, il saignait de l'arcade sourcilière et il s'en contrefichait complètement. L'état de surexcitation dans lequel il était anesthésiait toutes les douleurs qui pourtant croissaient en plusieurs endroits de son corps.

Le bedeau le saisit par la cheville.

– Pas si vite. Je te remets, toi, tu es frère avec ce gredin.

Clodomir se débattit. Le bedeau lui administra un coup de poing qui l'atteignit à la tempe et l'étourdit.

– Ça m'a fait autant de mal qu'à toi, petit, mais tu m'y as contraint, mildiou, dit le bedeau en le saisissant sous les aisselles pour le soulever et le descendre.

Ils étaient à mi-chemin lorsque parut Pépin. Le visage congestionné par l'effort, le souffle haletant, il tenait à deux mains l'un de ces marteaux qu'utilisaient les maréchaux pour forger leurs fers.

La vue de son frère au visage ensanglanté lui tira un cri outragé.

– *Garati tapec malouc*.

Son ferretier s'abattit sur le pied du bedeau et lui écrasa trois orteils dont le gros.

– Ah, mon Dieu ! s'écria l'homme en ouvrant une bouche démesurée.

Déjà Pépin abattait le ferretier sur son autre pied, broyant cette fois quatre orteils.

– Ah, mon Dieu, répéta le bedeau en s'écroulant sur les marches, les yeux pleins de larmes tant la douleur était pointue.

– Non, Pépin, laisse-le, dit Clodomir à son frère qui s'apprêtait à frapper en visant cette fois le genou.

Pépin obéit, mais en grimaçant de déception pour montrer qu'il lui en coûtait. Chacun savait combien il avait à cœur de cogner, de briser, de démantibuler, d'aplatir, de cabosser, de pulvériser, d'égruger même. Il était le seul de la fratrie à s'adapter à sa nouvelle existence d'apprenti maréchal et s'était même découvert un goût prononcé pour le travail du feu.

En haut des marches, les Onrazac martelaient de nouveau la trappe avec le banc. OH ! HÉ ! OH !

Les cloches recommencèrent à sonner furieusement et à toute volée.

– Allons-y, dit Clodomir.

Quelques marches plus haut, ils trouvèrent l'échelle abandonnée par le bedeau. Clodomir regarda Pépin qui comprit et brisa chaque barreau avec son ferretier. Clodomir ramassa l'un des montants et reprit la montée en le tenant droit devant lui, comme un chevalier tient sa lance de tournoi.

A force de coups répétés, les planches de la trappe s'étaient fendues en longueur. A chaque fissure, les Onrazac poussaient un cri sauvage d'encouragement.

Blaise tournait le dos à l'escalier quand le montant de l'échelle frappa l'os de sa hanche. Il lâcha le banc et, comme la fois précédente, son père fit de même en faisant un écart pour l'éviter, et, comme la fois précédente, son dos heurta le même pilier qui se brisa. Le plafond fait de longues solives et de planches de trois pouces s'écroula avec un grand craquement, écrasant les autres piliers, recouvrant les Onrazac et Clodomir, libérant des nuages de fines poussières séculaires qui prirent un long moment pour redescendre.

Sentant le sol se dérober sous lui, Charlemagne sauta sur le bourdon et s'agrippa au mouton, enserrant ses cuisses autour de la panse évasée. L'empoutrerie des cloches étant solidement cimentée dans le mur, la disparition du plancher ne les concernait pas.

Il regarda en bas et n'aperçut qu'un nuage de poussière recouvrant tout. Il vit par contre Pépin, indemne, qui se tenait à l'entrée de l'escalier et le regardait en lui criant quelque chose qu'il n'entendait pas, trop assourdi. Ses oreilles étaient pleines de bourdonnements intenses et continus qui ne laissaient rien filtrer.

Il sourit à son frère et dit :

– Où est Clodomir ?

Pépin eut une mimique impuissante vers l'enchevêtrement de poutres et de planches hérissées de clous. Soudain, quelque chose le projeta en avant. Le lieutenant Rondon, deux archers et le vicaire apparurent. Les yeux du dernier s'exorbitèrent devant l'étendue des dégâts. Des gémissements et des grognements s'élevaient de sous les décombres qui remuaient par endroits.

– Dégazez vite notre frère qui est dezous, ordonna une voix forte au-dessus d'eux.

Ils levèrent la tête et virent Charlemagne agrippé à la cloche et qui les regardait d'un air dégoûté.

– On peut dire que votre affaire est bien mauvaise, lui dit rudement l'exempt.

Clodomir fut retrouvé allongé contre le mur. Il était

intact à part de nombreuses bosses, quelques écorchures et plusieurs échardes plantées çà et là.

L'échelle utilisée par Charlemagne pour coincer la trappe servit à le dépercher du bourdon.

Les trois frères descendirent du clocher sous étroite surveillance. Les archers leur avaient lié les mains dans le dos. Clodomir boitait. Ses cheveux et ses vêtements étaient gris de poussière, l'un de ses bas déchiré jusqu'au talon traînait derrière lui. Son arcade sourcilière ne saignait plus mais sa joue était couverte de sang mêlé à de la poussière et à des escarbilles. Charlemagne, toujours sourd, était maculé de vert-de-gris ramassé sur la cloche. Pépin n'avait rien.

Malgré les circonstances, ils semblaient heureux d'être réunis et se faisaient mille sourires en jargonnant avec volubilité. Pépin se retournait parfois et lançait un regard d'assassin vers l'archer qui lui avait séquestré son ferretier.

La place Royale grouillait de monde. Une foule hostile se pressait autour de l'église. L'apparition des trois petits Tricotin provoqua des remous. Il y eut des huées.

– C'est bien assez avec eux !

– Bannissez ces trublions, macarel !

– J'ai perdu ma matinée, moi, avec tout ce raffut pour rien !

Le bedeau était adossé au porche d'entrée. Il pleurait en geignant plaintivement. Ses pieds avaient gonflé démesurément dans ses souliers. Une bonne âme les lui libérait en découpant le cuir à l'aide d'un couteau de poche. On était parti quérir le médecin juré et le chirurgien.

Les garçons rirent à la vue du grand-père Baptiste, du grand-père Louis-Charlemagne et de l'oncle Caribert qui jouaient des coudes pour s'extraire de la foule.

– Ils sont arrêtés à la clameur publique, les avertit le lieutenant.

– Où les emmenez-vous ? demanda Louis-Charlemagne.

– Au tribunal, évidemment. Monsieur le juge les veut sur-le-champ. A propos, lequel est le vôtre ?

Le maréchal désigna Pépin qui lui sourit aimablement.

Le lieutenant eut une moue dégoûtée.

– Vous feriez bien de nous accompagner. C'est justement celui-là qui a escagassé les petons du bedeau.

Il montra le grand marteau tenu par l'un des archers.

– Ce ferretier est mien, dit Caribert.

– Possible, mais c'est maintenant une pièce à conviction.

Floutard ne dit mot. Il se contenta de regarder fixement Clodomir qui parlait dans l'oreille de Charlemagne.

Les gens s'écartaient pour les laisser passer. Certains suggéraient des choses désagréables.

– Livrez-les à l'officialité.

Attenter aux cloches de l'église – des cloches baptisées en leur temps par l'évêque – était perçu comme un acte proche du blasphème.

Le petit cortège s'engageait dans la rue des Deux-Places quand Dagobert et Clotilde apparurent, venant de la rue des Afitos. Ils trottinaient côte à côte au milieu de la chaussée : ils étaient à bout de souffle.

Charlemagne leur cria d'une voix enjouée :

– *Ravantopec mezami !*

Leur visage s'éclaira. Clotilde courut droit vers ses frères, visant Charlemagne. Dagobert suivit derrière.

– Emparez-vous de l'autre, ordonna le lieutenant en crochetant la fillette au passage.

Elle perdit son bonnet en se débattant.

Un archer se saisit de Dagobert.

– Arrêtez donc. Ils n'ont rien fait, eux. Ils viennent juste d'arriver, protesta l'oncle Caribert.

– Précisément, maître Tricotin. Et c'est bien la preuve qu'ils ont comploté leur affaire depuis longtemps.

C'est donc une fratrie au grand complet qui fut enfermée dans la Chambre de sûreté située dans la cave de la Maison.

Creusée sous la salle du guet, on y entreposait le bois et le charbon nécessaires au chauffage du bâtiment, les réserves de froment entourées de ratières, les fûts de vin nécessaires au bien-être du consul et de son conseil. On y rangeait également les portes des mauvais payeurs et le cent de piques que l'on distribuait à la population en cas de danger.

L'espace réservé à la prison se trouvait au fond, délimité

par un mur aux moellons perlés d'humidité. Le jour venait d'une lucarne à barreaux. La porte de bois était à claire-voie, le sol était nu, le mobilier se limitait à un seau pour se vider.

Les quintuplés s'installèrent en cercle et se mirent à bavardiner en faisant des grands gestes, en riant à ventre déboutonné.

– Quoi ? Parlez plus fort, caramba, répétait Charlemagne en tapotant sur ses oreilles pour les déboucher.

Dehors, sous le porche au léopard, Floutard et les Tricotin argumentaient sombrement sur ce qu'ils allaient faire. Les propos du premier étaient désabusés.

– Tourne et retourne, quelle que soit la sentence du juge, il faudra payer. Et pas qu'un peu cette fois, vu l'importance des préjudices.

Louis-Charlemagne et Caribert s'abstinrent de répondre. Ils n'avaient pas encore terminé de payer le comtois de maître Durif.

Pendant que le lieutenant entreprenait la rédaction de son procès-verbal de « prise par corps à la clameur publique », l'appariteur mettait son tricorne aux couleurs du bourg et courait prévenir le juge Puigouzon qui habitait de l'autre côté de la place, dans une grande bâtisse à encorbellements et à tourelles d'angle.

Pendant ce temps-là, en haut du clocher, coincé sous une solive de châtaignier de trois cents livres, le premier piqueur Onrazac attendait impatiemment que le maître charpentier Pons improvise un palan capable de la soulever.

– J'ai laissé échapper mon fouet. Retrouvez-le, grognait-il entre deux jurons.

Son fils Blaise fut retiré des décombres sans vie, couvert de sang, les narines pleines de poussière. Le médecin reçu Izarn le déclara trépassé jusqu'à ce qu'il se ranime, éternue plusieurs fois et demande d'une voix chevrotante qu'on veuille bien lui narrer ce qui était arrivé.

Arnold de Puigouzon cumulait les charges de juge consulaire, de procureur fiscal, de magistrat instructeur et, depuis son élection l'an passé, de consul de Racleterre. Il mena les interrogatoires dans l'enceinte du tribunal en présence de l'abbé du Bartonnet, du vicaire de Saint-Benoît, et du greffier Pillehomme qui transcrivit chaque mot sur du papier à deux sols (comme celui du pain, le prix du papier avait doublé en une décennie).

Selon la loi, les cinq accusés durent d'abord faire le serment de dire la vérité. Ils jurèrent, mais seulement après s'être consultés en lenou. Le juge interdit aussitôt l'utilisation de « ce désolant patois » dans l'enceinte de justice et ne voulut jamais admettre qu'ils n'avaient pas prémédité leur coup de longue date.

– Comment auriez-vous pu deviner qu'il s'agissait de votre frère qui était en train de sonner ? Alors qu'on ne voit pas le clocher de la place de l'Arbalète, ni de la rue des Frappes-Devant, et encore moins de la tannerie Camboulives.

Cinq haussements d'épaules lui répondirent.

A la question : quel était le mobile de ce carillonnage intempestif, Charlemagne ajouta sans remords le péché de parjure à la liste de ses méfaits en répondant :

– Z'était pour attirer l'attention de Notre Zeigneur zur notre malheur. Comme z'était tôt le matin et que peut-être Il dormait encore z'ait zonné fort pour qu'Il entende ma requête.

Les quatre autres confirmèrent cette version en hochant la tête. Ils en avaient longuement délibéré dans la prison.

L'abbé du Bartonnet s'autorisa une intervention.

– Dieu ne dort jamais, petits ignorants ! Ensuite, quand on veut lui parler, c'est par la prière qu'on s'y prend, et pas en rameutant aux petites heures le bourg et tous ses faubourgs.

La délibération et la sentence furent expéditives et délivrées le jour même dans la salle du tribunal du rez-de-chaussée.

Les quintuplés Tricotin furent dûment atteints et convaincus de quatre chefs d'accusation : usage illicite des cloches, atteinte majeure à la quiétude publique, bris de plancher appartenant à la paroisse Saint-Benoît, voie de fait sur la personne du bedeau de ladite paroisse.

Ils furent condamnés à payer une amende de vingt livres

chacun, à rembourser l'intégralité des dégâts occasionnés au clocher, à verser la somme de trente-cinq livres tournois (cinq livres par orteil écrasé) à l'infortuné bedeau.

Ayant pris connaissance de l'insolvabilité des accusés, le juge somma les familles tutélaires de débourser pour eux. A aucun moment le nom du chevalier ou celui de ses piqueurs ne furent prononcés.

Puigouzon aggrava son verdict en les condamnant aussi à un jour entier de pilori, de soleil levant à soleil faillant.

Cette infamante condamnation outra les Tricotin et les Camboulives qui la jugèrent cruellement disproportionnée en rapport aux délits commis.

Floutard s'abstint de tout commentaire. Il avait récemment rouvert des négociations avec la Maison afin de louer la totalité des fossés extérieurs et il ne voulait rien compromettre (il comptait y cultiver des pommes de terre, un nouveau légume qui ne craignait ni les gelées, ni les grêles, ni les orages, ni les vents, ni la pluie).

La sentence étant exécutoire le lendemain de sa prononciation, les quintuplés furent ramenés dans la prison communale. Leurs mères-grands Adèle et Jeanne et leur tante Immaculée vinrent remettre au sergent chargé de leur surveillance cinq couvertures et un panier de victuailles.

Une fois seuls, ils se remirent en cercle, épaules contre épaules et passèrent la soirée à festoyer, à se chamailler joyeusement, à être heureux comme ils ne l'avaient plus été depuis leur séparation. Après tout, n'avaient-ils pas obtenu ce qu'ils désiraient ?

Chapitre 32

Dès l'aurore, un sergent gascon et quatre archers ensommeillés descendirent dans la cave et les réveillèrent. Ils obéirent et les suivirent jusqu'à la salle du guet où on les enchaîna les uns aux autres par la taille. Le sergent se munit de cinq gros cadenas dépareillés.

– On ne manze rien avant ? demanda Charlemagne.

– Non.

Ils se rendirent au pilori en file indienne, encadrés par les gens du guet et le sergent qui tenait sa pertuisane d'une main et leur chaîne de l'autre. L'aîné Clodomir avançait en tête, Charlemagne fermait la marche. On aurait dit cinq chiens de meute tenus en laisse.

L'air était doux, le ciel pacifique, la journée promettait d'être sereine.

Les matinaux qu'ils croisèrent les regardèrent passer sans faire de commentaires. Un chien couché devant l'échoppe d'un vinaigrier se leva et aboya à leur approche. Charlemagne imita le grognement d'un hybride irrité. Le chien jappa de surprise et retraita dans l'échoppe. Tout le monde rit, même les archers.

Le pilori de la place Royale datait du chevalier Walter et se présentait comme un édifice en forme de kiosque hexagonal, ouvert de tous les côtés et juché sur une plate-forme de cinq pieds. On y accédait par un escalier en pierre. Les six carcans étaient façonnés dans de fortes planches de châtaignier percées de trous : deux petits pour les mains, un plus grand pour la tête.

Le fronton portait les armes des Armogaste et on lisait en patois le long de sa frise :

GUARA QUE FARAS ENANT QUE COMMENCET
(fais attention à ce que tu vas faire avant de commencer).

La peine du pilori étant l'un des rares châtiments à ne pas exiger la présence d'un exécuteur pour son application, ce fut le sergent gascon qui se chargea de l'encarcanage.

Il souleva le premier carcan et contraignit Charlemagne à passer son cou et ses mains dans les trois ouvertures. Ce dernier sentit l'abattant de bois se refermer sur sa nuque et ses poignets. Le sergent rabattit le moraillon d'un coup sec et fixa dessus l'un des cadenas. Il souleva le carcan suivant et poussa Clotilde en répétant les mêmes gestes.

– On manzera quand ? s'enquit Charlemagne.

Il ne reçut pas de réponse.

Quand chacun fut cadenassé, le sergent reprit sa pertuisane et s'en alla en laissant l'un de ses hommes en faction.

Sa pique sur l'épaule, l'archer fit quelques pas incertains en cherchant un endroit où s'asseoir. Il choisit les marches du pilori. Il avait pour consigne d'interdire qu'on monte dans le kiosque, qu'on s'en prenne physiquement aux condamnés ou qu'on veuille les délivrer. On pouvait cependant les huer, les dauber, on pouvait même leur jeter des ordures, mais on ne pouvait les faire saigner d'aucune façon sans empiéter sur les privilèges de l'exécuteur.

Après un instant de silence, les quintuplés entrèrent en grande conversation, se racontant en lenou leur rêve de la nuit.

L'archer tendit l'oreille avec curiosité. Comme tout le monde, il avait entendu dire qu'ils s'étaient inventé un patois secret, mais il n'avait à ce jour jamais eu l'occasion de l'entendre. Après un moment, il eut du mal à croire que ce ragoût de mots biscornus lancés à toute vitesse puisse signifier réellement quelque chose. Pourtant, ils semblaient se comprendre et même se répondre. Ils paraissaient surtout heureux d'être ensemble.

Le carcan de Charlemagne était orienté côté château. Clotilde voyait un bout du château, la rue Haute-Neuve et une grande partie de l'ancien séminaire des Vigilants. Dagobert était face aux deux chênes séculaires qui encadraient la grande porte aux ferrures rouillées. Clodomir avait vue sur la venelle du Suif, l'église Saint-Benoît et le cimetière où reposaient leurs bons parents, tandis que Pépin faisait face à la porte cochère de la demeure de l'exacteur Bompaing et à la rue des Deux-Places. Le sixième carcan, vide, donnait sur le four banal, l'enceinte du verger et un bout du château.

C'est Pépin qui vit le mulet tirant la charrette de leur grand-père Louis-Charlemagne. Il était accompagné du cousin Mérovée porteur d'un panier à anse. Pépin prévint les autres qui s'écrièrent aussitôt d'une seule voix :

– BONJOUR NOTRE BON GRAND-PÈRE ! BONJOUR MÉROVÉE ! BONJOUR FANFAN.

Fanfan était le mulet.

L'archer se leva et regarda le maître maréchal approcher. Il répondit à son salut par un hochement de la tête.

– Bonjour mes enfants, dit Louis-Charlemagne en arrêtant Fanfan devant le pilori.

– Z'ai faim ! déclara Charlemagne qui se tordait le cou dans son carcan pour le voir.

– Nous aussi ! clamèrent les quatre autres.

– On s'en doutait, figurez-vous, dit le maréchal en descendant avec peine de la charrette.

Son bras droit le faisait souffrir ces derniers temps.

Le jeune Mérovée – il avait eu onze ans aux Rois mages – montra le panier en souriant. Il contenait cinq tranches de pain couvertes de pâté de lièvre, une omelette de dix œufs aux champignons découpée en cinq parts et cinq cabecous bien durs enroulés dans des feuilles de vigne. Pour boisson, une outre pleine d'eau mêlée à du vin était suspendue à la ridelle.

Comme ils ne pouvaient se servir de leurs mains, il fallut les nourrir bouchée par bouchée, ce qui prit du temps.

L'archer ne s'interposa pas. Aucune consigne n'interdisait le ravitaillement des encarcanés. De plus, il trouvait bien naturelle la solidarité du vieux maréchal envers ses petits-enfants.

Charlemagne mâchait une grosse portion d'omelette quand Saint-Benoît sonna l'office de prime. Comme chaque matin après le dernier coup de cloche, le pont-levis du château s'abaissa lentement. Il vit Martial au-dessus de l'entrée, actionnant le treuil des chaînes.

La place Royale commençait à s'animer. Des places du bourg, elle était la plus fréquentée, aussi y avait-on édifié le pilori.

Les équipes de Filobard et de Duganel passèrent avec leurs tombereaux. Ils saluèrent l'aîné sans s'arrêter. Clodomir ne leur répondit pas. Il leur en voulait encore de l'avoir poursuivi la veille.

Louis-Charlemagne allait de l'un à l'autre en prenant plaisir à les voir mastiquer de si bon appétit. Il devinait que ce châtiment n'en était pas vraiment un dès l'instant où, pour eux, l'important était d'être réunis. Il était plus que jamais opposé à leur séparation et trouvait injuste ce qui leur arrivait. La veille, au conseil de famille qui avait suivi leur condamnation, il avait proposé leur réunification, mais Floutard l'avait refusée. Le maître gadouyeur-vidangeur avait encore espoir de voir Clodomir lui succéder un jour.

Avant de repartir, Louis-Charlemagne posa discrètement un liard de trois sols sur la marche voisine de celle où était assis le garde.

– Soyez assez bon de les désencarcaner quand ils auront envie de faire leurs eaux.

L'archer se souleva et s'assit sur la pièce de cuivre qui disparut.

– Ce serait bien volontiers, maître Tricotin, mais c'est mon sergent qui a les clefs des cadenas.

– C'est qu'ils ne tiendront jamais jusqu'au couchant. Il va bien falloir qu'ils se vident. D'autant plus qu'ils viennent de manger et de boire. Et pas qu'un peu.

L'archer prit un air fataliste. Louis-Charlemagne eut un regard appuyé vers le liard invisible sous son fessier.

– Soyez alors assez bon pour les gratter si quelque chose les démange.

L'archer opina du chef. Le maréchal-ferrant remonta sur sa charrette. Mérovée le rejoignit.

Avec l'avancée du jour et l'ouverture des trois portes, la circulation sur la place allait croissant.

– A plus tard, mes enfants, et surtout, ne répliquez point

si certains viennent se gausser, ça ne ferait que les encourager à continuer.

L'archer attendit qu'ils aient disparu dans la rue des Deux-Places pour se soulever et empocher le liard.

Des « Hay hay », des « Tout coi, tout coi », des claquements de fouet, des aboiements signalèrent que les piqueurs et les valets sortaient les meutes dans la basse-cour pour les conduire à leurs ébats.

Charlemagne, qui reconnaissait par instants la voix de ses préférés, les présentait à la fratrie.

– Lui, z'est Tapazaud, le chef de meute des Zaint-Hubert, et lui z'est Sicanaud, zon fils qu'est zamais content comme grand-père Baptiste.

– Et Quinteux ? Je voudrais bien le voir, moi, dit Pépin.

La veille au soir, Charlemagne leur avait longuement parlé de sa fuite parmi les hybrides et de leur très lunatique chef de meute.

La première à franchir le pont-levis fut celle des braques, avec, bien sûr, Laissez-Passer en tête, un grand chien bien gigoté au regard franc et à l'air aussi sérieux que décidé. Encadrés par les valets et par le piqueur, les Saint-Hubert et les chiens fauves de Bretagne suivaient derrière, les hybrides en dernier. Blaise faisait grise mine. Il portait un pansement au poignet, un autre autour du front et de multiples égratignures zébraient son visage. Son père était absent.

– J'espère que c'est parce qu'il a quelque chose de bien cassé, se dit Charlemagne en le voyant se dérouter vers le pilori et venir le regarder sous le nez.

– Ahi. On dirait qu'un plafond vous est tombé sur le lampion, dit Clotilde d'une voix qu'elle forcissait pour imiter celle de ses frères.

La fratrie éclata d'un seul rire méchant d'où émergeait celui de Charlemagne, supérieur de trente décibels bien comptés à celui des autres.

L'archer se leva et contourna le pilori pour assister à l'échange. Il vit le piqueur ramasser une poignée de crottin et la projeter sur la garce qui la reçut en plein visage, coupant son rire net.

– V'là pour t'embellir, laideronne.

Ramassant une plus grosse poignée, il visa Charlemagne qui baissa la tête et la reçut sur le crâne.

– Et toi l'animal, tu feras moins le faraud quand tu sauras ce que te réserve notre seigneurie.

Il récolta une autre poignée et la lança de nouveau sur Clotilde qui cria. Clodomir, Pépin et Dagobert se tortillèrent dans leur carcan. Ils entendaient mais ne voyaient rien.

Le piqueur se penchait pour ramasser une autre poignée quand l'archer le prévint d'une voix neutre :

– Attention, maître Onrazac, comme y faut nullement les faire saigner, assurez-vous qu'aucune caillasse ne soit mêlée à votre crottin.

Blaise allait rabrouer l'homme du guet quand Charlemagne se mit à aboyer sur un mode provocateur. Les meutes qui dépassaient le four banal et allaient s'engager dans la rue des Deux-Places s'immobilisèrent, oreilles dressées, truffe frémissante. Le piqueur pâlit en écarquillant les yeux. Avant qu'il ne réagisse, Charlemagne imitait les abois d'un chien en défiant un autre.

– Attention ! hurla Blaise aux valets.

Ne comprenant pas ce qui arrivait, ceux-ci restèrent plantés là à regarder les chiens s'agiter fébrilement.

Blaise leva son fouet pour frapper Charlemagne, mais l'archer s'interposa en le menaçant du manche de sa pique.

– C'est prohibé. Ne m'obligez point à verbaliser.

Charlemagne en profita pour conclure ses imitations par une perfide série de miaulements de chat adulte en difficulté qui hérissèrent toutes les échines et déclenchèrent le chaos. Les quatre meutes se dispersèrent dans toutes les directions, courant, jappant, bahulant, tous y allant à pleine gorge.

Quand on sait que l'autorité d'un piqueur se reconnaissait avant tout à sa capacité à maintenir ses chiens en formation, il ne pouvait guère arriver pire.

Les valets paniqués lançaient ordre et contrordre, aggravant la pagaille. Blaise se précipita à leur rescousse, gueulant sans se retourner :

– Le Pibrac te brûlera, Tricotin maraud !

– Et moi, ze te cazerai toutes tes dents avant ! hurla Charlemagne hors de lui, atteignant cette fois les ultrasons.

Sans dents on ne pouvait sonner, faute de support où appuyer l'embout de la trompe. Et le jour où Blaise ne pourrait plus sonner serait aussi son dernier jour de piqueur de grand chenil.

– Les hybrides ! Mordiou ! Rattrapez d'abord les hybrides, cria-t-il aux valets en montrant Quinteux et sa meute qui filaient vers la venelle du Suif, semant l'effroi parmi les passants.

Le chevalier Virgile-Amédée petit déjeunait en compagnie de son fils Anselme quand les premiers abois retentirent. Leur puissance les surprit. Le chien qui les avait poussés devait être d'une taille peu commune pour donner ainsi de la voix. Puis ce furent de très insolites miaulements de chat. Là encore, leur intensité dénonçait un matou de la taille d'un âne, ce qui n'était point dans l'ordre de la nature. Par contre, ils reconnurent sur-le-champ la nature du hourvari qui suivit ces miaulements.

– Vive Dieu, les meutes se débandent ! s'exclama le chevalier en se dressant sur son fauteuil, le visage empourpré d'indignation.

– C'est ce triple jean-foutre de Blaise qui est d'ébats ce matin, dit son fils en se levant à son tour.

Ils coururent dans le couloir et croisèrent Francol qui venait de la cuisine portant la suite du petit déjeuner (des filets mignons de cerf marinés et cuits à point). L'intendant-maître d'hôtel les regarda filer sans comprendre, notant au passage la démarche raidie de son maître qui allait sur ses soixante-deux hivers.

Quand ils débouchèrent dans la basse-cour, ils virent Quentin Onrazac sortir du grand chenil en boitant bas.

Le premier piqueur était alité et se remettait avec aigreur de ses contusions (au moins trois côtes fêlées, un genou comme gonflé d'eau et de nombreuses bosses sur le crâne), lorsque les premiers abois avaient retenti.

– Si la faute en est à Blaise, je lui retire les ébats à jamais, lança le chevalier en courant vers le pont-levis où l'on voyait se profiler Martial, les mains sur les hanches.

La vision de la place Royale grouillante de plus de cent

chiens livrés à eux-mêmes provoqua un nouveau juron du chevalier.

– Vérole de putasse !

– C'est encore ce vilain épateur, votre seigneurie, dit le concierge avec un geste vers le pilori. C'est point chrétien qui puisse ainsi commander aux bêtes.

De son carcan, Charlemagne vit le chevalier et monsieur Anselme accourir sur le pont-levis où était déjà Martial.

– Œille-les ma Clotilde, y zont point fiers.

Sa sœur ne répondit pas. Il se tordit le cou pour la regarder et vit ses yeux brillants de larmes.

Devinant les raisons de sa peine, Charlemagne chercha la comparaison la plus flatteuse qu'il pût imaginer.

– Tu n'es point une laideronne. T'es même bien plus belle que Sarmeuse ou Polizonne.

Charmeuse et Polissonne étaient les lices portières les plus réussies de la chiennerie.

– Si je ne suis point laideronne, pourquoi il l'a dit alors ?

– Parze qu'il est méçant.

Ses autres frères qui écoutaient intervinrent.

– Parce qu'il est bigle, dit Dagobert.

– Parce qu'il est très laid lui-même, proposa Pépin.

– Parce qu'il a les méninges embrenées, conclut Clodomir qui tenait l'expression de grand-père Floutard.

Quentin Onrazac apparut sur le pont-levis. Charlemagne vit avec plaisir que son torse était bandé et qu'il traînait la jambe : il se contint de lui crier « Z'est bien fait ».

Il fallut la matinée entière pour reformer les quatre meutes. Les hybrides furent les plus difficiles à regrouper. Adorant pourchasser tout ce qui fuyait devant eux, ils égorgèrent cinq chiens, une chèvre et son bouc, une douzaine de poules, trois canards et deux oies dont un jars. S'ils ne mordirent personne, c'est que personne ne leur en donna l'occasion.

Le chevalier les retrouva près de la porte Basse et les rameuta au fouet et à la voix, cinglant l'arrière-train de Quinteux qui n'obtempérait pas assez vite. Il les ramena au château.

Voyant la meute passer, Charlemagne salua Quinteux qui vint lui rendre sa politesse. Le fouet du chevalier cingla à nouveau son arrière-train. L'hybride jappa de douleur et rebroussa chemin.

A l'exception de dame Jacinthe et de Baptiste Floutard, tout Racleterre défila ce jour-là place Royale. Personne n'aurait voulu manquer un spectacle d'encarcanés. Le dernier remontait à la Saint-Martin : deux mystificateurs de cartes, pris sur le fait à *La dalle en pente*, avaient été exposés trois jours et trois nuits durant afin que chacun ait loisir de mémoriser leurs traits.

Grand-père Tricotin, accompagné cette fois de grand-mère Jeanne, revint au pilori.

– J'ai été voir votre sergent, dit-il à l'archer, et comme il ne veut rien savoir pour leurs besoins, nous emmenons un seau. L'un de vous a-t-il envie de pisser ?

– Oh oui ! répondirent les cinq en même temps.

Vers les neuf heures Clotilde annonça qu'elle voyait monsieur le maître chicaneur Alexandre Pagès-Fortin remonter à pied la rue Haute-Neuve. Un gros livre déformait la poche de son justaucorps gris souris. Des gens qu'il croisait, certains le saluaient, d'autres détournaient la tête.

– Y a aussi son domestique qui tient un panier sous le bras.

– Z'espère que z'est du manzer.

L'avocat apportait du poulet rôti, du pain blanc encore chaud qui sortait de son « four à pain pour tous » et cinq chopines de clairet. Il en offrit une à l'archer et calma ainsi sa méchante humeur croissante (tierce était passée d'une heure et il n'avait toujours pas été relevé).

Là encore, il fallut les nourrir morceau par morceau.

– Ah mes petits amis, vous voilà bien mal accommodés.

Il versa le vin dans une timbale et les abreuva l'un après l'autre en les encourageant.

– Buvez, buvez, ça vous aidera à prendre patience, et ce soir sera plus vite là.

Il eut un large sourire en tirant le gros livre de sa poche.

– Je vais vous faire la lecture, ainsi vous n'aurez point entièrement perdu votre journée.

Il montra *Le Dictionnaire philosophique portatif*. La reliure portait des traces attestant un usage intensif : de nombreuses pages étaient cochées.

– Contez-nous plutôt le duel de notre bon père, réclama Dagobert.

– Mais je vous l'ai déjà conté un bon millier de fois !

– Ça fait rien ! s'exclamèrent-ils d'une même voix.

Pagès-Fortin prit un air perplexe. Chaque manifestation de leur étonnante syntonie le déconcertait toujours autant. Si ce n'avait été pure chimère, il aurait pu croire qu'ils communiquaient entre eux par la pensée. Le gros livre retourna à regret dans la poche.

– Fort bien, puisque c'est ce que vous souhaitez.

Les curieux qui tournaient autour du pilori en faisant des commentaires s'approchèrent, de même que les portefaix qui attendaient le client adossés au mur du cimetière et les demeurants-partout qui mendiaient çà et là. Tous aimaient les histoires, même aussi connue que celle du duel Tricotin-Crandalle.

– Tout commence donc le jour même de votre naissance. Je vous ai vus ce jour-là et vous n'étiez pas plus hauts que ça.

Il montra la chopine que venait de vider l'archer.

– Zauf moi qui étais le plus gros de tous, rappela Charlemagne.

Clodomir soupira avec agacement. Les autres rirent haut. Le vin commençait à faire son effet.

– Lors d'un duel, voyez-vous, mes petits amis, ce n'est pas forcément celui qui a raison qui l'emporte, mais le plus souvent celui qui est le plus adroit. Or votre père avait devant lui un adversaire particulièrement adroit puisqu'il était maître d'épée.

L'avocat décrivait avec des gestes explicites la mise en place du duel et l'instant crucial du choix des sabres quand Pépin annonça la venue de Joseph Vessodes en tête de ses élèves de la Petite École. Le diacre-régent tenait sa bible à la main. Sa classe avançait en rang par trois en chantant :

Où il y a paille
Il y a rat
Où il y a rat
Il y a chat
Où il y a chat
Il y a femme
Où il y a femme
Il y a diable.

Le carillonnage de l'autre matin l'avait outré autant que la condamnation des quintuplés l'avait réjoui. Partisan inconditionnel de l'exemplarité, le régent avait modifié son emploi du temps afin de conduire ses élèves (il disait ses ouailles) place Royale pour qu'ils constatent de leurs propres yeux le sort qui frapperait tôt ou tard tous les malappris fréquentant le soi-disant Temple du Savoir. La vue du maître chicaneur pérorant devant un public captivé lui échauffa le sang une fois de plus. Il le honnissait de toute son âme et entendait mal que l'officialité ne l'ait point encore fait saisir par corps, jugé, condamné et brûlé sur cette même place, en compagnie du buste de l'impie qu'il exhibait avec tant d'impudence à sa fenêtre. Ce n'était pourtant point les motifs qui faisaient défaut.

– Éloignez-vous, faites-nous place, ordonna le régent à l'assistance avec des gestes d'écarteur de rideaux.

On lui obéit, sauf Pagès-Fortin qui s'était interrompu pour le regarder venir avec un air mi-amusé, mi-excédé.

Le régent fit faire le tour complet du pilori aux élèves qui avaient cessé de chanter et observaient les encarcanés avec un grand intérêt. Vessodes faisait une pause devant chacun d'eux.

– Regardez, regardez, regardez, et prenez-en de la graine car voilà ce qui menace tous ceux qui deviennent d'assurés sacripants.

La frimousse souriante de Clotilde dépassant du carcan lui tira une expression dégoûtée. Il hésitait entre deux citations latines (*Mulieres non sunt homines* ou *Mulier est organum diaboli* / les femmes ne font pas partie du genre humain ou la femme est l'organe du diable), quand Pagès-

Fortin reprit son récit là où il l'avait interrompu, haussant la voix pour couvrir celle du régent.

– J'ai alors vivement conseillé à votre père de choisir le sabre et non l'épée.

– Notre bon père nous a toujours dit que c'était tonton Laszlo, protesta Clodomir.

– Tiens, c'est curieux, j'aurais pourtant juré que c'était moi.

– *Perette amarada lamila lézorou*, lança Clotilde.

La fratrie éclata d'un seul rire.

Persuadé d'être l'objet de leur hilarité, Vessodes eut le réflexe habituel de châtier sans délai : il frappa la fillette sur le crâne avec sa bible, déplaçant son bonnet de guingois.

Clotilde cria, déclenchant la fureur impuissante de ses frères. Charlemagne, le plus proche, cracha sur le régent mais le manqua.

– Monzieur le rézent vient de la frapper, dénonça-t-il bruyamment.

L'archer et l'avocat accoururent à l'instant où Vessodes récidivait son coup de bible sur le crâne de Charlemagne. Ce dernier poussa un cri qui surmonta tous les bruits de la place.

Quel coffre, songea Pagès-Fortin, quel remarquable chanteur d'opéra il ferait.

– Il est prohibé de toucher aux encarcanés, déclara gravement l'archer, aussi, sauf votre respect, monsieur le régent, je dois vous verbaliser de cinq livres.

Le visage de Vessodes devint aussi pâle qu'une hostie.

– Cela ne se peut, car ce n'est jamais moi qui châtie mais Dieu par le truchement de son fidèle intermédiaire, expliqua-t-il très sincèrement en brandissant sa bible.

Qu'il ait à justifier une telle évidence lui paraissait presque inconvenant.

L'irrésolution plissa le front de l'archer. Allait-il devoir verbaliser Dieu ?

– Pourtant c'est bien votre main qui tient cette bible, et c'est bien votre bras qui actionne cette main, tout comme c'est bien votre esprit qui leur commande à tous deux, intervint Pagès-Fortin, la voix moqueuse.

– Taisez-vous, monsieur le sans-Dieu, votre place n'est pas ici mais aux Enfers.

De blafard, Vessodes virait cramoisi.

L'avocat prit son gros livre et l'abattit sans avertissement sur la toque carrée du régent, l'aplatissant.

L'outrage écarquilla les yeux de Vessodes.

– Quoi ? Vous avez osé porter la main sur moi ?

– Ce n'est point moi, monsieur l'obscurantiste, c'est monsieur Arouet par le truchement de son fidèle porte-parole.

L'avocat agita l'exemplaire du *Dictionnaire philosophique*. Appréhendant une nouvelle attaque, Vessodes se retira à grands pas. Sa classe le suivit après un instant de flottement.

– Vous vous en mordrez les dents, je vous le certifie, maudit suppôt luciférien, explosa-t-il dès qu'il fut à une distance suffisante.

– Pas si vite, monsieur le régent ! lança l'archer en le rejoignant.

Pagès-Fortin rangea son livre et s'approcha de Clotilde pour lui remettre son bonnet droit.

– Narrez-nous la suite, demanda un jeune courtaud de boutique qui s'était résigné à arriver en retard.

L'avocat ne se fit pas prier.

Le trafic sur la place s'amplifiait. De nombreux véhicules la traversaient bruyamment. Un colporteur qui arrivait de la porte Basse déchargea sa lourde malle à dos au pied du pilori et l'ouvrit largement sur les multiples ouvrages de littérature de gibet dans laquelle il était spécialisé.

Un groupe de paysannes aux joues rouges venant des hameaux circonvoisins vint grossir l'assistance. L'une d'elles portait un grand panier en osier d'où sortaient les têtes au long cou blanc d'une paire d'oies. Elles firent le tour complet du pilori en se gaussant en patois, s'attardant devant Clotilde, la montrant du doigt en gloussant.

– Laizez-la en paix, mauvaizes commères ! s'écria Charlemagne.

– Comment qui parle c'lui-là ? C'est l' Pibrac qui t'a ébouillanté ainsi la langue ?

Comme elles connaissaient leur droit, elles ramassèrent ce qui restait de crottin et en bombardèrent les quintuplés en gloussant de plus belle. Une poignée atteignit Charlemagne alors qu'il ouvrait tout grand la bouche pour pousser l'un de ses cris terriblement sonores. Il toussa et racla sa gorge jusqu'à ce qu'il ait recraché tous les débris pailleux collés partout dans son gosier.

Leurs brimades achevées, il les vit s'éloigner bras dessus bras dessous, le dos encore secoué de joyeuseté. Elles atteignaient la rue Haute-Neuve quand il se mit à glatir comme un aigle, provoquant un début de panique chez les oies qui se débattirent pour s'extraire du panier, faisant jurer leur propriétaire. Une bien mince vengeance en comparaison de celle qu'il aurait aimé leur faire subir.

Poussiéreux, non rasé, le dos bien droit malgré la fatigue et les courbatures, Laszlo Horvath apparut place Royale à la mi-relevée. Son navarrais qui sentait l'écurie avait tendance à forcer l'allure.

Parti quatre jours auparavant, il revenait de la foire de Roumégoux où il avait acheté pour le compte du chevalier six jeunes et beaux chevaux payés trois cents livres pièce. Crespin, le valet d'écurie qui l'accompagnait, semblait à peine tenir sur sa selle. On eût dit qu'il avait dormi la tête en bas. Il s'était assoupi plusieurs fois en chemin et était même tombé de cheval. Son front tuméfié portait la trace de sa chute. Il ne comprenait pas comment le maître débourreur, pourtant son aîné de trente ans, pouvait chevaucher aussi crânement après une telle nuit de débauche ininterrompue. Crespin avait pu vérifier que la réputation du Hongrois n'était pas usurpée. Le maître débourreur connaissait bien par leur nom les mères maquerelles et leurs pensionnaires des quatre bordels de la rue Haut-de-Chausse.

Laszlo remarqua le public rassemblé autour du pilori indiquant qu'il était occupé. Indifférent, il le dépassait quand soudain un chœur de cinq voix déclama :

– BIEN LE BONJOUR TONTON LASZLO !

– Hé ! s'exclama-t-il de surprise.

Il dirigea sa monture sur le pilori, sans se soucier des gens qui s'écartèrent rapidement pour ne pas être bousculés. Un cavalier avait toujours la priorité, *a fortiori* s'il portait le sabre.

Sans démonter et sans un mot, Laszlo fit le tour de l'édifice, reconnaissant tour à tour Clodomir, Pépin, Dagobert et Clotilde qui lui fit un large sourire séducteur. Il s'arrêta à la hauteur de Charlemagne. Celui-ci se dévissa le cou vers le haut pour le voir. Il poussa un petit hennissement amical à l'intention du cheval qui palpita des larges naseaux en reconnaissant son odeur.

– Combien de temps ici encore ?

Les années passaient, ses solécismes demeuraient.

– Zusqu'au coucer du zoleil.

Sans un mot de plus, Laszlo fit demi-tour et reprit son chemin vers le pont-levis, suivi de Crespin qui tirait derrière lui les six chevaux reliés entre eux par leur licou.

Moins d'une heure plus tard, Laszlo revenait, à pied cette fois, portant lui aussi un panier dans lequel étaient réunis les copieux reliquats du dernier repas des Armogaste : pâté de perdreau, semelles de faisan à l'espagnole, cailles à l'estouffade, plus quelques filets mignons de sanglier sauce poivrade. Le maître coq Larouzaude qui tirait bénéfices de ces restes en les revendant aux pauvres n'avait osé protester. La position hiérarchique du débourreur ainsi que son tempérament réputé court et brutal ne s'y prêtaient guère.

– Ça galope, expliqua le Hongrois en commençant la distribution.

Les vêpres allaient sonner d'un moment à l'autre quand l'oncle Félix Camboulives se voitura un passage dans le bruyant va-et-vient animant la place.

L'oncle Félix immobilisa sa charrette le long du pilori et tira de sous la banquette un panier contenant une tarte au miel et aux amandes qui en fit loucher plus d'un.

– C'est tante Blandine qui vous l'a faite, dit-il en la posant sur une marche du kiosque pour la découper en cinq parts égales.

Les vêpres sonnèrent. La plupart des femmes se trouvant autour du pilori et sur la place prirent la direction de l'église.

La tarte achevée, l'oncle Félix sortit du panier dix beignets au sucre et fit apparaître, toujours de sous la banquette, une dame-jeanne de vin de La Valette.

Il faisait boire Pépin, quand Louis-Charlemagne et Jeanne Tricotin arrivèrent. L'heure de la libération des encarcanés étant proche, chaque famille venait récupérer les siens.

Jugeant qu'il était du plus mauvais effet électoral d'être associé de près comme de loin au pilori, Baptiste Floutard envoya Arsène et Véron avec la vieille chaise. Une fois leur fardeau rangé près de l'escalier, les deux porteurs acceptèrent de bon cœur le gobelet de vin offert par l'oncle Félix.

Puis ce fut Culat qui se présenta avec un panier débordant de cochonnailles.

– Je voulais venir plus tôt mais ça ne m'a point été possible, s'excusa-t-il en distribuant des tranches de jambon de Najac, s'étonnant de leur petit appétit.

– C'est qu'on n'a plus trop faim, tonton Jean, admit Dagobert.

– Mangez, mangez, vous ne voudriez tout de même pas me faire l'affront. Ça se mange sans faim du si bon jambon. Tiens, goûte aussi ce cornichon, tu m'en diras des nouvelles.

Le lieutenant Rondon, le sergent basque et trois archers arrivèrent alors que le soleil se couchait derrière le donjon.

L'officier monta sur la marche palière du pilori et déclara d'une voix monocorde l'expiration du châtiment.

Le sergent entra dans le kiosque et décadenassa Clodomir qui alla aussitôt faire ses eaux à gros bouillons dans le seau. Pépin, Dagobert, Clotilde et enfin Charlemagne furent délivrés. Ils étaient silencieux et semblaient peu assurés sur leurs jambes. Dagobert tenait son ventre rebondi à deux mains. Charlemagne rota si fort qu'on aurait pu croire à un éternuement.

Ils se séparèrent sans un mot, presque sans un regard.

L'aîné disparut à l'intérieur de la chaise qu'Arsène et Véron emportèrent d'une bonne foulée. Clotilde et Dagobert montèrent à côté de l'oncle Félix sur la banquette, tandis que Pépin s'asseyait entre son grand-père et sa mère-grand.

Fermement retenu au bras par l'exempt, Charlemagne fut conduit au château et remis en main propre au chevalier Virgile-Amédée.

Le châtelain était dans les écuries et admirait une fois de plus les achats de son débourreur. Les chevaux étaient beaux et ils avaient été acquis un prix raisonnable. Dans un an, Laszlo les aurait débourrés et ils se revendraient alors aisément six cents livres et plus.

Rien n'était plus risqué que de chevaucher à grande vitesse dans un sous-bois de haute futaie barré d'obstacles aussi variés qu'inattendus. Le Hongrois excellait à dresser les chevaux à ralentir, à changer subitement de direction, à franchir des accidents de terrain incontournables ou encore à s'arrêter brusquement. Le débourrage d'un cheval de vénerie ressemblait en bien des points à celui d'un cheval de combat.

– Celui-là, pas joli, mais meilleur de tous, dit Laszlo en flattant la croupe d'un auvergnat à la robe gris louvet, une couleur qui « faisait » sale. Lui, bien près du sang. Pas vendre. Prendra bonne relève de Tonnerre.

Tonnerre était l'alezan de huit ans du chevalier, une bête plutôt têtue, mais ayant du train, du fond et passant partout.

Martial apparut dans l'écurie. Il se composa un air dégoûté pour dire :

– Faites mille excuses, votre seigneurie, mais c'est monsieur le lieutenant Rondon qui ramène le Tricotin.

L'expression de satisfaction du chevalier disparut.

L'officier du guet entra, poussant devant lui Charlemagne qui affichait un air maussade. Le garçon s'adoucit en reniflant la bonne odeur de fourrage qui embaumait l'écurie et à la vue de Laszlo près des nouveaux chevaux.

Le chevalier remercia brièvement le lieutenant qui sortit à reculons, saluant bien bas et bien plus qu'il n'était nécessaire (il briguait pour sa fille cadette un emploi dans la mesnie et ne savait comment aborder le sujet).

Charlemagne croisa les bras sur sa poitrine mais garda la tête baissée sur ses sabots, atténuant l'air fendard que lui prêtait cette posture.

– Hier, par tes excentricités, j'ai compté à la Maison pas moins de quarante-trois livres.

Le chevalier sortit de sa poche le mémoire communiqué par le secrétaire Pillehomme et chaussa son nez de besicles pour lire.

– Vingt livres pour l'amende, seize sur les quatre-vingts que va coûter le nouveau plancher du clocher et sept sur les trente-cinq allouées au bedeau.

Charlemagne hocha la tête. Lui qui n'avait jamais possédé plus de dix sols était flatté d'être à l'origine d'une dépense aussi coquette.

– Cette somme représente exactement trois ans et huit mois de ton salaire de petit valet de chiens. Il est donc juste que tu ne perçoives plus rien avant le jour de la Saint-Sylvestre 1778.

Charlemagne garda la tête baissée et les bras croisés. Le ton du chevalier se fit plus conciliant.

– J'entends mal ton entêtement à vouloir t'enfuir. Un sans-avenir comme toi devrait louer Dieu chaque jour de vivre en notre château. Devenir piqueur n'est-il pas un sort plus noble et plus enviable que porte-sabot de maréchalerie ou compagnon tanneur ?

– Ze veux mes frères et ma zœur auzi, z'est tout.

Un cheval dans l'une des stalles du fond souffla en sabotant le sol.

– Z'est Zauterelle qui a soif, prévint-il sans lever les yeux.

Le chevalier eut une mimique trahissant sa perplexité.

– Comment le sais-tu, on ne la voit même pas d'où nous sommes ?

Charlemagne haussa les épaules. La question lui paraissait stupide.

– Z'est elle qui le dit.

– La jument *dit* qu'elle a soif ?
– Oui, et zi elle avait faim elle aurait dit comme za.
Il poussa une série de soufflements chevalins tout en raclant le sol avec ses deux sabots.
– Ça galope ! lâcha admirativement Laszlo.
Le Hongrois savait depuis longtemps que les chevaux communiquaient entre eux par toutes sortes de bruits et de postures. Apparemment, Charlemagne le savait aussi, mais lui était capable de les comprendre. Il possédait de surcroît la rare faculté de pouvoir reproduire à l'identique pratiquement n'importe quel son.
– Les bêtes ne parlent pas, objecta sans trop de conviction le chevalier.
Un demi-siècle de laisser-courre et de contacts quotidiens avec ses chiens et ses chevaux avait secrètement ébranlé certaines de ses plus profondes certitudes sur le sujet. Il lui était de plus en plus difficile de considérer les animaux comme des machines sans âme, ignorant la souffrance et dont chaque action relevait de la simple mécanique naturelle instituée par Dieu. Pourtant, prêter à des animaux des pensées, des désirs, voire même un langage, équivalait à leur octroyer une âme, ce qui était très impie, très blasphématoire et très dérangeant.
Charlemagne bâilla.
– Z'ai sommeil, moi.
– C'est bien naturel après pareille journée, ironisa le chevalier. Martial, mène-le donc au cachot pour trois jours pleins, dit-il en s'adressant au concierge qui attendait près de la porte.
Charlemagne releva la tête, décroisa les bras et serra les poings.
– Z'ai rien fait, z'est point zuste.
– Tu oublies un peu vite la matinée que nous avons perdue par ta faute à regrouper les meutes. C'est pur miracle que personne n'ait été denté.
– La faute n'est point mienne. Quand on zait point tenir les meutes, on les zort point, z'est tout.
Le chevalier n'apprécia pas les poings serrés et le ton regimbeur du gamin. Sa voix se durcit pour dire :
– La prochaine fois que tu nous donnes motif à mécon-

tentement, tu recevras le fouet. Te voilà mis en garde.

Charlemagne recroisa les bras, rebaissa la tête et se retint de soulever les épaules. Le chevalier venait de grimper de plusieurs places sur sa liste d'ennemis mortels.

Serrant dans ses bras sa paillasse, sa couverture et un seau d'aisance, Charlemagne montait les marches du donjon creusées en leur milieu par quatre siècles d'usage. Martial suivait derrière, lui donnant des bourrades chaque fois qu'il faisait mine de s'arrêter pour souffler.

Depuis la mort du chevalier Évariste, le vieil édifice féodal était inoccupé. Seuls le cellier et la cave continuaient d'être en service. Le chevalier Virgile-Amédée s'était depuis longtemps installé dans le spacieux et confortable corps de logis accolé au donjon deux siècles plus tôt et qu'on appelait le château neuf.

L'ancienne salle des gardes du quatrième étage faisait office de prison du château. Elle était vide de mobilier. Des torchères en fer rouillaient aux murs. Le jour rentrait chichement par quatre étroites archères percées dans des murs épais de sept pieds qui suintaient d'humidité. Le plancher était recouvert d'une couche de poussière sillonnée par de multiples traces de rats et de cancrelats.

Charlemagne déroula sa paillasse devant la grande cheminée désaffectée. La plaque en fonte posée debout devant le contrecœur représentait une Diane chasseresse armée d'un arc.

– Dors mal, mauvaise graine, lui souhaita sincèrement le concierge en fermant les verrous à triple tour.

Le premier réflexe de Charlemagne fut de chercher une échappatoire.

L'examen de la porte révéla un battant en chêne infranchissable sans une hache et plusieurs heures de grands ahans. Quant aux archères, elles surplombaient un à-pic de douze toises impraticable sans une corde longue et solide. Restait la cheminée.

Il entra dans le foyer, leva la tête et fut déçu de ne trouver qu'une chambre de fumée totalement obscure. Le sommet du conduit était bouché ; depuis longtemps à en juger par l'air vicié qu'il y respira.

Il revint vers sa paillasse, s'enroula dans la couverture et ferma les yeux pour mieux réfléchir à ce qu'il ferait subir au chevalier le jour où l'occasion se présenterait.

Chapitre 33

Un jour gris pluvieux s'était levé depuis peu quand les sabots de Martial résonnèrent dans l'escalier.

La porte s'ouvrit. Les clefs de son clavier cliquetèrent lorsqu'il se pencha pour déposer sur le plancher un pichet d'eau du puits et un quignon de pain de la taille d'une main.

Avant de repartir, le vieux grincheux marmonna quelque chose de désobligeant à propos des rats que Charlemagne ne comprit pas.

Le pain était si dur qu'il dut le détremper dans l'eau avant de pouvoir mordre dedans. Il vit que de nombreuses crottes de rat y flottaient. Il les ôta avec ses doigts et se désaltéra sans répugnance.

Il savait que Martial s'était vivement indigné en apprenant qu'il avait adopté une portée de ratons. Pour quelqu'un qui se consacrait quotidiennement à leur abolition, un tel acte dénonçait forcément une nature exécrable. Les rats n'étaient-ils pas les ennemis jurés du genre humain ? Qu'arriverait-il, Seigneur, si un jour il trouvait une vipère cornue, ou un scorpion des murailles, ou une tarentule poilue ?

A peine Charlemagne avait-il avalé la dernière bouchée qu'il se penchait par l'archère donnant sur la basse-cour et tonnait d'une voix à se rayer l'émail dentaire.

– HÉ ! Z'AI ENCORE FAIM, MOI, CARAMBA !

Les familles de choucas qui nidifiaient sous les mâchicoulis s'éparpillèrent dans les airs. Plusieurs chiens aboyèrent dans les chenils, une jument hennit, des poules caquetèrent. Même les freux en haut des châtaigniers agitèrent leurs ailes en signe de mécontentement.

Bientôt des bruits de bottes montant l'escalier de pierre

lui confirmèrent qu'on avait entendu sa protestation et qu'on y remédiait. La clef tourna dans la serrure. Charlemagne s'approcha. La porte s'ouvrit. Blaise Onrazac apparut, éclata de rire et lui vida dessus un seau rempli d'eau de cuisine. La porte se referma en claquant.

Rouge de colère, Charlemagne s'essuya les cheveux et le visage avec la couverture en fulminant contre son impuissance. L'eau graisseuse avait transformé la poussière du plancher en boue grisâtre.

Il inspecta à nouveau la porte en s'attardant sur les imposantes fermetures. Il tenta de desceller une torchère avec l'intention de l'utiliser pour les détruire, mais il échoua, même en se pendant après. Les autres torchères résistèrent pareillement.

Il envisagea alors de découper en lanières ses vêtements, sa couverture, la toile de sa paillasse et de tresser avec une corde. La difficulté à trancher du tissu sans ciseaux, plus le temps que l'opération demandait, ajoutés à l'incertitude d'obtenir une longueur et une résistance suffisantes, l'incitèrent à renoncer.

Dehors, il se mit à pleuvoir.

Charlemagne remuait toutes sortes de méchantes pensées vengeresses quand des flop-flop-flop retinrent son attention. De l'eau s'égouttait par la cheminée. Intrigué, il entra dans le foyer. Des gouttes de pluie s'écrasèrent sur son visage. La chambre de fumée toujours aussi obscure l'empêchait d'estimer la hauteur du conduit. La salle de garde se trouvant sous la terrasse du donjon, il ne pouvait être très long.

Charlemagne se souvint des petits Savoyards que la fin de chaque été ramenait à Racleterre : ils se couvraient la tête d'un sac avant de grimper dans l'étroite cheminée de la saboterie.

Se dressant sur la pointe des pieds, il tâta les parois noires de suie. Ses doigts effleurèrent la tablette servant à fixer un protège-courant d'air. Il enleva sa veste détrempée et se couvrit la tête avec. Il roula sa paillasse et la tira dans le foyer pour monter dessus et gagner deux pieds. Là, il dut faire la sauterelle pour atteindre la plaquette et prendre appui dessus. Ses sabots le gênant, il les ôta. Il se hissa alors péniblement dans l'étroit conduit, s'aidant des genoux et du dos, grimaçant sous la veste qui le protégeait des nuages de suie qu'il détachait au passage. Il fut vite à bout de souffle et dut faire une pause en plaquant son dos et en se bloquant de ses jambes tendues contre la paroi. Au carré de jour du foyer en bas, il estima à six pieds la distance parcourue. Il reprit sa progression en serrant les dents, incertain sur ce qu'il allait trouver. Les muscles de ses cuisses tremblaient sous l'effort.

– Ouille !

Sa tête venait de heurter quelque chose de métallique qui avait bougé.

Il ôta sa veste et vit la grille qui condamnait le conduit. Le choc avait ébranlé un vieux nid construit dix ans plus tôt par les choucas et abandonné depuis : l'enchevêtrement savant des branchages qui le composaient s'était déplacé et du jour apparaissait par les interstices.

Charlemagne agrippa la grille d'une main pour la secouer. Son cœur battit plus vite dans sa poitrine. Elle n'était pas soudée. Il suffisait de la soulever pour sortir du conduit. Il disloqua le nid et jeta les morceaux pour pouvoir la rabattre entièrement et passer.

Sa tête dégoulinante de pluie émergea lentement de la cheminée. Il vit la terrasse crénelée du donjon, et, au-delà, la muraille du château, la tour d'angle du levant, les douves et les canards qui les sillonnaient en file indienne. Il pleuvait toujours et les nuages gris qui traversaient le ciel volaient si bas qu'en tendant le bras il aurait presque pu en arracher un morceau.

Il se tournait vers le couchant quand il découvrit la seconde cheminée accolée à la sienne. Tombait-elle dans la chambre du chevalier Évariste ou dans l'ancienne grand-salle du deuxième étage ? Aucune grille n'en barrait le passage.

Vérifiant que personne ne pouvait le voir, Charlemagne sortit du conduit, sauta sur la terrasse et courut plié en deux dans les flaques d'eau jusqu'à la tourelle de pierre qui coiffait la porte d'entrée. Elle était fermée à triple tour. Il maudit Martial qui n'oubliait jamais rien.

Il restait deux possibilités : retourner dans son cachot ou tenter sa chance par l'autre cheminée.

Replaçant sa veste sur sa tête, il s'introduisit aussi vite

qu'il put dans le second conduit. Les parois en briques étaient recouvertes d'une couche de suie fraîche indiquant une utilisation récente. Il s'inquiéta de ne pas voir le fond et commença la descente en la souhaitant aussi courte que possible. Il s'incitait à la prudence en se murmurant à voix haute :

– Zi tu glizes, tu te tues.

Malgré la veste, de la suie s'introduisait dans ses yeux et ses narines.

Après un moment qui lui parut infiniment long, Charlemagne distingua le foyer de la cheminée, les chenets et les braises mortes de l'ultime flambée. Il se laissa tomber à pieds joints dessus et souleva un nuage de cendres qui s'ajouta à celui de suie. Il se trouvait dans la chambre de feu le chevalier Évariste Armogaste.

L'endroit sentait encore la mauvaise transpiration et les médecines. Le grand lit à trois matelas n'avait plus sa literie. De nombreuses petites fioles traînaient en désordre sur une table carrée à dessus de marbre. Les murs étaient tendus d'antiques tapisseries montant jusqu'au plafond : elles représentaient une chasse à l'ours des montagnes, un laisser-courre au loup en forêt, un embarquement pour la Croisade. Les tissus dégageaient des relents de moisi. Des rats s'étaient attaqués au cuir du fauteuil à roulettes poussé dans la ruelle.

La gorge étreinte, Charlemagne traversa la chambre jusqu'à la porte. Passant devant un grand miroir doré et sculpté, il se vit noir comme nègre. La porte était fermée à triple tour. Il s'y attendait, mais ce fut quand même un vrai crève-cœur. Il songea au chemin à parcourir pour revenir dans le cachot et connut un instant de grand découragement. Il vit aussi que ses mains et ses pieds couverts de suie laissaient des traces.

Il reprit cœur en se livrant à une fouille approfondie des lieux, prenant même un vif plaisir à tout retourner, à tout tripoter, à tout ouvrir, soulever, regarder dessus et dessous. Sans le savoir, il expérimentait pour la première fois ce bonheur tout simple qu'éprouve chaque pillard contemplant son butin : un mélange enivrant d'exaltation victorieuse et de toute-puissance jubilatoire.

– Si je veux, je prends tout, se disait-il avec délice et sans zozoter : il ne zozotait jamais en pensée.

Les clefs du château étaient dans un lourd étui de cuir fort rangé (caché ?) au fond d'un coffre à souliers, sous plusieurs paires aux formes rappelant celles en usage sous le Bien-Aimé.

Charlemagne ne comprit pas de suite l'importance de la découverte. Il sortit le clavier de son étui au rabat armorié et dénombra quarante et une clefs rouillées.

Il ne connaissait que deux claviers semblables : celui du chevalier Virgile-Amédée et celui de Martial. Était-il possible qu'il en existât un troisième ? Était-il possible que ce fût précisément celui-ci ? Cette perspective l'agita tellement qu'il dut respirer plus vite.

Retournant à la porte, il examina la mortaise de la serrure et essaya quelques clefs prises au hasard, sans succès. Il décida alors d'être méthodique en les essayant une à une. Il engageait la seizième clef quand il entendit la porte d'entrée du donjon s'ouvrir. Son cœur oublia de battre quelques secondes. Ses mains tremblèrent. Il connut un début de panique. Jamais il n'aurait le temps de retourner dans son cachot.

Collant son oreille contre le battant, il reconnut la voix du maître coq Larouzaude et celle de Coco, son galopin de cuisine. Il les entendit ouvrir la porte du cellier du rez-de-chaussée. Ils ne venaient pas pour lui.

Malgré une trépignante impatience, il attendit qu'ils repartent avec ce qu'ils étaient venus chercher (une pesante jarre d'huile d'olive) pour reprendre ses essais.

La clef ouvrant la chambre du chevalier Évariste était la vingt-neuvième du clavier. Le panneton accrocha le pêne et le fit glisser sans à-coups dans la gâche.

Comme dans un rêve, Charlemagne poussa la porte qui s'ouvrit docilement. Il fit quelques pas sur le palier en se mordant l'intérieur des joues pour ne pas pousser quelques victorieux « Ahiiiiiii ! Caramba ! ».

Il se força à rentrer dans la chambre, à refermer la porte et à s'asseoir sur le bord du lit jusqu'à ce qu'il ait retrouvé son calme et puisse réfléchir à ce qu'il allait faire. Au bout d'un instant, il décida qu'il avait faim et soif.

Sortant à nouveau sur le palier, il remarqua les empreintes de ses pieds noirs sur la pierre. Il retourna dans la chambre et trouva dans une commode en noyer de vieilles chemises aux cols et manchettes de dentelle qu'il utilisa comme serpillière pour effacer les traces de son passage. Mais sans eau ni savon, la suie partait mal et s'étalait comme de la graisse, s'infiltrant dans la moindre fissure. Il enroula alors chacun de ses pieds dans une chemise, noua les manches autour des chevilles et descendit l'escalier ainsi chaussé. Il dépassa le palier du deuxième étage où se trouvait l'ancienne grand-salle en se promettant de la visiter une autre fois.

La clef du cellier était la vingt-septième. Le pêne glissa sans bruit dans la serrure bien huilée. Charlemagne entra dans une salle mal éclairée par deux lucarnes qui ne laissaient passer qu'une maigre lumière. Sur sa dextre, à côté d'un empilement de madriers servant à rouler les tonneaux, un large escalier s'enfonçait dans l'épaisseur de la motte et, à en juger par l'odeur, menait à la cave à vins.

Le cellier servait d'entrepôt à des barriques d'huile, des sacs de châtaignes et d'oignons, des barils de pommes, des sacs de blé et d'orge. Hors d'atteinte des rongeurs, une enfilade de gros jambons tombaient du plafond. Des étagères supportaient des alignements de bocaux de toutes tailles garnis de cornichons, d'olives, de confitures, de foies gras, de pâtés de toutes sortes.

– Zi ze veux, ze manze tout, prévint-il à mi-voix avec satisfaction.

Martial avait disposé çà et là plusieurs pièges à rats appâtés au lard. Il en utilisait de deux modèles : des pièges à ressort et des nasses. Il marquait une nette préférence pour ces dernières qui restituaient la victime vivante et permettaient ainsi de la tuer soi-même. Martial aimait immerger la nasse dans un seau et reluquer les efforts désespérés de la bestiole. Il se sentait alors très proche des exécuteurs de haute justice qui nettoient la société des mauvais éléments. Chaque rat trucidé était une victoire sur le Mal. Le concierge procédait à ces « exécutions » près du puits, au vu et au su de tous, invitant chacun à venir observer l'agonie de l'un des ennemis déclarés et prouvés du genre humain.

Tout en croquant dans une pomme, Charlemagne les désarma, ôta les lardons, les déposa à côté et réarma les pièges.

Il déplaça ensuite un tonneau de mélasse et grimpa dessus pour atteindre l'un des jambons de Najac et mordre dedans à pleine bouche. Leur bon père disait qu'on reconnaissait un bon jambon à sa chair bien rouge et à son lard translucide : il aurait aimé celui-ci.

Quand il eut soif, il descendit l'escalier menant à la cave plongée dans le noir et tâtonna à l'aveuglette jusqu'à ce que ses mains trouvent un tonneau en perce muni d'un robinet de bois. Il emboucha ce dernier, l'ouvrit et but avec un vif plaisir trois longues rasades qui l'enivrèrent rapidement. Alors, il remonta dans le cellier goûter aux confitures.

Rassasié, il quitta le cellier sans oublier de refermer à triple tour et remonta dans la chambre du chevalier pour y récupérer l'étui du clavier.

Le plus délicat fut de se débarrasser de toute cette suie qui l'endeuillait. Faute de mieux, il remonta sur la terrasse du donjon, ouvrit la porte avec la trente et unième clef et se débarbouilla tant bien que mal le visage, les mains et les pieds dans les flaques de pluie qui inondaient la terrasse. Il ôta ses vêtements et tenta de les nettoyer en les frottant sans succès sur les dalles. Il aurait fallu une brosse, du savon, beaucoup d'eau courante et autant d'huile de coude.

Il regagna son cachot – qui s'ouvrait avec la trentième clef – et décousit avec les dents un bout de sa paillasse pour cacher le clavier dedans.

Tous ces efforts l'ayant assoiffé, il ressortit le clavier de sa cachette, ramassa le pichet et redescendit jusque dans la cave le remplir à ras bord.

Martial grognait en montant l'escalier. Ses clefs s'entrechoquaient sur son ventre à chaque pas. Le père Gisclard suivait derrière lui, soufflant comme un bœuf. Lui aussi se faisait vieux.